4 00

Zevenenzeventig vertellers verhalen in *Herinnering aan Joods Amsterdam* over het vooroorlogse leven in de hoofdstad. Diamantbewerkers, zuurinleggers, leraren, rabbijnen, kleermakers, journalisten, kooplieden, artsen: zij spreken zich uit over hun beroep, godsdienst, de oude Jodenbuurt, het uitgaansleven, immigratie, zionisme en de Tweede Wereldoorlog. Dit boek is een mozaïek van ego-documenten, onderverdeeld naar onderwerp, dat als geheel een onuitwisbaar beeld geeft van de tijd waarin Amsterdam en de Joden veel voor elkaar betekenden, vóór de fatale jaren 1940-1945. Het is tevens de geschiedenis van armoede, crisistijd en de arbeidersbeweging, en van de culturele en intellectuele emancipatie van de Joden.

Philo Bregstein (Amsterdam, 1932) is schrijver en filmer. De interviews in dit boek werden in eerste instantie door hem afgenomen als research voor zijn film *Op zoek naar Joods Amsterdam,* gemaakt ter gelegenheid van de viering van het 700-jarig bestaan van de stad Amsterdam.

Salvador Bloemgarten (Brussel, 1924) is historicus en muziekrecensent. In oktober 1993 verscheen zijn studie over socialist en vakbondsleider Henri Polak.

De pers over *Herinnering aan Joods Amsterdam:*

'... authentiek, ontroerend en hartverscheurend. Na het lezen van *Herinnering aan Joods Amsterdam* heb ik zitten huilen.'
Sal Santen, *NRC Handelsblad*

'Achter de regels hoor je de stemmen, proef je de emoties.'
Frits Barend, *Vrij Nederland*

'... een bijzonder kleurrijk en levendig verslag uit de eerste hand.' *De Nieuwe Linie*

Herinnering aan Joods Amsterdam

Samengesteld door
Philo Bregstein
Salvador Bloemgarten

Tekstverzorging
Joka Bloemgarten-Barends

1999
UITGEVERIJ DE BEZIGE BIJ
AMSTERDAM

Deze uitgave is tot stand gekomen mede dank zij de medewerking van de Stichting Film en Wetenschap, Jan Vrijman Cineproduktie, de NCRV *en het Ministerie van* CRM.

Vertellers

Emmanuel Aalsvel
Maurits Allegro
Eduard van Amerongen
Lodewijk Asscher
Barend Bril
Gerrit Brugmans
Rosa de Bruijn-Cohen
Werner Cahn
Joël Cosman
Salomon Diamant
Barend Drukarch
Carel Jozef Edersheim
Joop Emmerik
Max Emmerik
Simon Emmering
Suze Frank
Arthur Frankfurther
Mozes Heiman Gans
Simon Gosselaar
Toos Gosselaar-la Grouw
Hartog Goubitz
Alexandre Joseph Goudsmit
Joannes Juda Groen
Ruben Groen
Johanna Groen-Louman
Hubertus Petrus Hauser
Hermine Heijermans
Abel Jacob Herzberg
Salko Herzberger
Barend de Hond
Henri Isidore Isaac
Jo Juda
Eduard Charles Keizer
Jeanette Keizer-Alvarez Vega
Isaac Kisch
Bertha Koster-Barnstein
Barend Kroonenberg
Loe Lap
Abraham de Leeuw

Mirjam de Leeuw-Gerzon
Mozes de Leeuw
Marius Gustaaf Levenbach
Isaac Lipschits
Barend Luza
Wilhelmina Beatrix Meijer-Biet
David Mindlin
Meijer Mossel
Aron de Paauw
Aron Peereboom
Ben Polak
Karel Polak
Sylvain Albert Poons
Rosine van Praag
Carel Reijnders
Max Reisel
David Ricardo
Abraham Salomon Rijxman
Leen Rimini
Jan de Ronde
Ben Sajet
Abraham van Santen
Max van Saxen
Julia van Saxen-Heertjes
Dick Schallies
Hijman (Bob) Scholte
Ben Sijes
Jacob Soetendorp
Nathan Stodel
Elizabeth Stodel-van de Kar
Ali Stuurhoff-Voorzanger
Max Louis Terveen
Bernard van Tijn
Aaron Vaz Dias
Joop Voet
Sal Waas
Alexander van Weezel
Liesbeth van Weezel

Inhoud

Verantwoording

Bij de voorbereiding van de film *Op zoek naar Joods Amsterdam*, die ik maakte ter gelegenheid van de zevenhonderd jaar viering van de stad Amsterdam, heb ik een groot aantal interviews op de band opgenomen, hierbij geadviseerd door Salvador Bloemgarten.

Toen de film door beperkte tijd en financiën veel korter en eenvoudiger van opzet moest worden dan oorspronkelijk de bedoeling was, besloot ik tot een zeer persoonlijke keuze. Bovendien kon in de film hoe dan ook slechts een klein gedeelte van het interview-materiaal worden gebruikt.

Na bestudering van de interviews waren Salvador Bloemgarten en ik ervan overtuigd, dat deze herinneringen uit de eerste hand van een telkens kleiner wordende groep 'overlevenden' toegankelijk moesten worden gemaakt voor een lezerspubliek. Als bron van historische kennis geven zij belangrijke aanvullingen op reeds bestaande publikaties en ze werpen licht op vele onbekende aspecten van het vooroorlogse joodse Amsterdam.

De directe herinnering heeft het voordeel van het levende contact met het verleden. Natuurlijk ervaart de herinnering soms feitelijke onjuistheden als juist. Bloemgarten heeft geprobeerd zoveel mogelijk feitelijke onjuistheden in de tekst te corrigeren. Ook pretendeert dit boek geen historische volledigheid, ondanks het feit dat Bloemgarten en ik nog enkele aanvullende interviews hebben gehouden. Ik stelde vragen vanuit mijn persoonlijke geïnteresseerdheid en kreeg meestal alleen dat te horen waarnaar ik vroeg. De verantwoording voor de tekst zoals wij die hebben bewerkt, ligt volledig bij Bloemgarten en mijzelf. Joka Bloemgarten-Barends, die de tekst in samenwerking met ons verzorgde, heeft zoveel mogelijk de oorspronkelijke spreektaal van de bandopnamen gehandhaafd. Een levendige verteltrant leek ons belangrijker dan stilistische gaafheid.

Wij hebben het boek gecomponeerd als een collectieve getuigenis. Het trof mij opnieuw, hoe weinig men in het algemeen vandaag weet wat Amsterdam voor de Joden en de Joden voor Amsterdam hebben betekend. Met als wrange conclusie, dat na déze integratie, dit samengaan van joodse en niet-joodse Amsterdammers, de nazivervolgers ná 1940 zo efficiënt hun werk hebben kunnen doen.

Tot slot: dank aan degenen die mij hun herinnering in vertrouwen gaven.

Philo Bregstein

Inleiding

Toen de Duitsers in 1940 Nederland overmeesterden, woonden er in ons land ongeveer 140.000 mensen, die volgens nationaal-socialistische maatstaven als Jood werden beschouwd: d.w.z. dat zij minstens drie joodse grootouders hadden, die lid waren van een joodse gemeente of kerkgenootschap. Meer dan de helft, in totaal 80.000, was gevestigd in Amsterdam. Van deze Amsterdamse Joden bezaten ongeveer 10.000 in 1940 niet de Nederlandse nationaliteit.

In geen enkele Westeuropese stad was het percentage joodse inwoners zo hoog als in Amsterdam: nl. tien procent. En dit percentage was dan nog lager dan in 1800 en 1900, toen de Joden zelfs dertien procent van de Amsterdamse bevolking vormden.

Ook de sociale geleding van de joodse volksgroep in Amsterdam was anders dan die in andere Westeuropese stedelijke centra. Lange tijd was in West-Europa Amsterdam de enige stad waar onder de Joden het proletariaat van arbeiders en straathandelaars de meerderheid vormde. Na 1880, toen uit het tsaristische Rusland een grote stroom van arme, om ras en geloof vervolgde Joden, naar het Westen vluchtte, kreeg ook Londen een groot joods proletariaat.

Al sinds het midden van de zeventiende eeuw woonden er in Amsterdam relatief veel Joden, die niet of nauwelijks in staat waren in eigen onderhoud te voorzien. De stad, die in die zelfde zeventiende eeuw een handelsimperium opbouwde van imposante grootheid, werd toen bestuurd door een beperkt aantal regenten-koopliedenfamilies, die voorstanders waren van handels- én geestelijke vrijheid. Wie om een of andere reden het elders niet uithield, kon zijn tenten opslaan in Amsterdam, mits hij bij de stedelijke magistraten niet kwam bedelen om een financiële toelage. Voor de Joden gold bovendien de beperkende bepaling dat zij geen lid mochten worden van een bestaand ambachtsgilde.

Zo bleef in de zeventiende en achttiende eeuw de economische basis voor de meeste Joden, die zich in Amsterdam vestigden, uiterst smal. Alleen die beroepen, die niet in gilden georganiseerd waren, mochten doorgaans door Joden worden uitgeoefend. Ook joodse ambachtslieden die voor joodse afnemers produceerden, zoals de drukkers van Hebreeuwse, Portugese, Spaanse en Jiddisje geschriften, kregen hiertoe de gelegenheid. Verder waren de Joden voornamelijk aangewezen op de handel en de met sommige soorten van handel samenhangende takken van industrie, die voorheen niet of nauwelijks in Amsterdam voorkwamen.

Onder de zich omstreeks 1600 in Nederland vestigende Joden uit Spanje en Portugal bevonden zich tamelijk veel rijke kooplieden, die dank zij hun betrekkingen met de Middellandse Zee-landen en de Nieuwe Wereld, een wezenlijke bijdrage leverden aan de bloei van de Nederlandse Republiek en in het bijzonder die van Amsterdam. Deze zgn. Portugezen legden in Amsterdam onder meer de basis voor de diamant- en tabakshandel en de daarmee samenhangende industrie. In de zeventiende eeuw maakten de Portugezen Amsterdam ook tot een beroemd centrum van Hebreeuwse typografie. In de achttiende eeuw waren het weer Portugezen die de dan nieuwe techniek van handel in effecten tot ontwikkeling brengen. De kleine elite van rijke en soms ook aristocratische Portugezen probeerde in Amsterdam zijn Spaanse en Portugese culturele tradities levend te houden, verdiepte zich veelal met hartstocht in de joodsreligieuze cultuur, maar stond tegelijkertijd open voor nieuwe geestelijke stromingen in de Westeuropese wereld. Daardoor konden deze Portugezen ook in vrijheid en met behoud van eigen identiteit omgaan met de beste Nederlandse geleerden en kunstenaars.

De glorie van de Portugezen, waarvan nu nog de schitterende monumentale synagoge op het Jonas Daniël Meyerplein getuigt, zou ten onrechte de indruk kunnen wekken dat alle leden van de zgn. Portugees Joodse Natie rijk waren. Niet alleen waren er vanaf het begin armen onder de Portugezen, in de achttiende eeuw werd de achteruitgang van Amsterdams internationale handelspositie juist voor vele Portugezen noodlottig. Zo bleek in 1799 dat liefst vierenvijftig procent van deze Sefardim van de bedeling leefde.

De sefardische Joden effenden in Amsterdam het pad voor de asjkenazische of hoogduitse Joden, in hoofdzaak afkomstig uit Duitsland en Polen. Dezen vestigden zich voor het eerst in Amsterdam in 1620, ongeveer een kwart eeuw na de komst van de eerste Sefardim. Wanneer in 1671 de grote hoogduitse synagoge op het tegenwoordige Jonas Daniël Meyerplein wordt geopend, telt hun gemeenschap in Amsterdam al 7500 leden en is dan ongeveer driemaal zo groot als die der Sefardim. Bij de volkstelling in maart 1797 bleken er in Amsterdam ruim 20.000 hoogduitse en 2800 Portugese Joden te wonen. Dan zijn er dus ruim zevenmaal zoveel Asjkenazim als Sefardim in Amsterdam. De gehele bevolking van Amsterdam telde toen ongeveer 200.000 zielen.

De hoogduitse joodse families die in de zeventiende en achttiende eeuw welvarend werden en maatschappelijk aanzien verkregen, hebben zich doorgaans van de grond af omhoog gewerkt. Zij hadden veel minder economische mogelijkheden dan de Sefardim en waren grotendeels aangewezen op handel in tweedehands goederen en straathandel in de vorm van venten en verkoop op markten. Twee van de drie hoogduitse Joden leefden aan het eind van de achttiende eeuw van de 'bedeling', d.w.z. de joods-kerkelijke liefdadigheid. Onder de Christenen in Amsterdam was dit 'slechts' dertig procent. Onder de rijkere Asjkenazim trof men in Amsterdam in de achttiende eeuw voornamelijk handelaars in muntspecie en makelaars in koloniale produkten. De enige echte grootkapitalist onder hen was eind achttiende eeuw de tabakshandelaar-planter en bankier Benjamin Cohen, de grootvader van Mr. Jonas Daniël Meyer.

Vóór de vestiging in 1795 van de Bataafse Republiek waren de armlastige Joden geheel aangewezen op ondersteuning door hun respectieve kerkbesturen. De beide joodse gemeenschappen, de Portugees Joodse Natie en de Hoogduits Joodse Natie, hadden tijdens de oude Republiek zelfbestuur. De wetten en verordeningen der beide joodse naties golden tegelijkertijd als stedelijke keur, wat betekende dat de kerkbestuurders of parnassim overtreders van de joodse wetten voor de Amsterdamse rechtbank konden dagen. Dank zij de ruggesteun van de Amsterdamse regenten konden parnassim binnen hun gemeentes als absolute heersers optreden. Zij moesten dit ook wel doen, wilden zij b.v. de armenzorg enigszins redelijk doen functioneren. Het toezicht door de parnassim op de leden der beide joodse naties werd ongetwijfeld vergemakkelijkt door het feit dat vrijwel alle Amsterdamse Joden in één buurt woonden, waarvan het tegenwoordige Waterlooplein het centrum vormde. Eind achttiende eeuw was de oppervlakte van deze zgn. oude Jodenbuurt beduidend kleiner dan in het begin van de twintigste eeuw. Zo werd de Sint Antoniesbreestraat nog in hoofdzaak door Christenen bewoond. Alleen het stuk Weesperstraat dat direct grensde aan het Jonas Daniël Meyerplein (toen Deventer Houtmarkt) had een joodse meerderheid. Een echt ghetto was de oude Jodenbuurt niet. De Joden hadden zich er vrijwillig gevestigd vanwege de aanwezigheid der synagoges en ook wel om onder elkaar te zijn. Slechts 200 Joden bleken bij de telling van 1797 buiten het zgn. ghetto te wonen. Dezen waren, met uitzondering van één familie, allen gevestigd in het stuk tussen Vijzelgracht en Amstel: dus toch nog in de onmiddellijke nabijheid van het vertrouwde joodse centrum. De Jodenhoek is trouwens nooit uitsluitend door Joden bewoond.

De Bataafse Republiek, in 1795 onder auspiciën van de Franse bezetters (of bevrijders) tot stand gekomen, bracht een belangrijke wijziging in de staatkundige positie van de Nederlandse Joden en dus ook in die van Amsterdam. Op 2 september 1796 erkende de Nationale Vergadering, een volgens algemeen mannenkiesrecht gekozen parlement, de hier gevestigde Joden als Nederlandse staatsburgers. De grote meerderheid der Amsterdamse Joden was bepaald niet gelukkig met deze verandering en begreep ook nauwelijks wat het voor hen betekende. De meesten zagen in de nieuwe heersers, de patriotten, in de eerste plaats tegenstanders van het huis Oranje. Omdat het nu juist de vijanden van Oranje waren die de fel orangistisch voelende Joden tot Nederlandse staatsburgers promoveerden, waren zij merendeels tégen de gelijke burgerrechten. Parnassim en rabbijnen waren bovendien bang dat zij in het nieuwe staatsbestel hun invloed op de joodse massa zouden verliezen. De bevordering van de Joden tot Nederlandse staatsburgers was een logisch vervolg op de scheiding van Kerk en Staat, die vlak daarvoor had plaatsgevonden. Door die scheiding kon men de Joden dus nog alleen maar beschouwen als leden van particuliere kerkgenootschappen en verloren de joodse naties als aparte staatkundige lichamen hun reden van bestaan. In het nieuwe staatkundige bestel kende de overheid alleen maar individuele burgers met gelijke rechten en geen aparte staatkundige organen gehoorzamend aan eigen wetten, zoals de joodse naties.

Met grote ijver had van februari 1795 af een kleine groep verlichte Joden, georganiseerd in de patriottenclub Felix Libertate, zich ingezet voor de burgerlijke gelijkstelling der Joden. Van deze gelijkstelling verwachtten ze hetzelfde als hun christelijke geestverwanten: nl. dat de arme en in hun ogen onontwikkelde joodse proletariërs en kleine middenstanders dankzij de politieke gelijkstelling, zich ook sociaal, economisch en cultureel tot de gelijken van hun christelijke medeburgers zouden ontwikkelen. Met de opheffing van de ambachtsgilden in 1798 leek bovendien het laatste juridische obstakel voor de sociale en economische verheffing van de straatarme joodse massa's in Amsterdam te zijn opgeruimd. Mozes Asser, voorzitter van Felix Libertate, had de situatie waarin de Joden ten tijde van de Republiek der Zeven Provinciën hadden verkeerd kernachtig geschetst met de woorden: 'Men heeft ons vergund in het openbaar psalmen te zingen en van honger te sterven.' In de nieuwe staat, ingericht volgens de beginselen der Franse Revolutie, leek het dus alsof de Joden niet meer van honger hoefden te sterven. Dat ze ook niet meer in het openbaar psalmen mochten zingen, d.w.z. op de openbare weg godsdienstoefeningen mochten houden, namen de mannen van Felix Libertate graag op de koop toe.

Al gauw werden de hooggestemde verwachtingen der joodse

patriotten beschaamd. Ongeveer een eeuw lang zouden de objectieve economische voorwaarden voor een succesvolle bestrijding van de armoede onder het joodse proletariaat blijven ontbreken. Het tot het einde van de Franse tijd (1813) voortdurend achteruitlopen van Amsterdams handel, maakte de economische nood voor de zo sterk op de handel aangewezen Joden van deze stad alleen nog maar groter. Maar ook na afloop van de napoleontische oorlogen, toen Amsterdam zijn handelscontacten met koloniën en overzeese gebieden kon herstellen, bleef de economie van de stad kwijnen.

Zolang Amsterdam niet in de greep kwam van het moderne industriële kapitalisme, hadden arme Amsterdammers, Joden en Christenen, niet of nauwelijks de gelegenheid hun economische positie te verbeteren. En ook al mocht een Jood zich nu b.v. wel als timmerman of smid vestigen: als hij geen klanten kreeg, kwam hij met zijn nieuwe recht nog weinig verder. Uiteraard veranderde er wel iets in de sociaal-economische positie van de Amsterdamse Joden. Al vóór 1870 begonnen meer en meer Joden carrière te maken in de vrije intellectuele beroepen, zoals die van arts, advocaat of journalist. De eerste Joden maakten in deze periode als hoogleraar hun entree op Amsterdams Universiteit. Meer dan in de achttiende eeuw slagen Joden erin zich als koopman, ondernemer of bankier maatschappelijk aanzien te verwerven. Sommigen, zoals de arts Sarphati, ontplooien initiatieven waarvan een sterke stimulans op het Amsterdamse bedrijfsleven uitgaat. Dit neemt niet weg dat de overgrote meerderheid van de Amsterdamse Joden voorlopig in schrikbarende armoede blijft leven. Niet alleen komt daardoor de immigratie van onbemiddelde Joden uit het buitenland tot stilstand, nogal wat arme Amsterdamse Joden gaan in de negentiende eeuw hun geluk beproeven buiten Nederlands grenzen. Zo ontstond er al in de zestiger jaren van de vorige eeuw een nederzetting van arme Amsterdamse Joden in het Londense East End, dus nog vóór de komst van de Oostjoden.

Veranderde er dus in het tijdvak van de koningen Willem i en Willem ii weinig in de sociaal-economische positie van de Amsterdamse Joden, op cultureel gebied veranderde er wel degelijk iets. Met volledige instemming van de godsdienstige leiders der joodse gemeenschap werd op joods-godsdienstige scholen het Jiddisj als voertaal vervangen door het Nederlands. Veel Joden gingen bovendien ook de stads-armenscholen bezoeken, waar het lager onderwijs uiteraard in de Nederlandse taal werd gegeven. Het initiatief hiertoe ging uit van de overheid, die hoopte dat de Joden via het onderwijs in de Nederlandse taal zich zouden gaan assimileren aan de christelijke Nederlanders. Meer en meer gingen ook de notabele Joden het Jiddisj als een barbaars jargon beschouwen, ook wanneer zij in religieus opzicht orthodox-joods waren. Van harte werkten zij dan ook samen met de overheid bij diens pogingen de Joden d.m.v. het Nederlands te assimileren. Als schrijftaal verdween het Jiddisj al spoedig geheel. Na 1850 wordt het Nederlands de algemene spreektaal van de Amsterdamse Joden, zij het dat dit Nederlands vaak zo doorspekt bleef met Jiddisje termen, dat een niet-Jood of een geassimileerde Jood moeite had dit Nederlands te verstaan.

De assimilatie d.m.v. de taal beoogde bepaald niet de Joden van hun godsdienst te vervreemden. Tot 1861 gaf de regering subsidie aan de joodse godsdienstscholen, waardoor ook onder de armen een redelijk niveau van kennis van de eigen godsdienstige cultuur kon worden gehandhaafd. Vóór het einde van de negentiende eeuw werd onder assimilatie meer verstaan een formele aanpassing aan Nederlandse omgangsvormen dan een werkelijk opgeven van de eigen identiteit. Zolang de arme Amsterdamse Joden voornamelijk op kerkelijke liefdadigheid waren aangewezen, zolang de Joden merendeels specifiek joodse beroepen uitoefenden en zolang zij in één buurt bleven wonen als belijders van één en dezelfde godsdienst, zolang bleven de Amsterdamse Joden een gemeenschap op zichzelf vormen met een duidelijk herkenbaar eigen karakter.

De Amsterdamse Joden raakten in de negentiende eeuw echter ook vervreemd van de grote Oostjoodse gemeenschappen, met wie zij niet meer konden communiceren in het Jiddisj. De twijfel aan het bestaan van God was voorlopig een luxe, die alleen de rijken zich konden permitteren. Maar ook deze notabelen bleven trouwe lidmaten van het kerkgenootschap, waarvan zij zelfs vaak bestuurders werden. Het kerkgenootschap, geleid door in godsdienstig en politiek opzicht liberale Joden en orthodox-religieuze rabbijnen, bleef tot de laatste tientallen jaren van de negentiende eeuw het vanzelfsprekende middelpunt van het Amsterdams-joodse leven.

Tussen 1870 en 1914 werd Amsterdam uit zijn lethargie gewekt door de ontwikkeling van het moderne kapitalisme. De slapende schone stad aan Amstel en aan IJ met zijn als vanzelfsprekend aanvaarde schrille tegenstellingen tussen arm en rijk, waarvan Neel Doff zo'n indringend beeld geeft in *Dagen van honger en ellende*, werd door de macht en de kracht van het kapitaal na 1870 meegesleept in de vaart van de Westeuropese volken. Voor alle Amsterdammers, maar vooral voor de Joden in deze stad, leidde de nieuwe bedrijvigheid op handels- en industrieel gebied tot een grondige wijziging van het levenspatroon. Door de modernisering van het bedrijfsleven en de verruiming van de handelsmogelijkheden kwamen ook grotere kapitalen vrij voor de consumptie, wat op zichzelf weer produktie en verkoop stimuleerde.

De talrijke Joden die zich in deze tijd maatschappelijk opwerken, groeien als het ware in hun eigen beroep. Zo kan een sigarenmaker, die met enkele knechts thuis sigaren maakt, zich opwerken tot directeur van een sigarenfabriek, waar de sigaren grotendeels machinaal worden vervaardigd. Veel diamantbewerkers worden juweliers, die de ruwe diamant door anderen laten bewerken. Het eindstadium is dat van de grote juwelier, zoals b.v. I.J. Asscher, die een eigen fabriek laat bouwen met ultramoderne machines, waar plaats is voor vele honderden diamantbewerkers. Een kleine textielwinkel zoals de Bijenkorf op de Nieuwendijk, kon in deze tijd uitgroeien tot een indrukwekkend concern van warenhuizen. Het kwam ook voor dat voddenjoden of handelaren in tweedehands goederen antiquaren of antiquairs werden. En via deze beroepen kwamen weer sommigen in de kunsthandel terecht. Uiteraard was echter een dergelijke stijging op de maatschappelijke ladder slechts voor een kleine minderheid weggelegd.

Na 1870 was het vooral het diamantvak dat de arme Jood de gelegenheid gaf zich op te werken tot soms goed en soms slecht betaalde geschoolde industriearbeider. Het diamantvak werd zodoende 'Het Vak' en men kan rustig stellen dat in 1914 ongeveer de helft van de joodse beroepsbevolking hierin emplooi vond.

Het nieuwe economische bestel bracht ingrijpende veranderingen met zich mee in de sociale, politieke en culturele verhoudingen. De sociale zorg raakte meer en meer los uit de sfeer van kerkelijke en bij Joden sterk ontwikkelde particuliere liefdadigheid. De vereniging van joodse werklieden Handwerkers Vriendenkring, opgericht in 1869, was de eerste vereniging van arbeiders voor arbeiders (weliswaar aanvankelijk onder patronage van grote liberale signeuren als A. C. Wertheim en Mr. A. S. van Nierop), die probeerde op praktische wijze joodse arbeiders sociaal en geestelijk te verheffen: en dit geheel buiten de sfeer van de religie. Het bescheiden sociale werk van een kleine vereniging als H W V, die overigens tot 1940 bleef bestaan, werd vanaf omstreeks 1900 meer en meer overgenomen of gestimuleerd door de vakbeweging, progressieve politieke partijen en overheid.

In de tachtiger jaren bleven de joodse arbeiders nog doof voor de revolutionaire roep van Ferdinand Domela Nieuwenhuis en zijn Sociaal Democratische Bond. Een kentering vond plaats in de jaren 1892-1894. Drie jonge joodse diamantbewerkers, Henri Polak, Adolf de Levita en Jos Loopuit slaagden erin de joodse diamantbewerkers tot een factor van betekenis te maken in de arbeidersbeweging. Zij bliezen eerst de zieltogende socialistische Nederlandsche Diamantbewerkers Vereeniging nieuw leven in en bezwoeren de joodse diamantbewerkers hun christelijke collega's niet te beschouwen als indringers in het vak, maar als kameraden met wie gezamenlijk de strijd tegen de werkgevers moest worden aangebonden. Het socialisme van genoemd drietal was niet hetzelfde als dat van de revolutionaire Domela Nieuwenhuis, maar geïnspireerd door de ideeën van hun iets oudere vriend Frank van der Goes, toen o.a. redacteur van *De Nieuwe Gids*. De aanhangers van Van der Goes trachtten eerst de SDB voor het zgn. parlementaire standpunt te winnen. Dit betekende dat zij (ook al werd het idee van een revolutie niet opzij gezet) hoopten d.m.v. een sterke, in het parlement vertegenwoordigde socialistische partij, te bereiken dat de sociale wetgeving op gang gebracht kon worden. In de praktijk, niet in theorie, werden zij, met uitzondering van Van der Goes zelf, reformisten die geleidelijk en zonder revolutionair geweld de zgn. kapitalistische maatschappij in een socialistische wilden veranderen. Polak, De Levita en Loopuit leverden in Amsterdam een belangrijke bijdrage tot de stichting van de nieuwe arbeiderspartij, de parlementair gerichte SDAP, die op 26 augustus 1894 o.l.v. de Friese advocaat Mr. Pieter Jelles Troelstra een bescheiden begin maakte met zijn politieke activiteiten.

Nog hetzelfde jaar wierp de propaganda van de Nederlandsche Diamantbewerkers Vereeniging, gesteund bovendien door de radicaal-liberale leiders van HWV, zijn vruchten af. De diamantbewerkers, wier loon in een periode van conjuncturele crisis door de steeds scherpere onderlinge concurrentie van honderden kleine juweliers ver beneden het bestaansminimum was gedaald, legden allen in november het werk neer: eerst de Christenen en daarna de Joden. De stakingsleiders stichtten nog diezelfde maand een vakbond, de Algemeene Nederlandsche Diamantbewerkers Bond waarin al zeer spoedig de overgrote meerderheid van de Amsterdamse en dus Nederlandse diamantbewerkers werd georganiseerd: een voor Nederland op dat moment nog uniek verschijnsel. Henri Polak werd direct bij de oprichting van de ANDB voorzitter van de Bond en bleef dit tot mei 1940. Vooral via het *Weekblad van de ANDB*, dat van 1895 tot 1940 geredigeerd werd door Polak, kregen de diamantbewerkers een opvoeding in de ideologie van de zgn. moderne vakbeweging en het parlementaire socialisme. In de eerste tien jaar van zijn bestaan ontwikkelde de ANDB zich in een voortdurende strijd met de veelal joodse werkgevers tot de belangrijkste en meest efficiënte vakbond in Nederland. De Bond werd een voorbeeld voor andere Nederlandse vakbonden. Vooral dank zij het ijveren van de ANDB en zijn voorzitter, Henri Polak, werd in 1905 de eerste moderne centrale van vakbonden opgericht, het NVV. In het NVV was de ANDB aanvankelijk verreweg de belangrijkste vakbond en het is dan ook logisch dat Henri Polak de eerste voorzitter van dat NVV werd.

Hoe vakbonds- en politieke activiteiten in elkaar grepen mag blijken uit het feit dat tot 1900 niet alleen in Amsterdam de overgrote meerderheid van de SDAP-leden bestond uit joodse diamantbewerkers: ook landelijk vormden aanvankelijk de Amsterdams-joodse diamantbewerkers naast de Friese aanhangers van Troelstra de belangrijkste groepen in de SDAP.

Men kan moeilijk de invloed, die SDAP en ANDB op de joodse diamantbewerkers in het bijzonder en het joodse proletariaat in Amsterdam in het algemeen heeft gehad, overschatten. In feite namen de socialistische leiders het vormingswerk over van de religieuze leiders. Een nieuwe wereldse, onjoodse en onkerkelijke cultuur werd de arbeiders bijgebracht, die misschien tegelijkertijd een verarming en een verrijking inhield. De ANDB en speciaal Henri Polak zorgden niet alleen voor grotere materiële welvaart en betere arbeidsvoorwaarden, zij brachten de arbeiders bovendien nader tot wetenschap, kunst en natuur. Multatuli, Emile Zola, Herman Gorter, Henriette Roland Holst, architect Berlage (bouwer van het Bondsgebouw) en niet te vergeten de bioloog Jac. P. Thijsse werden de nieuwe idolen van het bewuste Amsterdams-joodse proletariaat, dat vrijwel geheel vervreemdde van zijn oude godsdienstige cultuur.

Tot die vervreemding had in niet geringe mate bijgedragen het feit, dat de meeste rabbijnen rond 1900 zich weinig bekommerden om de sociale nood van het joodse proletariaat en bovendien vaak al te gewillige dienaren waren van joodse en nietjoodse gezagsdragers. De onverhulde propaganda die joodse kerkbestuurders en de joodse pers voor het politieke liberalisme maakten, droeg al evenzeer bij tot deze vervreemding. De tussen liberalen en socialisten opererende vrijzinnig-democraten (voortgekomen uit de radicale vleugel van het liberalisme) vonden voornamelijk aanhang bij joodse intellectuelen en ontwikkelde middenstanders.

Maar al werd de band met religie en kerkgenootschap na 1894 bij joodse arbeiders (trouwens ook bij nogal wat middenstanders en intellectuelen) losser, dit wil bepaald niet zeggen dat deze banden geheel verbroken werden. Zelfs vele socialistische leiders, zoals Henri Polak, bleven officieel lid van het kerkgenootschap. Ook al opereerden ze grotendeels buiten het kader van het Jodendom, daarom wilden ze nog niet een rechtstreekse aanval op godsdienst en kerk ondernemen. Van Henri Polak is mij niet één anti-godsdienstige uiting bekend. Zij die gelijk Abraham Reens meenden dat zij door hun bekering tot het socialisme ophielden Jood te zijn, bleven een zeer kleine minderheid vormen.

Het socialisme heeft in de periode 1894 tot 1940 ongetwijfeld talrijke maatschappelijke en godsdienstige barrières tussen Joden en niet-Joden in Amsterdam opgeheven. SDAP, ANDB en na de eerste wereldoorlog de AJC (Arbeiders Jeugd Centrale) brachten de beide groepen niet alleen ideologisch bij elkaar, maar bevorderden ook in hoge mate het gemengde huwelijk. De secularisatie van de cultuur in het algemeen in de twintigste eeuw bevorderde het gemengde huwelijk: en niet alleen onder arbeiders. De minder ontwikkelde categorie joodse vakarbeiders, – en zij vormden de belangrijkste categorie arbeiders, – bleven trouwens meestal sterker gebonden aan de joodse traditie en daardoor ook geïsoleerder van de niet-joodse omgeving staan dan de ontwikkelde arbeiders. Ditzelfde gold nog in veel sterkere mate voor het joodse lompenproletariaat, dat tot 1940 nog altijd een belangrijk percentage van de joodse bevolkingsgroep in Amsterdam bleef vormen.

Zeker is dat vóór 1940 de centrifugale krachten die druk uitoefenden op het Amsterdamse jodendom steeds sterker werden. Slechts zelden leidde dit echter tot volledige assimilatie aan nietjoodse omgeving en volledig verlies van joodse identiteit. Er is bovendien sprake van wederzijdse beïnvloeding. Nogal wat Christenen, levend en werkend temidden van Joden, assimileerden aan Joden. Om een voorbeeld te noemen, de 'christelijke' secretaris van de AND B, Jan van Zutphen, doorspekte zijn brieven aan medebestuurders graag met Jiddisje uitdrukkingen, dit in tegenstelling tot de joodse voorzitter van de Bond, Henri Polak, wiens epistels schoolvoorbeelden waren van zuiver Nederlands.

Tussen 1870 en 1940 integreerden de Joden meer en meer in de Amsterdamse en Nederlandse maatschappij. De integratie was echter vollediger dan de assimilatie. Typerend voor de situatie waarbij Joden wel integreerden zonder echt te assimileren, is het feit dat vanaf 1870, wanneer de grote stadsuitbreidingen beginnen, de Joden weliswaar uit hun oude buurt beginnen weg te trekken (eerst de rijke en daarna de arme), maar dat zij toch nog zo dicht mogelijk in de buurt van het oude joodse centrum blijven wonen. In 1940 woonde de grote meerderheid der Amsterdamse Joden niet meer in de oude Jodenbuurt. Zij zwermden uit over Amsterdam Centrum, Oost en Zuid, maar lieten de westelijke en noordelijke stadswijken vrijwel geheel links liggen.

Vóór 1940 voelden de meeste Joden in Amsterdam zich Amsterdammer, Jood en Nederlander, welke politieke opinies of levensbeschouwingen zij er ook op na hielden. Met de meeste niet-Joden hadden zij gemeen een grote kortzichtigheid t.a.v. ontwikkelingen in het buitenland. De Joden waanden zich veilig en goed in het isolement van het gezapige Nederland, dat meer dan een eeuw lang niet in oorlogen betrokken was geweest. Werkelijk beroerd door de antisemitische uitbarstingen (eerst in Oost-Europa, in het tsaristische Rusland, en na 1918 in de Poolse republiek), werden voornamelijk zionisten en linkse socialisten (SDAP'ers, communisten etc.).

De vluchtelingen uit Oost-Europa en na 1933 uit Duitsland en Oostenrijk vonden bepaald niet een bijzonder warm onthaal bij hun joodse broeders en zusters in Amsterdam. Natuurlijk werd er hulp geboden, maar echt luisteren naar wat de immigranten hadden te vertellen, deden slechts weinigen. De vestiging van het nationaal-socialistische regime in Duitsland en niet te vergeten de opkomst van de NSB in het Nederlandse vaderland, werd eigenlijk door maar weinig Joden in Amsterdam beschouwd als een reëel gevaar. Met de andere Nederlanders waren de Joden in 1940 onvoorbereid op de Duitse bezetting en misschien mede daardoor weerlozer slachtoffers dan nodig was geweest. Het valt op dat de Joden die tijdens de tweede wereldoorlog deelnamen aan het Nederlandse verzet (en dat waren er betrekkelijk veel) doorgaans of zionist of links-socialist waren.

In het interviewboek dat Philo Bregstein en ik samenstelden, wordt getracht een beeld te geven van wat Amsterdam en de Joden voor elkaar hebben betekend in de periode na 1900. Voor de overzichtelijkheid hebben wij de stof in een aantal hoofdstukken verdeeld, waarin speciale onderwerpen nader worden belicht. Uit de verschillende interviews werden de naar onze smaak meest typerende en instructieve fragmenten gelicht en in verschillende hoofdstukken ondergebracht.

Bij de keuze van de fragmenten is zoveel mogelijk uitgegaan van de eigen belevenis der geïnterviewden. Slechts een enkele maal werd gebruik gemaakt van de kennis die de geïnterviewde zich via boeken en studie heeft verworven.

Wij hebben niet de illusie en ook niet de bedoeling een volledig beeld te geven van de plaats die de Joden in het vooroorlogse Amsterdam innamen. Zo is b.v. de lijst van joodse beroepen in het hoofdstuk dat over dit onderwerp handelt niet alleen niet uitputtend, nergens is bovendien het feit vermeld dat vóór 1940 steeds meer Joden werk vonden in beroepen die voordien in hoofdzaak door niet-Joden werden uitgeoefend.

Wij stellen ons voor dat het boek zowel per hoofdstuk als in zijn geheel achter elkaar kan worden gelezen. Om de lezer die van de situatie in het vooroorlogse Amsterdam niets of weinig afweet wat te helpen, verschaffen wij hem enkele hulpmiddelen bij het lezen. Deze zijn: korte inleidingen bij elk hoofdstuk, summiere biografische gegevens over de geïnterviewden en een lijst van Jiddisje en Hebreeuwse woorden met vertaling.

Salvador Bloemgarten

Beroepen

Een joods beroep in eigenlijke zin is natuurlijk alleen een beroep dat rechtstreeks met de godsdienst te maken heeft, zoals bijvoorbeeld rabbijn of voorzanger. In dit hoofdstuk gaat het echter om beroepen die door veel Joden worden uitgeoefend en gekozen worden op grond van een historisch gegroeide situatie. Een duidelijke grens tussen joodse en niet-joodse beroepen valt er niet te trekken. Vele Joden waren in het voor-oorlogse Amsterdam werkzaam bij het openbaar onderwijs. Dit was echter een nieuwe ontwikkeling, die bewijst dat door de emancipatie veel Joden de profane sfeer van het openbaar onderwijs gingen prefere-ren boven de traditioneel religieuze sfeer.

Joodse bankiers waren nu juist niet talrijk in het vooroorlogse Am-sterdam. Bij de grote bankiershuizen ontbraken ze vrijwel geheel. De joodse bankiers beheerden vooral kleine familiebanken. Deze vonden hun oorsprong vaak in takken van bedrijf en handel waarin Joden zich soms al in de achttiende eeuw hadden gespecialiseerd. Vandaar dat hier toch wel van een joods beroep kan worden gesproken.

Uiteraard worden in dit hoofdstuk alleen die beroepen genoemd, die door Amsterdamse Joden werden uitgeoefend. Enige typisch Am-sterdams-joodse beroepen zijn hier echter niet of nauwelijks aan bod: bijvoorbeeld dat van antiquair of juwelier.

Tussen 1900 en 1940 nam overigens het percentage Joden werk-zaam in niet specifiek joodse beroepen snel toe. Vooral in de admini-stratieve beroepen, zowel die behorend tot de particuliere als tot de steeds omvangrijker wordende overheidssector, trof men steeds meer joodse werkkrachten aan. Tussen 1920 en 1940 nam door de sterke achteruitgang van de diamantindustrie in Amsterdam het aantal dia-mantbewerkers, joodse en niet-joodse, drastisch af.

In een aantal beroepsgroepen bleven tot 1940 om welke reden ook de Joden vrijwel geheel ontbreken. Zo waren in de zware industrie, de bouw, het havenbedrijf en bij politie en beroepsmilitairen Joden voor 1940 zeldzame vogels.

Straathandel

BAREND BRIL   Mijn moeder bleef achter met zes kleine kinderen. Dus moeder moest de straat op met een karretje met handel. Appelen, pruimen, sinaasappelen, wat er was. Met een hele versleten oude handkar moest moeder om vier uur 's morgens naar de groentemarkt, dat was toen nog in de Marnixstraat, om inkopen te doen. En dan kwam ze praktisch tegen negen uur terug. Nou ja, en als er dan geen geld was, dan hadden we ook geen ontbijt, want dat was er dan niet bij.

Die straathandel, dat was van 's morgens vier uur wel eens tot 's avonds twaalf uur, dat ze met zo'n kar liep te venten. Om maar los te komen van die handel, hè. En wat eigenlijk wel het toppunt was, dat was dat er overal een verbod was om stil te staan met je kar met handel. En daar waren toentertijd agenten, nou die kende ze op een duimpje, maar als ze nou niet een fooi gaf aan zo'n agent, had ze automatisch een bekeuring. En om die bekeuring dan ineens te betalen, dan moest het beddegoed – want meer hadden we niet – naar de lommerd gebracht worden, zodat mijn moeder dan niet de gevangenis in moest. Dat hebben we herhaaldelijk moeten meemaken, natuurlijk.

LEEN RIMINI   Ze liepen met die handel en die konden ze bij 'gerief' afnemen. Ze hadden geen geld om een kist fruit, van die grote kisten van 240 appels te betalen aan de leverancier, dus dan 'riepen' ze. 'Gerief' betekent dat je bijvoorbeeld vijftig appels kan krijgen. En dan gingen ze dat halen bij zo'n grossier. En als ze dan uitgevent waren, dan hadden ze een habbekrats verdiend, dat kan je wel nagaan, want zo'n appel kostte een cent of twee cent. En dan hadden ze nog een ongeluk als er bijvoorbeeld stekjes bij waren, die moesten ze dan nog voor een koopje verkopen. Dan kreeg je twee voor een cent of zo. Maar zó hebben die mensen geleefd.

En wat het venten betreft, met zo'n karretje, dat mocht niet, hè. Als ze dan bleven staan en er kwam een agent aan, dan kregen ze een bekeuring. Maar als ze nou bijvoorbeeld tien bekeuringen hadden gehad, dan hadden ze die tien opgespaard omdat ze het geld niet hadden om het te betalen. Dan gingen ze een dag zitten, en dan waren ze die straf kwijt.

Er liep een rechercheur van het Jonas Daniël Meyerplein door de Jodenbreestraat, en die ging bij die mensen de centen ophalen. Zo'n bekeuring was vijftig cent en dan spaarden ze het op en als het dan sneeuwde bijvoorbeeld, gingen ze daarvoor zitten.

EMMANUEL AALSVEL   De zwager van Moos was voddenman en Moos was diamantbewerker. Die voddenman verdiende goed z'n brood, maar Moos was werkeloos, want het was de slechte tijd voor de diamantbewerkers en een voddenman is een voddenman. En toen zei Moos zijn zwager: 'Moos ga nou ook mee met de voddenkar, kan je morgen dik je brood verdienen.' En z'n zwager loopt met die voddenkar en die roept: 'Vodde, vodde.' En Moos, de diamantbewerker, die loopt daarachter en die zegt: 'Ik ook, ik ook.'

Dat was nou specifiek Amsterdams: 'ik ook, ik ook', want hij heeft zich gegeneerd om te zeggen: 'vodde'.

JOOP EMMERIK   Er liepen veel joodse mensen met een voddenkar en dan werd er geroepen: 'Wie heeft er nog vodden? Vodden, benen, metalen!' Ik ben begonnen als thuiszittend handelaar. Die lompen werden eerst gesorteerd op wol, kamgaren oí laken en dat werd zó verkocht naar Italië, naar Prato. Daar waren hele grote fabrieken die dat precies op kleur sorteerden, in hokken lag dat. Dat wordt dan gemalen en opnieuw gesponnen en geweven en zo worden er weer lappen stof van gemaakt.

Dan heb je nog een andere lompensoort, dat is wit katoen, daar wordt papier van gemaakt. En van de hele goedkope lompensoort maken ze balatum; dat soort vloerzeil. En ze maakten er ook dat soort asbestplaten van dat vroeger achter de radiotoestellen zat.

BAREND DE HOND   Ik was bevriend met Hartog Mof, dat was een lompenhandelaar en we gingen iedere zondagmorgen naar de Jodenhoek. Daar had je al om vijf uur op het Waterlooplein aardbeien, kersen en peren en appelen. Die mensen die gingen op zondag uit met een kar en verkochten dat. En dan kwam je bij de Tip Top aan en daar begon die markt. Daar had je Tijpie met eieren. 'Vier voor een dubbeltje,' had ze geroepen. Harde en zachte eieren, vier voor een dubbeltje. Dat begon al bij het begin van die markt. En dan had je Schele Ko, dat was een man die verkocht horloges en al die flauwe kul, maar nep, laat ik het zo maar zeggen. Maar hij verdiende wel z'n brood.

Dan had je Hollander, die stond daarnaast ook stand te werken, kiespijnwatjes had hij te koop. Hij heeft ook gestaan op het Amstelveld, maar 's zondags stond hij in de Jodenhoek. En dan had hij stukjes prei die hij heel klein gesneden had en die had hij in vloeipapier gedaan. Op z'n hoge stal stond hij en dan heeft hij gevraagd: 'Als er een boer hier is die kiespijn heeft, dan komt die maar hier boven op de stal.'

Nou, er was altijd wel iemand met kiespijn en dan zei hij: 'Dan neem je dit, wat ik hier heb in dit papiertje, dat neem je in. En dan spoel je en je spuugt het uit hier in die kom.' En dan spuugde die boer dat uit en dan zei Hollander: 'Die witte dingetjes, dat zijn de wurmpjes en die komen zo uit je kies.' En dat verkocht hij voor een kwartje zo in zo'n pakje. Daar zaten gewone stukjes prei in.

Ik heb in die jaren zelf ook nog op de markt gestaan. Dan kocht ik bij Vateman in de Camperstraat oude binnenbanden die afgekeurd waren, oude merkbanden, Dunlop, Hevea, Engelbrecht. En die maakte ik dan bij me thuis met plakjes er op. Die heb ik verkocht voor twee kwartjes of voor drie kwartjes per stuk. En daar heb ik mee gedemonstreerd, op zondagmorgen op een stalletje van misschien twee vierkante meter. En als toevallig een band slecht was en die sprong uit mekaar, dan zei ik: 'Zo zien ze er nou van binnen uit.' Je moest toch wat. En overal kwamen de bezoekers vandaan. Ze noemden het de Jodenhoek, maar de bezoekers waren de christenmensen. Er waren natuurlijk wel joodse mensen die voor de gezelligheid kwamen, maar het overgrote deel was christenmensen, en die kwamen hoofdzakelijk uit de Zaan. En ik kende er een uit Zaandam, die zei: 'Als ik die markt niet bekijk, dan is m'n hele zondag verpest.' Je kon ook geen stal voorbijgaan of er was amusement. Daar had je een kereltje, die heette ook De Hond toevallig, en daar kon je zien hoe hij sigaren draaide. Hij had zo'n lange kist en daar draaide hij die sigaren in en dan droogden ze en die verkocht hij dan voor drie of vier voor een kwartje. Dat was echt de werkmanssigaar, maar die waren nog van echte tabak.

LOE LAP   Die markt liep helemaal door tot vlak bij de Foeliestraat en over de Oude Schans, zo rondom dat hele district: dat was één markt.

Er stonden mensen met fietsen, hele grote uitpakkingen met fietsen, met lompen; het is onvoorstelbaar wat daar niet allemaal stond. Het was de grootste markt van Nederland. Maar lopen kon je er niet, je schuifelde. Dat deed men automatisch, want het zag er zwart van de mensen. Je kon met recht over de koppen lopen.

In de Jodenbreestraat en de Sint Antoniesbreestraat waren alle winkels open op zondagmorgen. Dus je kon er eten kopen. De vleeswinkel, de kippenwinkel, de broodwinkel, de snoepwinkel, alles was open. De gebakjeswinkel van Snattager en die stoffenzaken op de Sint Antoniesbreestraat waren open. En daar tegenaan lag die markt. In de Vissteeg stonden mensen met fruit en vis. Op die markt stonden zeker zo'n dertig, veertig standwerkers met allerlei handel, van speelkaarten tot een fluitje.

Als je de Jodenhoek inkwam door de Uilenburgerstraat, daar begon het; over de brug naar de Uilenburgerstraat. En dan stonden er, precies op die brug, twee joodse mensen, een man en een vrouw, en die verkochten allerlei soorten chocolade met als specialiteit nogablokken. Die twee mensen deden de hele ochtend niets anders dan zingen: 'Twee centen m'n nogablok!' Dat zong zij, en dan begon hij weer: 'Twee centen m'n nogablok!' en dan begon zij weer: 'Twee centen m'n nogablok!'

Een marktkoopman, die prees zijn waren aan met bijvoorbeeld: 'Je koopt bij mij' en: 'Ik ben de goedkoopste!' Je had mensen die dat met een liedjesdreun deden: 'Max heb de mooiste stoffen!' en: 'Max heb stoffen voor zeventien centen een el!'. Maar dat waren geen standwerkers, dat waren wat wij noemden 'stille kramers'. Die hadden over het algemeen een geselecteerde stal met van alles erop: je had iemand met verschillende soorten gereedschap, of iemand met verschillende soorten stoffen.

De standwerker had altijd maar één uitgesproken artikel waar hij het op gooide. Dat kon zijn: een kist sigaren, dat kon zijn: een stukje galanterie, of zoiets als zakmessen, een tangetje, een meter. Of hij legde zich toe op een schertsartikel, zoals de mysterieuze 'radio-wonderstift'. Ik herinner me dat iemand die uit een glas dronk waarin die stift was gehouden, die kreeg dan 'schokjes'. Dat was één grote nep: dat demonstreerden ze dan met een paar vriendjes die deden alsof ze zo'n schok kregen.

Standwerkers hebben ook wel eens stof verkocht, Engelse stof, 'made in England'. Dan hadden ze Engelse zeemansjakken aan, marinekleren, schipperstruien met zwarte jacken. Dat was gewoon het summum. Dan gingen ze dus 'english' praten, en dan kenden ze maar pak weg tien, twaalf woorden Engels. Het verhaal gaat dat er toen een keer een school voorbij kwam met een meester, die zei: 'Kindertjes, even luisteren! Dat zijn Engelsen, daar kunnen jullie wat van leren!' Maar die woorden 'Engels', dat was allemaal jiddisj. Die onderwijzer komt naar ze toe: 'Are you english?' vroeg hij, en zij: 'Yes!' En toen zei die man tegen de kinderen: 'Die spreken met een dialect, die komen uit een heel vreemde streek in Engeland!'

Een stille kramer had een grote stal, dat eiste een kapitaaltje. Een standwerker had amper kapitaal nodig, die kon met een heel klein pakje op reis, met een klein koffertje. Hij was veel mobieler; hij kon gaan en staan waar hij wou. Een stille kramer was meestal gebonden aan een wagen, een bakfiets of zo. Standwerkers waren in het allereerste begin waarschijnlijk armere kooplieden.

Het gebeurde heel vaak, dat je krediet had bij de grossier. Dat deden de meeste standwerkers, maar ze leefden er toch gewoon van.

Hun acts waren allemaal verschillend. De ene zong op de komische toer, de ander op een serieuze toer, naargelang de handel. En dan gebruikten ze in die tijd 'jenners', die dan het eerst kochten. Dan kwamen de anderen vanzelf. Dat was dus een 'medeplichtige', een 'hulpje'. Je had er, die werkten zo kort en krachtig mogelijk; die letten dus alleen op het geld. Maar je had ook die bijzonder humoristische standwerkers. Die kregen gein in zichzelf en het publiek ging dan lachen. Het is natuurlijk niet helemaal waar, maar het geldt in het algemeen toch dat het gemakkelijker is iets te verkopen aan mensen die lachen dan aan mensen die sjachrijnig zijn. En dan had zo'n standwerker daar zoveel gein in, dan bleef hij doorgaan met z'n geintjes en op dat moment werd het spel.

Je had de 'hoogwerker'. Dat was wat Meijer Linnewiel, alias Kokadorus, deed. Die nam een stalletje, schragen met een plank en daar ging hij bovenop staan. En dan vertelde hij zijn verhaal. Meijer Linnewiel alias Professor Kokadorus werkte op de markt zo omstreeks 1908, 1910. Ik denk dat hij op het idee van het standwerken is gekomen door zijn familie in Engeland, waar hij had gezien hoe ze dat deden. Hij had ook school gehad in Engeland. Hier was hij een van de eersten; een pionier.

Hij vertelde de gekste verhalen en had allemaal leuke uitspraken. Hij verkocht bijvoorbeeld horloges die niet bepaald van klasse waren en dan zei hij dat het 'origineel gewaarschuwd goud' was. Het was dus geen goud! En hij zei ook: 'Ik ben op visite geweest bij de koningin op Het Loo en daar ben ik ontvangen en daar heb ik een heerlijke biefstuk gegeten.' Zulke verhalen vertelde hij.

Dan had je de 'zwemmer', dat was een standwerker die zijn handel in het midden op een zeiltje neergooide en er dan in een grote kring omheen liep. Dan had je de 'gewone' standwerker, dat was de man die vertelde van achter z'n stalletje. De sigarenkooplui deden dat, liefst zittend op een stoel, want dat maakte meer indruk: het was een serieus artikel. Dan had je de jongen met de galanterieën, met zakmesjes, scheermesjes of een stukje scheerzeep. Die ging dan halverwege 'zwemmen': een grote kring maken. En als een jongen iets aan te bieden had van zeer bijzondere klasse, dan ging hij de hoogte in: als hij een pen moest aanbieden of een speciaal horloge namens de firma, of een drankje voor de hoest. De kwakzalvers werkten allemaal vanuit de hoogte.

Ze stonden zoveel mogelijk uit elkaar op de markt, opdat ze elkaar niet zouden hinderen. Standwerkers maken lawaai! Dikwijls verweten ze elkaar: 'Hee, is dat nou een manier van werken, je zet me helemaal in de merode. Ik kan niks verdienen door jou, want jouw mensen staan in mijn stalletje!' Dan had je ook dat er 'combines' werden gemaakt met plaatsen. Dan werkten twee, drie jongens met een compagnon en dan gingen ze alle drie meeloten voor een plaats. Dan hadden ze er altijd een! Er gingen een heleboel jongens naar de markt zonder dat ze handel bij zich hadden. Die hadden geen geld en dan papten ze aan met een koopman in z'n kraam en dan zeiden ze: 'Zullen we samenwerken?' Dan had zo'n jongen wel een koffertje bij zich, maar daar zat niks in. Droevige dingen eigenlijk.

Op die beroemde markt in de Jodenhoek stond eigenlijk de hele elite der standwerkers op zondagmorgen. Daar kon je van de een naar de ander blauw liggen van het lachen. Daar waren ze echt bezig zich uit te leven. Het publiek kwam daar op af vanwege een brok amusement dat in de hele wereld niet te koop was en dan gaven ze aan die een kwartje en kochten van een ander voor een dubbeltje. Dat waren allemaal semi-artiesten. En dat publiek had dan een paar gulden de man bij zich, die ze op zo'n zondagmorgen besteedden. Ik weet van mijn schoonvader dat hij elke zondagmorgen een pak scheermesjes kocht voor een gulden. Die barstte van de scheermesjes, en natuurlijk hadden ze ook kástenvol messenslijpers. Van allerlei gekke dassenhouders hadden ze er, wel vijf of zes! Dat waren allemaal standwerkersartikelen. Die kochten ze dan, gewoon omdat ze dan op die markt waren.

DICK SCHALLIES   Op het Waterlooplein stonden over het algemeen maar weinig standwerkers. De standwerkersmarkten in Nederland, waren vooral jaar- en weekmarkten, zoals in Amsterdam bijvoorbeeld het Amstelveld. Het Waterlooplein is ná de oorlog onder meer een standwerkersmarkt geworden. Dat was het 'fruitpleintje' dat nu helemaal niet meer bestaat, daar liggen nu de buizen van de metro. Na de oorlog zijn daar zo'n tien, twaalf standwerkers regelmatig gekomen.

Voor de oorlog was het Waterlooplein een echte rommel- en lompenmarkt. Alles wat opgekocht werd bij particulieren, bijvoorbeeld bij de voorjaarsopruiming, ging naar het Waterlooplein. Wat bij gegoede mensen geen plaats meer vond, werd op het Waterlooplein verkocht aan mensen die er in elk geval nog baat bij hadden. Dat gebeurt nu ook nog wel. Ze zoeken er nu zelfs antieke dingen!

Je had op het Amstelveld bijvoorbeeld mensen met ijs. Dat was Montezinos en nog eentje. Die stonden dan tegen elkaar te knokken met het ijs. Maar als het was afgelopen, schudden ze elkaar de hand en ze hebben geloof ik wel samen gedeeld ook. Ze voerden samen als het ware een stuk op:

'Ik geef er nog een plak bij voor vijf centen!'

'Van mij krijg je er nog een kop bovenop!'

En dan werd dat pak ijs hoe langer hoe groter, en dat gingen ze dan verkopen voor vijf centen.

En als je een stand had gemaakt, dan moest er iemand in het publiek zijn die 'tippelde'. En daarom hadden ze de 'jenners' erbij, dat waren eigenlijk de 'tippelanten'. En dan kwamen later vanzelf de echte tippelanten, waar je de centen voor in je zak kon houden. Maar de 'jenners' kwamen naderhand afrekenen met hun spulletjes en dan kregen ze een paar gulden voor hun werk. Want ze moesten toch arbeid verzetten en hun tijd er aan geven.

DAVID MINDLIN   Op zondagmorgen was er markt in de Jodenhoek en van alle delen van Nederland kwamen ze erheen. Op maandag was er markt op het Amstelveld en dan was het er enorm druk. Zuurbier stond daar; die trok de meeste mensen.

Zuurbier was een anarchist, maar altijd keurig gekleed met een mooie zwarte hoed op. En dan zei hij: 'En dames en heren, zó trokken duizenden soldaten naar het front. Gelukkig kon ik niet lezen of schrijven dus bleef ik lekker op m'n kont in Amsterdam zitten; de anderen zijn gesneuveld, maar ik sta hier nog om u te vertellen wat de toekomst brengen zal!'

Klein- en groothandel

SIMON EMMERING   Mijn vader was diamantslijper. Er was een staking en vader staakte mee natuurlijk: hij was zó rood. En die staking die duurde en duurde, en er waren natuurlijk geen weerstandskassen of stakingskassen of zo.

Toch moest er weer brood op de plank komen. Dus wat deed mijn vader: hij huurde een stalletje op de Nieuwmarkt en daar legde hij zijn eigen boeken neer.

U moet niet vergeten dat een joodse jongen, als hij in een beetje vroom milieu leeft, opgevoed wordt met boeken. De Joden moeten vreselijk veel lezen, hè, willen ze hun geloof belijden. Veel meer dan in de christelijke godsdienst, wordt er door leken bij de Joden gelezen. Ze hebben altijd een binding met het boek als zodanig gehad. Daarbij kwam natuurlijk ook nog, dat deze handel in boeken altijd een vrije handel is geweest. Er is wel een gilde van boekhandelaren geweest, maar dat waren geen tweedehands-boekhandelaren. De oude boeken, de gebruikte boeken, de tweedehands boeken, de fruithandel en de vishandel waren van ouds vrij. Mijn vader interesseerde zich dus voor boeken. Toen dat even een beetje behoorlijk ging, is hij ook boeken gaan kopen: met de absolute bedoeling om die te verkopen. Een paar jaar later heeft hij een stal gehuurd, of een 'kast', zoals dat heette, in de Oudemanhuispoort. Daar heeft hij tot 1904 gezeten en toen heeft hij in de Langebrugsteeg zijn eerste winkel geopend.

Hij vertelde een mooi verhaal van een boekhandelaartje dat daar ook stond, een joodse boekhandelaar en die man kon praktisch lezen noch schrijven. En er kwam een vrouwtje bij hem met een bijbeltje en ze vroeg: 'Koopman wilt u dit bijbeltje van me kopen?' En de man keek naar het bijbeltje in z'n hand, rook er aan en zei: 'Nee, dat koop ik niet, dat is luthers, dat koopt niemand. En later toen zei ze: 'Hoe weet u dat het luthers is?' 'Ja, dat ruik ik.' En hij had nog gelijk ook!

MAURITS ALLEGRO   De zuurinleggerij was hoofdzakelijk in handen van Joden: dat hele métier. In Amsterdam was toen geen enkele niet-joodse inleggerij. Later is er een gekomen, die is in de oorlog nog NSB-er geweest notabene. En na de oorlog waren ze allemaal vertrokken, dus toen kreeg je vanzelf anderen.
Het werd veel op vrijdagavond gegeten. Dan was het een stukje pekelaugurk of zo, of pekelkomkommer. Pekelkomkommers worden praktisch niet meer gemaakt.

JOOP EMMERIK   Elke zondagavond kwam er een zuurman in de Kerkstraat, die heette Heimie, hè. En die riep altijd: 'karootje in waje waaj, karootje!' en dat is gewoon rode kool, ingelegd in azijn.

EMMANUEL AALSVEL   Mijn vader was vroeger eerst diamantbewerker in België. Na de oorlog '14-'18 ging hij naar Amsterdam, maar er was werkloosheid in het diamantvak en toen is hij een inleggerij begonnen, via een broer van mijn moeder die daar al in gewerkt had. En zo langzamerhand hebben wij een hele bekende zaak in Amsterdam gekregen. Dat was op de Tugelaweg. Daar hebben we samen met mijn vader gewerkt.
Toen ik op de HBS zat, waren er knechten die met onze wagens liepen. De één ging naar Zuid, de tweede naar Oost, één naar Watergraafsmeer, op die wagens stond: H. Aalsvel, Zuurinleggerij Transvaal, Tugelaweg. En tussen de middag zocht ik klanten voor mijn vader toen ik twaalf jaar was. En dan vroeg de leraar op de HBS aan me: 'En, heb je goeje zaken gedaan?' en dan zei ik: 'Ja!' Het lekkerste zuur wat je eigenlijk in Amsterdam vroeger gegeten hebt en wat nu helemaal niet meer gemaakt wordt, dat is pekelzuur. Dat is een pekelaugurk en die werd gemaakt in wijnvaten. Dan kochten we lege wijnvaten bij de wijnhandelaar in Limburg of in Groningen, die niet meer gebruikt konden worden voor wijn en die hebben we door onze eigen kuiper laten repareren en daarin werden die augurken dan ingemaakt. Doordat er water en zout in kwam met die geur van die wijn – het moest zes weken gisten –, was dat heerlijk, zo die wijnsmaak aan die augurken.

AARON VAZ DIAS   Bijna de hele familie van mijn moeder
was in de veehandel. Als ik vakantie van school had, ging ik altijd met mijn grootvader naar de veemarkten. Dat was altijd een
feest voor me. Er werden altijd geintjes verkocht waar ik niet
altijd de pointe van snapte, maar ik was er altijd voor in.
De meeste veehandelaren waren Joden en daardoor werd er
altijd in joodse termen geboden; óók door niet-joodse handelaren en boeren. Ik heb me laten vertellen, dat dat tegenwoordig
nog zo gebeurt. Als iemand te laag bood werd er gezegd: 'Wil
je het voor "koef-noen" hebben?'
Het is een bekend feit, dat de Joden vroeger geen ambacht
mochten uitoefenen en zodoende waren ze gedwongen in de
handel te gaan.

MAX LOUIS TERVEEN   De naam Terveen was in 1652 niet
Terveen, maar zoals alle namen toen waren; dus eerst de vóór-
naam, en dan als achternaam de voornaam van de vader. Bijvoorbeeld Mordechai Ben Mordechai, dat is in het Nederlands
Max Maxzoon.
Op een gegeven moment werd er een licentie verleend om
band en lint te venten in Amstelveen. Daarom werd er over hem
gezegd: 'Hij ventte ter Veen.' En daaruit ontstond de naam
Terveen. In de Napoleontische tijd werden vooral de Joden gedwongen om een achternaam aan te nemen, want die hadden ze
vaak niet. Dat gaf aanleiding tot vreemde namen als Augurkies-
man, bijvoorbeeld.
De Terveens hebben altijd een groot bedrijf gehad. Ze kochten in Engeland chintz, dat is een soort glimmend bedrukt katoen. En ze hadden in Engeland een machine gekocht om dekens
met katoenpluksel te vullen. Dan gaven ze die dekens uit in de
Jordaan om door te stikken. Die dekens verkochten ze door het
hele land. Zo waren ze dus fabrikant van dekens geworden. Dat
bracht met zich mee dat ze importeur waren van stukgoed; en
van lieverlede zijn ze dat goed ook aan de meter gaan verkopen.
Die stoffenwereld, dat waren mensen die niet waren verenigd
in een vakbond; ze waren concurrenten, en zeer bereisd. Mijn

grootvader ging eens per maand met de trein van het Weesperpoortstation naar Duitsland en vandaar naar Silezië, tegenwoordig Polen, waar een enorme textielindustrie was. Dat liep tot aan Lodz, een gebied van tweehonderd kilometer. Na een week kwam hij dan terug en dan had hij daar ingekocht.

Mijn grootvader had een school in het Huis met de Zeven Hoofden afgelopen: de Openbare Handelsschool. Daar had hij eindexamen gedaan. Hij sprak vloeiend Frans, Duits en Engels. Hij ging ook een week naar Lancashire en Yorkshire, hij woonde dan in Manchester of in Bradford, waar hij vrienden en kennissen had. In Leeds zat een grote joodse gemeenschap waar hij zaken mee deed. In Bradford zaten deels joodse, deels niet-joodse zakenlui.

Verder ging hij ook een week naar Frankrijk, naar Amiens en Mulhouse. Dat waren textielcentra waar hij zo'n vijftigtal fabrieken bezocht. Dat was het werk van een grossier. Mijn vader heeft hetzelfde gedaan. Hij kocht alleen stof: er bestond in die jaren nog geen confectie. Een winkelier kreeg een order en dan kreeg hij vijfduizend meter stof daar voor binnen. Nu koopt zo'n winkelier vijftig meter stof. Maar toen verkochten ze alles aan de meter: elk kostuum en elke jurk werd thuis gemaakt.

Die stoffenhandel was enorm! Hier op de Nieuwmarkt stonden bijvoorbeeld de tante en de vader van Stoppelman, die nu vier winkels heeft. Maar er stonden daar wel tweehonderd kramen met stoffen. Ze verkochten daar bijvoorbeeld wollen tweed, waar kostuums van werden gemaakt. Daar verkochten ze op één morgen wel tien rollen van. Er kwamen ook mensen van buiten om op de Nieuwmarkt te kopen. De Sint Antoniesbreestraat was toen een winkelstraat met woonhuizen erboven: een hele keurige straat, waar koetsen netjes voor de deur stilhielden en waar eigenlijk het 'betere' publiek woonde. Toen gingen die winkeliers grossieren, de woningen daarboven kwamen leeg; er kwamen kantoren. Die grossiers verkochten dan stof aan één klant voor vijftig kostuums tegelijk. Dat gebeurde steeds vaker. Die woningen werden tot magazijnen gemaakt om die stoffen in op te slaan.

Aan de andere kant van de Sint Antoniesbreestraat was een markt die duizenden bezoekers trok. Dat was in de Jodenhoek. Op zondag kwamen er mensen van buiten om dat te zien; dat was een bezienswaardigheid. En dan waren die winkeliers in de Sint Antoniesbreestraat open, want er waren een heleboel marktkooplui die alleen op zondag konden inkopen omdat ze werkten van maandag tot en met zaterdag.

Men had voor het grootste gedeelte joods personeel. Zo omstreeks 1912 werd er 'gevent' met joodse wezen, er kwamen mensen van het joodse weeshuis langs om te vragen of je zo'n jongen niet in dienst kon nemen. Daar kon je geen nee op zeggen.

Zo omstreeks 1929 waren er heel veel joodse kooplui in Amsterdam, die geen kapitaal hadden, en dat is juist het belangrijkste voor een koopman. Als er nu eentje ter ore kwam dat er ergens een handeltje te koop was (een winkel die failliet was, zodat die inhoud op de markt verkocht kon worden), dan ging die op zoek naar 'compagnons', die allemaal vijf gulden moesten geven. Dan kochten ze die handel voor vijftig gulden met z'n tienen. Maar als die tien geen vijf gulden hadden, en dat was meestal zo, dan zochten ze elk weer tien compagnons, die vijftig cent hadden.

En als dat geld dan bij elkaar was, ging die éne op die handel af en niemand mocht er iets van weten. Dan werd die winkel met bakfietsen leeggehaald. Dan moesten er nog mensen gevonden worden die het moesten verkopen. Dat had geweldige vechtpartijen tot gevolg want als de 'lijzing' (de ontvangst) was geteld, moest het eerst in tienen worden verdeeld en dan die weer in tienen op hun beurt.

Dan kwamen er ruzies zoals met de man die tegen die ene koopman zei: 'Je moet mij ook een deel geven, want ik doe altijd mee. Alleen deze keer heb je me niet gevraagd. Maar als je me wel gevraagd had, had ik ook meegedaan!'

MOZES DE LEEUW De joodse textiel-engroshandelaars kwamen bij hun werk méér in contact met niet-Joden dan veel beoefenaren van andere min of meer typisch-joodse beroepen. Ze lieten meer confectioneren. Dan kochten ze bijvoorbeeld twintig- of dertigduizend meter lakenkatoen en dan lieten ze dat verwerken omdat er meer behoefte aan lakens was op een bepaald moment dan aan metrage. Dat lieten ze doen bij loonconfectionairs, kleinere mensen, eerst in de stad en later ook buiten de stad. En hoe verder je wegging, hoe minder Joden eraan te pas kwamen.

In de textielwereld hier waren de onderlinge verhoudingen vóór de oorlog veel persoonlijker dan nu. Je kon als koopman een klant hebben waar je zo'n goed kontakt mee had, dat je daar jaren aan leverde. Die koopman en die klant deden niets buiten elkaar om. Zulke klanten had mijn vader ook. Dat bestaat nu niet meer. Mijn vader had een klant die in Den Haag zat, en als die man 's zondags in de stad kwam, dé grote dag in de textielwereld, dan kwamen ze met hun vrouwen. Die waren speciaal gekleed voor die dag. De vrouwen gingen dan bij Schiller zitten en die mannen gingen zaken doen in de Jodenbreestraat of zo. De meeste textielzaken waren op zaterdag dicht, want het had geen zin om op zaterdag open te gaan.

Iedereen had zo z'n eigen klanten waar hij bij zwoer. Als mijn vader zo'n 'post' aan Pietje gunde, dan belde hij hem op en zei: 'Voor jou bewaar ik hem' en dat deed hij dan ook. Het hoefden niet altijd joodse klanten te zijn, hoewel het dat meestal wel waren. Die kooplui waren vaak Joden uit Rotterdam of Brabant of Limburg. Het is in de oorlog en na de oorlog natuurlijk ontzettend veranderd; in één klap uitgeveegd. Er is niets meer van overgebleven.

De firma Reiss was een van de oudste firma's van de Breestraat; die bestaat nog. Dat waren grossiers, vrij belangrijke wolgrossiers. Die mevrouw Reiss was toen al een hele deftige dame en ze stond op twee markten: op de Nieuwmarkt en in Utrecht. Dat heeft ze heel lang gedaan. Ze waren zeer vooraanstaand en ze hadden een eigen huis laten bouwen in de Sint Antoniesbreestraat. In mijn jeugd keek iedereen daar tegenop.

Het was een heel normale zaak dat ze op de markt stond. Er

stonden méér vrouwen van grossiers op de markt. Ik weet niet of ze dat nodig hadden om geld te verdienen, maar het was gewoon iets dat ze moesten doen. Daar waren ze ook mee begonnen waarschijnlijk. Die mensen hadden ook een náám op de markt. Want er stonden wel driehonderd mensen op die markt, maar dan kwam er iemand uit Wormerveer of uit Haarlem speciaal bij mevrouw Reiss kopen.

ELIZABETH STODEL-VAN DE KAR   Ik was op de vakschool voor verkoopsters, wat tegenwoordig de Detailschool voor de handel heet, geloof ik. Daar was ik drie jaar. Toen ben ik op kantoor gekomen bij De Vries van Buuren. Want het was 1927 en toen was het voor een orthodox meisje of jongen al moeilijk om een baan te krijgen waar je op sabbat vrij was. De Vries van Buuren, dat was een hele grote zaak, een grossierderij in textiel, die vroeger op de Jodenbreestraat naast het Rembrandthuis was. Als je daar een baan kreeg, dan was je op sabbat en op jontef vrij.

Daar heb ik ook mijn man leren kennen. Het was een hele joodse zaak en een soort huwelijksmarkt voor meisjes tegelijkertijd, want het merendeel van de meisjes die daar werkten zijn getrouwd met jongens van De Vries van Buuren. Ik kwam op de Nieuwmarkt bij m'n vader die daar met een marktkraam stond en toen ik zei dat ik daar was aangenomen, kwamen ze me allemaal feliciteren. Mijn vader en moeder waren ontzettend blij: want als ik 'god bewaart' niet zou trouwen, dan zou ik toch uit de brand zijn voor m'n leven, want er was een pensioenfonds.

Die zaak bestond hoofdzakelijk uit joods personeel, van hoog tot laag, behalve de expeditie. Die werkte ook 's zaterdags, want het goed moet weg, en daarvoor werkte christenpersoneel.

KAREL POLAK   Ik wou etaleur worden, want ik was erg bijdehand met tekenen en schilderen en schrijven. Ja, dat ging dan niet, want als je etaleur wil worden, dan moet je eigenlijk in een zaak werken waar de hele dag geëtaleerd wordt, bijvoorbeeld de Bijenkorf, Gerzon, Vroom en Dreesmann, Hema. Maar dat zijn firma's die op sabbat open zijn. En een joodse jongen van het weeshuis kan niet op sabbat gaan werken; dat kan niet. Dus dan moet je maar voorlopig in een zaak waar je een vak leert. Toen ben ik gekomen op de Jodenbreestraat, heb ik daar het stoffenvak geleerd. Daarvandaan ben ik gekomen bij Hirsch op het Leidseplein als verkoper op de stoffenafdeling. Daar was een joodse directie met zelfs een bijzonder joods sociaal gevoel. Mevrouw Kahn, dat was de vrouw van meneer Kahn, de directeur, die was regentes van het Nederlands Israëlitisch Jongensweeshuis. Daardoor ben ik ook bij Hirsch gekomen. Het is allemaal protectie geweest in die jaren, want het was zo moeilijk om een baan te krijgen.

Maar het belangrijkste was: ik moest op sjabbes en op jontef vrij zijn. En dat was natuurlijk heel belangrijk, want waar kon je terecht? Hirsch was op zaterdag tot één uur open, en dat kon bij mij niet. Toen ben ik daar gekomen met de belofte dat ik op die dagen vrij zou zijn. Maar ze hebben het helaas maar drie maanden voor me volgehouden, want het andere personeel werd jaloers, omdat ik meer vrij had dan zij.

ABRAHAM DE LEEUW en MIRJAM DE LEEUW-GERZON De vader van de Gerzons, die jong gestorven is, was oorspronkelijk vertegenwoordiger en verkoper van papier, behangselpapier en zo, in de provincie Groningen. Mijn vader Joseph Gerzon was de oudste zoon en had de verantwoording voor de hele familie min of meer, samen met de broer Maurits die na hem kwam. En hij zei: 'Jongens, de jongeren moeten een vak gaan leren in het buitenland, en dan eventueel terugkomen met de kennis die ze daar hebben opgedaan.'

En zo zijn de gebroeders Gerzon, Eduard en Lion, naar Keulen gekomen. Daar kwamen ze direct bij een zeer goede firma waar ze veel konden leren, tricotage en kousen en zo. Ze zijn daar een tijd geweest en ze hebben de twee dochters van die firma getrouwd, en met deze twee vrouwen kwamen ze naar Amsterdam.

Eduard Gerzon was een markante figuur. Hij deed me altijd denken aan Abraham Kuyper, die anti-revolutionair: zo'n kop had hij min of meer. Eduard was zonder twijfel de meest intelligente van de twee. De andere, Lion, was de meest handige, en de koopman. Die combinatie was prima. Eduard was een heel belezen man; hij heeft het efficiëncy-instituut mede opgericht.

De inkoop van de stoffen, de mode, de modellen, dat deed Lion. Hij ging bijvoorbeeld een halve dag op een Parijse boulevard zitten met z'n dochter Emmie en dan zei hij: 'Kijk, daar komt er een, die mevrouw die daar loopt, die heeft iets nieuws aan, dat moet ik hebben.' En dan ging hij vanuit Parijs direct naar Lyon, kocht de stoffen en zorgde ervoor dat de modellen die hij daar had gezien, ook in Amsterdam kwamen. Hij was buitengewoon in de stoffenafdeling en hij had ook erg goed contact met het personeel. Hij wist van het meisje dat trouwde, zorgde er dan voor dat er iets bijzonders was.

Lion was heel erg ingesteld op de mentaliteit van de Hollandse kopers. Vanaf de eerste dag op de Nieuwendijk toen hij alle mogelijke kousen in de etalage gooide, en dan zei hij: 'Nou zullen de mensen daar in Holland zeggen, die zijn gek; daar liggen allemaal kousen. Dat moet ik nou juist hebben. Ze moeten zien dat we alle soorten kousen hebben.' Maar Eduard was de administrateur, de financier.

Er was een tijd dat de zaken waren gesloten op Jom Kippoer. Dat is een bewijs dat ze naar buiten wilden getuigen van hun Jodendom. En ze namen veel joods personeel. Dat werd hun soms kwalijk genomen, zei Lion mij eens. 'Maar,' zegt hij, 'ik kan er niets aan doen, het joodse personeel voelt dikwijls méér voor de zaak dan het niet-joodse personeel.' En het kwam toevallig ook nog zo uit, dat zij uitstekende verkoopsters waren.

HENRI ISIDORE ISAAC De stichter van de Bijenkorf is mijn grootvader geweest, S.P. Goudsmit. Hij kwam niet uit Amsterdam, maar van een van de Zuidhollandse eilanden. Daar was zijn vader goudsmid: hij heette Goudsmit maar hij was ook goudsmid.

De Bijenkorf was oorspronkelijk een soort manufacturenzaak, stoffen, fournituren, mode. Daarmee is het eigenlijk begonnen en dat is geleidelijk uitgebreid.

46

De Bijenkorf was op de Nieuwendijk, en men heeft daar in de loop der jaren aldoor panden bijgekocht, omdat het steeds te klein werd. En toen ze besloten om op de Nieuwendijk een nieuw gebouw neer te zetten, heeft men tijdelijk gehuisd in een noodgebouw aan het Damrak. En toen men daar eenmaal zat, was de ontwikkeling van de zaak zó belangrijk veel beter dan op de Nieuwendijk, dat men besloot om niet naar de Nieuwendijk terug te gaan. En op de plaats van het noodgebouw kwam het definitieve Bijenkorfgebouw, dat in augustus 1914 is opengegaan, net toen de oorlog begonnen was.

Heel in het begin ging de zaak vrijdagmiddag dicht en zaterdagavond open, en was zondag open. Dus dat was een heel typische joodse zaak, met voornamelijk joodse employés. Dat moet vóór 1909 al beëindigd zijn, vóór de verhuizing.

Het was beslist niet zo dat men in de Bijenkorf uitsluitend joods personeel aannam. Maar het was toevallig wel de meerderheid. Of misschien niet toevallig, dat weet ik niet. Er was toch een zekere affiniteit, ook van de kant van de sollicitanten, die toch wel graag in een joods bedrijf wilden werken.

Dat heeft heel lang geduurd, maar na de oorlog vanzelf niet meer. Veel mensen verloren in de oorlog. Toen is ook de hele leiding veranderd. Zelf bleef ik tot 1969 in de leiding van het bedrijf als lid van de raad van bestuur.

Ambachten

BEN SIJES   Mijn vader was sigarenmaker en misschien verdiende hij zo'n negen à tien gulden per week. Dus er moesten
meer inkomsten komen. Die neven-inkomsten kwamen uit twee
bronnen; namelijk ten eerste dat mijn moeder knoopsgaten
naaide in militaire jassen, –dat gebeurde thuis–en ten tweede dat
mijn vader sigaren maakte, ook thuis.

Alvorens sigaren te maken, moest je zogenaamde 'bosjes' maken en dat deed je op een ijzeren plaatje. Die bosjes, de eerste
ruwe vorm van de sigaar, zonder punten, moeten dan drogen.
Daarna komt er een dekblad overheen en dan volgen nog allerlei
andere bewerkingen.

's Avonds, na het eten ging het kleed van de tafel en werd de
gestripte tabak op een groot stuk papier op tafel gelegd. Ik leerde
dus die zogenaamde bosjes maken. Die gestripte tabak was gemengd met een heel klein beetje tabak uit Brazilië. Om die bosjes werd een eerste dekblad gelegd, een Deli-blad als ik me goed
herinner. Maar dat was dan natuurlijk het werk van m'n vader.

HARTOG GOUBITZ   De diamantbewerkers vormden de
meest welgestelde groep onder de arbeiders. Tenslotte is de diamant een weelde-artikel. Ze hadden tijden van grote werkloosheid, maar als de conjunctuur gunstig was en er was veel vraag
naar diamant, dan waren de lonen enorm hoog in verhouding tot
die in de andere bedrijven. Het was geen zeldzaamheid als een
diamantbewerker in die jaren–als er geen werkloosheid was–
veertig gulden verdiende.

Bij ons in de buurt woonden vooral mensen die van negotie en
handel leefden, en het was al een hele vooruitgang als je bij 'het
vak' (= diamantbewerken) kon komen. En als dat bijvoorbeeld
niet ging vanwege je slechte gezichtsvermogen, dan werd je
sigarenmaker, want dat kon ook veel in huisarbeid worden verricht. Tabak was erg goedkoop. En als je sigaren kon maken,

dan kon je op een fabriek werken, als er werk was. En de mogelijkheid bestond dat je ook thuis sigaren ging maken. Een beetje tabak kopen, en dan kon je die sigaren verkopen of ze bijvoorbeeld inruilen bij de slager tegen wat vlees of bij de kruidenier. Het sigarenmaken was min of meer een beroep dat niet als een ambacht gold, in tegenstelling tot bijvoorbeeld metaalbewerker of meubelmaker. Je moest wel geschoold zijn als sigarenmaker, maar het was makkelijker daarbij te komen. Je kon bijvoorbeeld al als 'strip-jongen' aan het werk komen en dan verdiende je al een gulden of twee-vijftig in de week. Bij het sigarenmaken op de fabriek had je werkdagen van tien, elf uur en dan kon je met moeite twaalf, dertien gulden verdienen als je een goed vakman was. En dat was toen al een hoog loon, hoor. En als je een groot gezin had, dan moest je daarvan maar zien rond te komen.

LIESBETH VAN WEEZEL   Mijn vader was oorspronkelijk briljantsnijder. Hij werkte eerst thuis, dat zijn m'n jongste herinneringen, in een kamer. Ik denk dat ik twee of drie jaar was en dan zat hij voor een 'ordinaal', een bol met water die rustte op een vierkante houten standaard, en dan was er een spiritusvlammetje, daar stak hij zijn cementstokken in; dan ging de cement smelten. Mijn vader koelde de cement af door erop te blazen en dan begon het geknars van de stokken tegen elkaar.

JOOP VOET   Mijn vader was van huis uit diamantbewerker. Hij was een intelligente knaap, maar toen hij de lagere school had afgelopen met twaalf jaar, toen was het bekeken. Dan waren er twee mogelijkheden: óf je ging studeren, dus dokter of advocaat worden, maar daar was geen geld voor, óf je ging een vak leren. En dat was onder de Joden heel vaak het diamantvak.
Met mijn moeder was het precies zo. Toen ze de lagere school had afgelopen, werd ze naar de fabriek gestuurd om het 'snijden' te leren. Want er was thuis niet genoeg geld om alle kinderen te eten te geven dus. Als je van school je loffelijk ontslag had gehad, dan moest je geld gaan verdienen. En m'n moeder wou niet en ze schopte heibel, maar dat hielp niet. Er was geen andere weg.

MAX EMMERIK   Het was een ongelofelijke eer om diamantbewerker te worden. Diamantbewerkers, de ouwe dan, hebben
dat trouwens allemaal. Dat is ze met de moedermelk ingegeven,
dat ging van geslacht op geslacht. Die mensen zijn stuk voor stuk
zo begonnen, de grote werkgevers ook, als leerling-diamant-
bewerker.
En eigenlijk, als je wat had, moest je geld geven om het vak te
leren. Ik was straatarm, en ik moest op jontef naar m'n leerbaas,
Leman Mulder op de Prinsengracht, om hem een kip te brengen
van drie gulden of drie-vijftig of zo. Later was hij bestuurder van
'Helpt Elkander'.
Je kon niet bij het vak komen, als je vader niet in het vak was.
Dus je kon geen diamantslijper worden, als je vader niet 'aan het
diamant' was.

KAREL POLAK   Je kon in die jaren niet in het diamantvak
komen, of je vader en je moeder moesten diamantbewerkers
zijn. Dat was een soort kaste, een gesloten club. Wat wel bestond, dat was de AJV, de Algemene Juweliers Vereniging; de
leden kregen ééns per jaar twee protégés aangewezen om het vak
te leren bij zo'n juwelier. Toen ben ik naar de Diamantbeurs gegaan, naar mijnheer Van Amerongen, die toen regent van het
weeshuis was en me altijd Kareltje noemde. En hij zei dat hij zou
proberen me in het diamantvak te krijgen.
Ik ben briljantslijper geworden bij Asscher, bij zijn zwager.
Een ander die leerde, moest er geloof ik drie jaar over doen, maar
als je een protégé was, dan mocht je er twee jaar over doen. Een
ander kreeg een gulden zakgeld en ik kreeg een rijksdaalder omdat ik protégé was. Dus je was sneller uitgeleerd, en je had vlugger je diploma.
Niet iedere juwelier kreeg twee protégés; dat werd geloot. En
als hij twee nieuwe diamantbewerkers won, dan mocht hij kiezen: slijper, klover, snijder of zager, want dat waren allemaal
aparte vakken. Want er is niemand die alles van het diamantvak
tegelijk kan doen.

RUBEN GROEN   Diamantbewerkers waren in meerderheid joodse werklieden. En ik heb daar heel leuk gewerkt. Mijn leertijd bedroeg drie jaar en dan moest je je examen afleggen. Dat heb ik toen gedaan bij Asscher en met goed gevolg. Ik heb daar ongeveer een week aan twee partijtjes gewerkt en dat heb ik helemaal gemaakt. En toen gaf de bedrijfsleider van Asscher mij een bewijsje dat ik naar de Bond kon gaan om mijn boekje te halen. Dat was iets geweldigs, want als je je boekje haalde, dan was je werkman, dan ging je werken en dan kreeg je in die tijd ongeveer twintig à drieëntwintig gulden per week. En dat was voor die tijd een behoorlijk inkomen als werkman. En ik was uitgeleerd toen ik zo'n zeventien, achttien jaar was. Dat was een loon wat een gewoon werkman met moeite verdiende.

Het is een soort werk waar je iets ziet als je produceert. Zo kon indertijd ook een meubelmaker een mooi stuk maken en er met plezier naar kijken. Zo is het in het diamantvak ook. Je krijgt een ruw produkt en je maakt er iets van dat werkelijk mooi is. En hoe groter de stenen zijn, hoe meer genoegen je er in hebt natuurlijk.

MOZES DE LEEUW   De diamantslijperijen waren onmogelijk nare fabrieken. In die oude fabriek van Boas hierachter in de Valkenburgerstraat zaten die mensen daar in lange zalen met allemaal een brede leren riem en met een ontzettend lawaai. Als de zon erop scheen was er geen lucht te krijgen en in mijn jeugd was dat de modernste fabriek die er bestond. Daarna kwam Asscher met z'n nieuwe fabriek.

En toch, als je diamantslijper was, dan betekende je iets. Het waren wel barre toestanden, maar het viel niet op omdat het voor iedereen moeilijk was, voor een heleboel mensen in ieder geval.

ARON DE PAAUW   Mijn vader was ook diamantslijper, net als ik. Hij was eigenlijk een 'roosjes-slijper'. Roosjesslijpsel, dat waren hele dunne vliesjes diamant, waar men vierentwintig facetten op maakte, die noemde men 'rozen'. Dat is een slijpsel wat nu nog maar heel weinig wordt gemaakt.

Elk jaar werd er bepaald hoeveel leerlingen in het diamantvak mochten komen. Je moest veertien jaar zijn. Ik was bijna veertien en ik werd aangenomen in 1917. Het was usance dat de leerling de leermeester daar iets voor betaalde, maar bij Asscher kreeg de leermeester door de directie betaald. Abraham Asscher vroeg dan: 'Bij wie kan deze jongen leren en bij welk personeel moet hij komen?' en dan betaalde hij de leermeester.

Bij Asscher waren drie 'personeel'-soorten. Je had personeel waar uitsluitend 'klein' werd gemaakt, dat was christenpersoneel. Dan was er personeel waar uitsluitend tussensorteringen of 'mêlées' werden gemaakt; en dan was er het 'grof-personeel', daar werden grote stenen gemaakt. Ik kwam bij het grof-personeel. Daar was ik erg blij mee, want het was het beste personeel.

De kleine diamanten werden 'op tarief' gemaakt, op stukloon, en als je een beetje snel was kon je daar een zeer behoorlijk loon in verdienen. Dat was niet minder dan wanneer je 'grof' maakte, want dat stond op een vast loon. En met vast loon moest je regelmatig opslag aan je chef vragen en dat ging niet zo vlug.

We leefden in een patriarchale maatschappij en het gebeurde vaak dat goede vakmensen gewoon niet de kans kregen om groter werk te maken. Want het grof-personeel van Asscher was eigenlijk een bevoorrechte kaste.

Van 1921 tot en met 1929 zaten er zo'n driehonderd slijpers en ongeveer honderd snijders en zagers, alleen al bij Asscher. Er waren goede vaklui onder, want het 'grof' kon je niet zomaar aan de eerste de beste geven. Toch waren er ook mensen bij die zó weinig van het vak wisten dat ze van Abraham Asscher alleen maar een gedeelte, een stukje mochten slijpen van de 'tafeltjes' om zo met hem in het personeel te kunnen blijven. Dan kregen ze misschien niet een hoog loon, maar toch altijd nog een volle boterham. Zo werkte er de broer van de procuratiehouder als werkman; in slijperstermen heette dat 'stukkenslijper'. De goeden werkten het helemaal af.

Vóór 1940 was het leven op de zaal heel anders dan na de oorlog. Ze zongen samen, men dolde samen. Na '45 heeft de radio zijn intrede gedaan en daardoor stopte het gesprek en het persoonlijk kontakt ook. Ik heb vóór 1940 meegemaakt dat de mensen na maanden van werkloosheid weer werkten en dat de zaal schalde van liederen, dan was men weer gelukkig... Er waren wel patriarchale toestanden bij Asscher. Hij ging erg joviaal met de mensen om en de mensen waren ook beslist niet bang voor hem; de ouderen spraken hem met Bram aan.

Ik herinner me dat het sneeuwde. Asscher kwam de deur uit van de fabriek om in z'n auto te stappen. Er was een leerjongen voor de deur die sneeuwballen aan het gooien was. Eén sneeuwbal ging uit de koers en trof Asscher op z'n hoed, die afviel.

Toen ging Abraham Asscher heel breed voor z'n deur staan met z'n handen in z'n vestjeszak en zei tegen die jongen: 'Kom jij eens hier!' Die jongen naar hem toe met de dood in z'n schoenen. Toen pakte hij een gulden uit z'n vestjeszak en zei: 'Hier heb je een gulden omdat je zo goed hebt gemikt; maar als je het wéér doet, flikker ik je de deur uit.' Zulke toestanden waren er!

SUZE FRANK   Ik ben eenenveertig jaar diamantsnijdster geweest, briljantsnijdster en roosjessnijdster. Een 'roos' was afval dat nog wel bewerkt kon worden. Mijn leerbaas was erg goed. Die sneed nooit kleine diamantjes; ook al zijn ze niet groter dan speldeknoppen, moeten ze toch op dezelfde manier worden bewerkt als grote stenen.

Na drie jaar had ik het vak geleerd; dan ging je eerst een half jaar op half geld verdienen. Ik had altijd werk en ik had verschillende bazen tegelijk; dat was zalig! Op zondagmiddag ging de diamantbeurs uit, dan hadden de bazen wat verhandeld en dan kwamen ze met een paar steentjes en dan vroegen ze me: 'Suze, wil jij daar morgen aan beginnen?' Zo had ik eigenlijk altijd werk.

Dat slijpen ging zo: er waren achtenvijftig facetjes aan zo'n steen en als er zo'n facetje 'verlopen' was, dan was het verknoeid en dan moest de snijder het facetje bijwerken. Nou, dat kwam heel vaak voor en de baas mocht dat niet weten, want dan 'verloor' dat diamant en het werd altijd gewogen. Dan was er dus een splintertje van af en dat moest ik dan op een heel verborgen manier weer maken.

We hadden ook 'lopers', dat waren mensen die bijvoorbeeld te oud waren om nog een vak te beoefenen. Dan zeiden we tegen hem: 'Wil je een halve galle halen met een half ons kaas?' en dan zei een ander: 'Ja, ze zijn daar mesjogge bij de bakker om twee galle's aan te snijden!' Maar dan ging zo'n loper met een hele lange brief een stukkie vlees halen: een half ons worst. Het waren allemaal halve onsjes hoor, want ik had ook wel eens niets op mijn brood.

Mijn zusje en ik hebben zesentwintig jaar naast elkaar gezeten. Zij was een hele 'fijne' werkster, ze was preciezer dan ik. Dan zei de baas: 'Suze, vind je het erg als Anita dit doet?'

Je krijgt zo'n ruwe steen, dan ziet het er uit als een stuk kandij: dan moesten wij een manier vinden om er een zo groot mogelijk oppervlak van te maken.

We hadden een enorm respect voor ons vak. Toen mijn vader nog leefde, was het de hele avond: 'Wat voor werk heb jij op? Heb je "zuiver" werk of is het een beetje "onzuiver"?' Wanneer je zo'n 'onzuivere' diamant bewerkte met een andere diamant, dan viel wat wij noemden het 'zoute', dat wil zeggen het 'onzuivere' er af.

Een karaat heeft honderd puntjes en dan zei de baas bijvoorbeeld: 'Het is heel mooi uitgelezen werk.' Dat betekende dat het 'zuivere', dus kostbare diamant was, die bij de bewerking hoogstens een paar puntjes mocht verliezen. Sommige mensen kregen heel kostbaar werk, blauw-witte diamant en anderen weer een beetje onzuiver werk, dat er een barstje of een stipje in zat. Dan moest je dat zó zien te bewerken, dat zoiets aan de zijkant kwam te zitten.

Niet iedereen had goed gereedschap. Als je bij een baas kwam werken, kreeg je een beetje gereedschap dat je weer moest inleveren als je weer wegging. Maar ik had mijn eigen gereedschap, het fijnste, een hele tafel vol, dat had niemand! Soms leenden ze er wel eens een dop van. Ik kon zelf een dop ook weer repareren, dan zette ik hem op de machine, ik had er een vijl bij, en dan schraapte ik eroverheen dat er weer een nieuw gaatje in die dop kwam. In dat gaatje moest de diamant komen met je cement.

De bazen jutten je ook wel eens op en betaalden dan slecht, maar ik heb het altijd getroffen met mijn bazen. Als je bij een baas komt te werken op een salaris van vijfentwintig of veertig gulden dan wil die baas hebben dat je veel maakt. 'Kun je dat nog even doen?' en dan was het tien voor zes, en we werkten toen van acht tot zes. En dan dacht ik: 'Ik vind dat partijtje helemaal niet zo mooi als hij zegt!' Maar er waren ook bazen die heel moeilijk waren en als je dat niet deed, kreeg je gewoon ontslag; dan moest je een week wachten op je geld, of je moest eerst twee dagen werkloos zijn.

Hoe vlugger je was, hoe meer je afleverde, natuurlijk. Ik was vlug en ik was goed, maar niet altijd én vlug én goed; dat kan niet. Mijn zusje was veel 'fijner' dan ik, maar ook veel langzamer en ook bangelijker. Ik niet! Wanneer ik een steen in mijn handen kreeg dan brak ik wel eens een stuk en dan dacht ik: 'Zo, dat hoef ik er dan weer niet af te snijden!' want dat duurt heel lang.

We hadden ook wel eens hele slechte diamant, dat moest maar zo'n beetje in elkaar gedraaid worden. Dat was voor hele kleine baasjes, sjlemieltjes die hun eigen brood wilden verdienen. Dat was heerlijk; geef mij die kleine zaakjes maar, dat was leuker. Zo'n baas met twee of drie mensen. Bij een grote baas voelde ik me niet thuis.

De snijders verstelden zelf. Je moest het goed doen. De cement moest niet te ver over de rand komen; je moest zorgen dat de diamant goed uit het cement kwam zodat je hem goed kon bewerken. Hij mocht ook niet scheef zitten; je moest kijken dat hij glad was want je moest er een bandje omheen leggen en dat mocht niet te dik zijn, anders verloor de diamant te veel.

Het ergste was nog het uren zoeken naar zo'n steentje, zo klein als een speldepunt. Je kreeg een zeker aantal steentjes in zo'n 'partij-briefje' en die moest je natuurlijk allemaal weer teruggeven, natuurlijk als dat bewerkt was. Maar hoe vaak is er niet eentje weggesprongen. Dan dacht je dat hij vóór je lag, dan lag hij in de hoek. Dan moest je úren zoeken met een stoffertje tussen de machines; dat was een ellende, maar ik had een ontzettende feeling. Dan zei ik: 'O, Suze komt wel even. Hoe is hij gevallen?'

Soms heb ik hem uit de stropdas van een man gehaald, soms zat het onder een schoen. Er was een jongen die zijn schoenen niet uit wilde doen. Toen hebben we gezegd: 'Toon je zwarte voeten!' We hebben hem op de grond gelegd, zijn schoenen uitgedaan en zijn sokken uitgehaald.

Ik heb eens gehad dat er een grote steen was weggesprongen die langs een pijp in een gat was gevallen in de zaal van de benedenverdieping, en ik ben blijven zoeken ook ná zessen. Als ik dan thuis kwam dan hing mijn moeder uit het raam; het hele huis leefde mee.

Als de partij diamant op was, dan had men vaak niet meteen een andere baas en dat kostte geld! Want een diamantbewerker had pas na een week van werkloosheid recht op een uitkering. Vaak had de baas maar een klein partijtje 'ruw' gekocht en dan was er niet voor iedereen werk. De vraag was dan: 'Wie is de sjlemiel geweest om ontslag te krijgen?' Die moest dan gauw naar een andere baas zoeken. Je moest ook goudeerlijk zijn, want als er altijd maar steentjes weg waren, dan kon de baas denken: 'Zou dat wel een eerlijke zaak zijn?' en als je daarvoor –terecht of niet–werd ontslagen, dan kon je bij niemand terecht.

Je had ook stenen, dat heette 'heel'. Dat was net een glimmende kraal en dan moest je die op de voordeligste manier snijden. Dan moest je het onzuivere eraf laten vallen om het mooie eruit te krijgen. Dat was het vak: erdoorheen kunnen kijken!

Vroeger hadden we geen geld om kleren te kopen: alles werd versteld door de moeders of de vrouwen, overal zaten kleine lapjes op. Toen was ik óók weer eens een keer aan het zoeken voor een slijper naar zo'n klein steentje. Ik voelde aan alle 'lapjes', welke open waren en welke dicht, want zo'n steentje kon overal tussen springen. En waar zat dat steentje in? Bij z'n gulp! En die avond wist de hele fabriek: 'Suze heeft uit Arie Hartog's gulp een steentje gehaald!' En een lol dat we hadden!

HIJMAN SCHOLTE   Er waren natuurlijk ook tijden dat er ontzettende werkloosheid heerste. Bovendien heeft mijn vader een ongelukje gehad op zijn werk. Hij heeft bij het slijpen iets in z'n oog gekregen en zo is hij aan dat oog helemaal blind geworden. Zo kon hij als diamantslijper niet meer werken, en toen is hij 'commissionair' geworden op de fabrieken, zoals dat in België heet: om boodschappen te doen voor die mensen. Dan zei zo'n diamantslijper: 'Scholte, haal eens een broodje oude kaas voor me.' En als de week dan om was, dan kreeg hij van al die mensen waar hij boodschappen voor had gedaan, wat geld, en dat was dan z'n inkomen. Maar dat was niet veel natuurlijk; daar konden we geen bokkesprongen van maken.

ALEXANDER VAN WEEZEL   De bedelaar Gans, dat was een buitengewoon waardige figuur die in een versleten jas voortschreed over de Dam, als een profeet, met een grote staf in z'n hand. Die haalde de kost op door de diamantfabrieken af te lopen en dan gaf iedereen hem wat van z'n loon. En toen had één man een stuivertje voor hem klaargelegd en toen zei Gans: 'Meneer, het kost een dubbeltje.'

RUBEN GROEN   Als diamantbewerker had je eigenlijk een nevenberoep nodig, iets anders achter de hand, voor het geval er een malaise kwam. Dan waren er mensen die ontslag kregen; dat gebeurde toen van de éne dag op de andere. Zo kwam de baas dan wel op vrijdagmiddag naar je toe en zei: 'Jij hoeft zondag niet terug te komen.' Dan was het afgelopen. Dan kon je naar de Bond gaan, en als je dan een reglementaire uitkering had van de ANDB, dan kreeg je ten hoogste achttien gulden per week. Maar het bondsgeld was indertijd heel hoog, als je vijfentwintig tot dertig gulden verdiende, dan betaalde je drie gulden contributie.

Maar zo'n nevenberoep was bedoeld om dat aan te vullen wat je tekort had; dat was in mijn geval ook zo. Ik voelde altijd van tevoren aankomen dat het afgelopen zou zijn, en dan zocht ik een engagement als musicus. Praktisch alle 'Heck'-zaken heb ik afgewerkt.

CAREL REIJNDERS   Toen ik klein was, woonde er boven ons een diamantslijper, Delmonte. En zolang ik daar woonde, en dat is een jaar of twaalf geweest, heb ik die man nooit één dag zien werken; hij was permanent werkloos. Alleen zijn vrouw, die roosjesslijpster was, had af en toe werk. Maar die man had een onverwoestbaar optimisme. Hij kwam altijd fluitend de trap op en maakte grapjes over de kranten die we lazen. Er kwamen namelijk dagelijks een katholieke krant, *Het Volk* én een protestantse krant op onze trap van drie verdiepingen. Dat vond hij een heel grappige situatie en dan zei hij: 'Ze bijten mekaar nooit!'

Ik speelde vaak met de buurkinderen: Dikkie, Rietje en Jopie. Die namen wezen er eigenlijk al op dat zij geen orthodoxe Joden waren. En de vrouw, die vreselijk arm was en een man had die altijd werkloos was, zei een keer tegen mijn moeder, toen het een beetje gunstige tijd was: 'Als God het je goed geeft, dan moet je het er ook goed van nemen!'

Vrije beroepen

BERNARD VAN TIJN   Medicijnen is natuurlijk een hele oude traditie. Toen ze nauwelijks iets anders konden doen in verschillende landen van Europa dan wat handeldrijven en zo, toen was, naast de studie van Thora en Talmud, medicijnen hèt vak waarin ze konden gaan. Je ziet ze in de achttiende eeuw volop, ook in Nederland, en niet alleen in Amsterdam, ook daarbuiten.

En de rechtenstudie sluit natuurlijk wel enigszins aan bij de manier waarop Thora en Talmud werden bestudeerd. Daar staat weinig theologie in, maar veel gebruiken en rechtsregels. De eigenlijke functie van een rabbijn is rechtspreken, dat wil zeggen geschillen uit de wereld helpen, geschillen die vaak een theologisch aspect hebben, maar toch dingen zijn van elke dag. Dus de overgang daarheen is natuurlijk makkelijker dan naar andere studies.

Het is een soort vooroefening en dan is de vader talmoedist, en de zoon jurist, nietwaar.

En medicijnen, dat is hèt academische beroep waarin de Jood het eerst werd aanvaard en op academisch niveau werkte, toen de anderen nog kwakzalverden, voor een belangrijk deel. In de Middeleeuwen is er een tijd geweest dat je naast Joden en Arabieren geen medici op academisch niveau had.

LOE LAP   Een van de meest aantrekkelijke beroepen die joodse ouders voor hun zoon het summum vonden, was: 'Mijn zoon moet advocaat worden!' Of arts.

Er waren relatief wel veel joodse artsen en bijzonder veel joodse advocaten. Dat waren de beroepen waar je goed je eigen rechten kende en díe wetenschap gaf je zekerheid. Een meester in de rechten, daar keken ze tegenop in die tijd! Nou lach je er om.

MARIUS GUSTAAF LEVENBACH   De juridische faculteit en ook de medische faculteit heeft altijd, voorzover ik weet, een joodse hoogleraar gehad. Ik spreek nu over de tijd dat er een universiteit was. Mijn grootvader, die in 1848 is gepromoveerd, heeft gestudeerd met een jongen Stokvis, ook een joodse jongen. Die is hoogleraar geworden in de interne geneeskunde. Wat de juristen betreft was T. M. C. Asser als hoogleraar van het Atheneum Illustre in 1877 mee naar de universiteit gekomen. Ik weet niet of hij toen al gedoopt was, maar hij was toch in ieder geval een Jood. Verder volgden in de negentiende eeuw nog L. den Hartog, Max Conrad en J. A. Josephus Jitta. Toen ik studeerde, had ik Hijmans voor romeins recht en Van Embden voor economie.

In Leiden, Groningen en Utrecht was dat veel minder, maar dat kwam ook omdat hier veel meer Joden in dat milieu zaten. Amsterdam heeft als universiteit altijd een veel groter aantal Joden als hoogleraar gehad, in verhouding tot het bevolkingsaantal.

Je kent toch dat verhaal over de samenstelling van de grondwet van 1815? Er moesten evenveel protestanten als katholieken aan meewerken en ze hadden dus een even aantal. Toen moest er nog een secretaris zijn. Moest dat nou een katholiek zijn of een protestant? En er wordt verteld, dat de souvereine vorst Willem I toen zelf heeft gezegd: 'We hebben toch die eminente jurist Jonas Daniël Meyer, dat is een Israëliet, laten we die secretaris maken!'

ABRAHAM SALOMON RIJXMAN   Dr. Samuel Sarphati en A. C. Wertheim waren twee joodse Nederlanders die zich volledig hebben ingezet voor hun vaderland. Zij waren beiden in vooraanstaande maatschappelijke posities geplaatst en van daaruit zijn ze erin geslaagd Amsterdam díe stimulans te geven, die uiteindelijk zou leiden tot een bloei, na 1870, die de Gouden Eeuw heeft geëvenaard. Zij werden beschouwd als de voortrekkers in Nederland wat betreft de emancipatie van de Joden.

Ze hebben aan de Amsterdamse Joden door hun levensloop duidelijk gemaakt, hoever een Jood het kan brengen in Nederland, zonder antisemitische tegenwerking zoals die bijvoorbeeld in Duitsland bestond. En dat mede door de volledige inzet van hun gaven.

Ik geloof dat beiden wel zeer begaan waren met het lot van hun armere medeburgers, maar geen van beiden kwam tot maatschappijkritiek. Ze waren wel zeer charitatief ingesteld; dat blijkt bijvoorbeeld uit het feit, dat Wertheim een vrij kleine erfenis naliet, zo in de orde van een half miljoen. Dat is niet zoveel voor een puissant rijk man als waar Wertheim voor doorging! Toen ik dat vertelde aan de oude heer Mr. Christiaan van Eeghen, kon hij zijn oren niet geloven! Dat kwam omdat Wertheim praktisch al zijn inkomsten weggaf aan liefdadigheid en sociaal werk.

Sarphati deed dat in mindere mate zo'n dertig jaar eerder, maar Wertheim heeft Sarphati's werk voortgezet en uitgebouwd. Het belangrijkste was dat ze het Crédit Mobilier hebben opgericht: een bank die fondsen moest geven aan de industrie, naar het voorbeeld van de gebroeders Pereira, die dat in Frankrijk deden, gesteund door Napoleon III. In die tijd gaven de banken wel 'crédit immobilier', namelijk kredieten op landerijen en vaste bezittingen, maar voor industriële werkzaamheden werd krediet te gevaarlijk gevonden.

De gebroeders Pereira lieten zien dat juist het crédit mobilier het land een enorme vaart kon geven. In die tijd heeft Sarphati ook zo'n bank in Nederland gesticht en Wertheim trad in zijn voetsporen. Zo werd de opkomende Nederlandse industrie ook hierdoor sterk gestimuleerd.

Wat hun Jood-zijn betreft, Sarphati was een zeer behoudende Jood die nog volledig volgens de godsdienstige codex leefde. Wertheim echter was zeer vrijzinnig op religieus gebied, wat hem evenwel niet weerhield het voorzitterschap van het Nederlandsch-Israëlitisch Kerkgenootschap te aanvaarden.

Sarphati was een gedrevene, die niet kon verdragen wat hij om zich heen zag aan verpaupering in Amsterdam. En het merkwaardige is, dat overal waar men zei: 'Dat is onmogelijk!', hij toch doorzette. Blijkbaar was hij zo'n overtuigende figuur, dat hij de mensen bijna steeds voor zijn plannen wist te winnen. Van

de oprichting van de eerste Handelsschool tot de Vuilnisophaal-
dienst van Amsterdam toe, functioneerde alles wat hij opzette
uitermate goed. Terwijl talloze negentiende-eeuwse instellingen
verdwenen zijn in het twintigste-eeuwse Amsterdam, zijn de
scheppingen van Sarphati grotendeels nog springlevend.
Het Amstelhotel bijvoorbeeld! Het werd destijds als een
dwaasheid beschouwd om zó ver buiten de stad een hotel te
stichten, terwijl er zoveel goede logementen in de binnenstad
waren! Het functioneert nog steeds. De vuilverbranding en het
abattoir zijn door de Gemeente overgenomen, maar hij heeft
het fundament gelegd. Alleen al het feit, dat hij zag, dat er een
aparte hogere opleiding moest komen ten behoeve van de burgerij, een Handelsschool en later een Hogere Burgerschool, voor
kinderen die niet naar de Universiteit wilden maar die wél een
hogere vorming nodig hadden, getuigt van een visionair inzicht.
Inmiddels had deze joodse arts ook belangrijk werk verricht op
sociaal-economisch gebied. In 1865 was de accijns op het gemaal
opgeheven, zodat men geen belasting meer hoefde te betalen op
graan. Dit bracht Sarphati, getroffen door de fysieke en morele
ellende van de arbeiders uit die tijd, ertoe om een broodfabriek
te stichten. Het werd de eerste broodfabriek in Nederland. Hoewel hij de werktijd van de arbeiders verkortte, wist hij toch door
zijn élan de produktie op te voeren tot negentigduizend broden
per week, wat voor die tijd enorm veel was. Verder waren de
prijzen van het fabrieksbrood zó laag, dat de particuliere bakke-
rijen gedwongen werden hun prijzen aan te passen.
Plannen voor het 'Paleis van Volksvlijt' kreeg Sarphati na een
bezoek aan de industriële tentoonstelling in Londen van 1851.
Blijkbaar was de tijd er ook rijp voor, want het tegenwoordige
Frederiksplein werd meteen ter beschikking gesteld door de
Gemeente, mits er genoeg bouwfondsen waren. Dat moest drie-
honderdduizend gulden worden, voor die tijd zeer veel geld.
Koning Willem III en ook zijn oom, Prins Frederik, tekenden
echter voor grote bedragen in.
Wertheim anderzijds was een Amsterdammer die midden in
het Amsterdamse handelsleven stond en tevens een man met een

bijzonder ontwikkeld kunstgevoel. In zijn jeugd had hij veel aan letterkunde gedaan bij de deftige Rederijkersgenootschappen, waar hij qua afstamming en geboorte toegang toe had. Als volwassen man bouwde hij dit uit tot liefde voor kunst in het algemeen, toneel, muziek en letterkunde. Als men in Amsterdam financiën voor kunst nodig had, ging men eerst naar Wertheim. Amsterdamse bankiers hadden in het algemeen geen oog voor kunst in die tijd, zodat Amsterdam in dat opzicht straatarm was, en dat terwijl in Parijs en Londen toen talloze theaters, orkesten en musea waren. Als er echter in Amsterdam een groep mensen was die zoiets ook in de hoofdstad op poten wilde zetten, dan zei men: 'Ga eens praten met Wertheim, die is er vast wel voor te vinden!' En dat was dan meestal ook het geval.

Het toneel bijvoorbeeld in Amsterdam was zeer slecht. Wat er aan toneel gegeven werd voor de gegoede burgerij, gebeurde in het Frans. Naar het 'gewone' toneel ging de gegoede burger niet. Een toneelspeler was vanzelfsprekend iemand van het allerlaagste allooi, de actrices waren even vanzelfsprekend prostituées. Daarbij werd er plat Amsterdams gesproken en de gegoede burgerij wilde dáár niet naar luisteren. Toen heeft H. J. Schimmel het Nederlandse Toneelverbond opgericht. Wertheim heeft hem verder geholpen met de oprichting van de Toneelschool.

Toen in 1890 de Amsterdamse Stadsschouwburg afbrandde, heeft Wertheim de architecten Springer en Van Gent opdracht gegeven om een nieuwe schouwburg te bouwen: diegene die nu op het Leidseplein staat.

Daar er een behoorlijk museum moest komen voor onze grootste kunstschatten, heeft hij, met J. A. Alberdingk Thijm en anderen, ervoor gezorgd, dat het Rijksmuseum er kwam. Toen men er in Nederland schande van sprak, dat er op muzikaal gebied niets gebeurde, heeft hij het Concertgebouw helpen stichten. Zo is hij ook min of meer betrokken geweest bij het aantrekken van de eerste leden van het Concertgebouworkest.

Hoe bekend hij in Nederland was, blijkt onder andere uit het feit, dat de mooiste kunstvoorwerpen van het Rijksmuseum voor Oudheden in Leiden met zijn steun konden worden aangekocht. Want hij had de juiste betrekkingen met Parijs. Waardoor dit alles mogelijk was? Wertheim had ten eerste een bijzonder plezierig karakter; ten tweede wist hij als bankier hoe hij dergelijke zaken moest aanpakken. Daardoor was hij uitermate geschikt om als bemiddelaar op te treden, vooral in de wereld van kunst en kultuur waar hij zoveel oog voor had.

De actrice Betsie Holtrop-van Gelder (1867–1962) vertelde mij, dat bij de grote brand van de Stadsschouwburg in 1890, de hele garderobe van de acteurs en actrices verloren ging. In die tijd moest dat van hun gage worden betaald. Die mensen wisten zich geen raad en stonden te huilen. Niet alleen omdat ze nu brodeloos waren, maar ook omdat ze hun hele garderobe kwijt waren.

Toen is Wertheim naar ze toe gegaan en heeft tegen ze gezegd: 'Ik zal zorgen dat jullie gage wordt doorbetaald en dat jullie een nieuwe garderobe krijgen.' Dat kwam natuurlijk als een godsgeschenk in een tijd zonder sociale voorzieningen en daardoor werd Wertheim dan ook door die mensen op handen gedragen.

ARTHUR FRANKFURTHER   Mijn familie van moederszijde was sinds een paar generaties intiem bevriend met de familie Wertheim. Tot deze familie behoorde een bekende notaris. De bekendste Wertheim was Alexander, naar wie ook het Wertheimplantsoen is genoemd. Deze bankier Alexander Wertheim, lid van de firma Wertheim en Gomperts, was zeer kunstminnend, geïnteresseerd in toneel, en hij subsidieerde uit eigen zak ook toneelgezelschappen in de Stadsschouwburg.

Als bankier deed je mee aan emissiesyndicaten en je had een groot aantal vermogens te beheren van klanten, evenals ook destijds het bankiershuis Lissa en Kann in Den Haag. De kunstinteresse van deze Alexander Wertheim is overgegaan op zijn nakomeling Job Wertheim, de beeldhouwer. Zijn niet Mathilde Visser, een dochter van Mr. Lodewijk Visser, voorzitter van de Hoge Raad, werd door hem geportretteerd. Haar moeder was ook een Wertheim.

De Wertheims hadden een sterk filantropische instelling. Zij hadden veel contact met de Bisschofsheimstichting en de Rothschilds in Parijs en samen zaten ze in alle grote Europese fondsen voor algemene weldadigheid, weeshuizen en zo. De laatste Hendrik Wertheim, een goede vriend van mij, die onlangs is gestorven, is verleden jaar nog naar zo'n vergadering geweest bij de Rothschilds in Parijs.

Het filantropisch werk buiten de joodse kring was belangrijk, vooral bij de lijn van Wertheim die zich zo voor toneel interesseerde. De familie Wertheim was weer geparenteerd aan de familie Heijmans uit Arnhem. Als er dan iemand kwam die heette 'Heijmans van Anrooy' of 'Heijmans van Wadenoyen', dan zei notaris Wertheim: 'Dat is mijn gojse familie!', omdat die mensen 'gemengd' gehuwd waren en dan de naam van hun vrouw erbij hadden genomen.

De oprichter van de Amsterdamse Bank was F. S. van Nierop. Hij kwam van een familie van veehandelaren uit Nieuwdorp, die geld gemaakt hadden. Die bank is opgericht in 1870, denk ik. Die man had gestudeerd, hij was Mr. F. S. van Nierop en lid van de Eerste Kamer. Hij woonde in een huis in de Sarphatistraat nummer 1, waar later de soos van studenten was. Dat was zijn familiehuis.

Godsdienst

In dit hoofdstuk zijn voornamelijk de herinneringen weergegeven van die Joden, die zich op een of andere manier betrokken voelden bij de religie. Er blijkt uit dat binnen de beide officiële kerkgenootschappen een ruime sortering te vinden was van orthodoxe tot uiterst 'rekkelijke' zich liberaal noemende Joden. Deze zogenaamde liberale Joden moet men niet verwarren met de lidmaten van de tegenwoordige liberaal joodse gemeente. Terwijl de vooroorlogse liberale Joden eigenlijk alleen maar liberaal waren doordat ze in de praktijk zich niet meer strikt aan de traditionele regels hielden, beschouwen de aanhangers van de liberale gemeente uit principiële overwegingen de orthodoxie als verouderd. Hun ideeën spruiten voort uit die van de negentiende-eeuwse Reform, die in Duitsland en Engeland grote aanhang kreeg. Het waren dan ook voornamelijk Duitse Joden die voor de oorlog in Amsterdam een Liberale Gemeente stichtten.

Dat de Reform overigens in Nederland geen vaste voet kreeg is op zichzelf wel een merkwaardig verschijnsel. Merkwaardig is ook, dat tot het einde van deze eeuw de leiders der joodse kerkgenootschappen in tegenstelling tot die der protestante en katholieke geen oppositie voerden tegen het openbaar onderwijs. Eerst in 1898 lanceerde opperrabbijn Dünner een actie ten bate van het joods bijzonder onderwijs en dus tegen het openbare onderwijs. Boze sociaal-democratische tongen beweerden dat Dünner hiermee gewacht had tot het overlijden van de voorzitter van het Nederlands-Israëlitisch Kerkgenootschap, de liberale bankier A. C. Wertheim.

De praktijk

ABEL JACOB HERZBERG   De Amsterdamse Joden waren voor een groot deel werkzaam in het diamantvak. De enige beurs ter wereld die op sabbat gesloten was, was de diamantbeurs in Amsterdam. Dat was een unicum.

Ik herinner mij nog heel goed uit mijn jeugd, dat er op een gegeven moment een voorstel was om de beurs op zaterdag te openen en op zondag te sluiten en dat ontketende een storm van verontwaardiging. Het is ook met de grootst mogelijke meerderheid verworpen.

De Joodse diamantbewerkers, voor het grootste deel, zoniet allemaal SDAP-ers, die zaten 's zondags op de fabriek. Mijn vader had hier in de Zwanenburgstraat een aantal 'molens', zoals dat heette, gehuurd, en 's zondags gingen ze naar de slijperij, op sjabbes zaten ze koffie te drinken en te keuvelen op het Rembrandtplein in de Kroon of in Mille Colonnes en op vrijdagavond aten ze kippesoep.

De vrijdagavond, dat is de avond voorafgaande aan de sabbat, waarop een absolute rust moet heersen. En die vrijdagavond wordt door werkelijk religieuze Joden toch wel gevoeld als het moment waarop het universum naar ze toe komt, dat ze deel worden van het geheel. Het witte tafellaken en de kippesoep zijn natuurlijk niet meer dan vaste gebruiken, of zoiets als symbolen, maar het gaat eigenlijk in hoofdzaak om de sfeer. De Jood heeft op sabbat een 'nesjamah jeteira', een speciale ziel. Hij wordt een ander mens, hij is vrij, heeft rust, hij wordt door vreugde vervuld, hij wordt deel van het kosmische geheel.

En er zit ook een mystiek element in. Als hij bijvoorbeeld zingt van het welkom der engelen uit de hoge die hem komen begroeten en die binnenkomen, ja, dan is de geest in zijn woning getreden.

De dag voorafgaande aan de Seideravond, het Paasfeest, het Pesach-feest, dan wordt er door de vrouw des huizes geloof ik, overal in het huis kleine stukjes brood neergelegd en dan gaat de heer des huizes 's-avonds met z'n kinderen dat 'gezuurde' brood verzamelen. Dat heb ik ook gedaan met m'n vader, met een kaarsje en een ganzeveer. En de volgende dag wordt dat brood dan verbrand, op de ochtend vóór Seideravond. Hier in Amsterdam heb je dat destijds in de Jodenbuurt kunnen zien, met vrij hoge vlammen.

Hier wordt dus het onderscheid aangebracht tussen de profane tijd, die nu afloopt, met het gedesemde brood, en de feestdag die morgen begint, met de ongezuurde broden. Dat is een herinnering aan de uittocht uit Egypte, waarbij verteld wordt dat ze geen tijd hadden om het brood te 'desemen', te laten rijzen, en ze het dus ongezuurd hebben gegeten.

ROSA DE BRUIJN-COHEN   Ik kan me herinneren hoe vrijdagsmiddags alles klaar gemaakt werd voor de sabbat, en 's winters was de kamer al donker. Mijn moeder was roosjessnijdster en dan ging ze haar partijtjes, zoals dat heette, afmaken en tellen. Dan had ze een grote glazen bol en daar alleen brandde licht. En als ik dan thuiskwam, en ik zag dat, dan wist ik, het was vrijdag, het was sabbat. Dat sprak me ontzettend aan, te zien hoe mijn moeder daarmee bezig was, en dat het dienstmeisje de laatste voorbereidselen trof, met de tafel dekken enzo. Toch waren we niet echt orthodox; het was bij ons zoals men dat nu noemt het 'witte-tafellaken-Jodendom'. Maar ik heb daar de prettigste herinneringen aan, dat ik uit school kwam en dan ging ik nog wat handwerken en dan lag ik voor de haard. Mijn vader kwam thuis, m'n broer en m'n zusje kwamen van school, en dan kwam het andere servies op tafel. En dat ik er dan over klaagde dat we zoveel moesten eten op vrijdagavond, dat vond ik heel erg: een paar soorten van dit, dubbele groentes... Ik begreep niet waarom, dat werd ons niet gezegd: het was vrijdagavond, dus dat werd zo gedaan.

Op sabbat was de winkel gesloten, m'n vader werkte niet en we gingen altijd heel netjes wandelen, terwijl we helemaal niet orthodox waren, maar liberaal.

Maar mijn moeder heeft dat denk ik onbewust gehandhaafd, alle joodse gebruiken. Er werd bijvoorbeeld nooit melk met vlees gegeten, dat bestond niet. Er was een vaste vis-avond. En op donderdagavond had je natuurlijk melkkost, tot grote gruwel van mij en m'n zuster. Wij vonden dat verschrikkelijk, drama's waren dat. Maar we moesten wel.

WILHELMINA MEIJER-BIET   Mijn vader kwam uit een zeer orthodox milieu. Hij was de enige van de negen kinderen die thuis toch nog wel wat aan het Jodendom deed. Oorspronkelijk hebben mijn ouders een kosjere huishouding gehad, maar langzamerhand is dat steeds meer losgelaten; naarmate het hem financieel beter ging, dat hij in andere milieus kwam, en dat hij met ons als familie meer reisde.

Wij aten dus langzamerhand thuis niet meer kosjer, maar toch aten we geen varkensvlees, en we aten geen boter onder vlees. Van orthodox-religieus standpunt was dat natuurlijk volkomen onzin, want het was toch niet meer kosjer. Maar dat was wat wij dan later noemden, de 'God aan het elastiekje', die ging mee omhoog: dit deed je wel, en dat deed je niet. We zeiden wel allemaal ons nachtgebed en ons ochtendgebed. Ik ging niet naar school op sjabbes en op de joodse feestdagen. Totdat ik in de vierde klas zat van de Meisjes-HBS en toen bleek dat ik bepaalde lessen miste en dat ik dan nooit zou kunnen overgaan. Toen mocht ik dan wel naar school op sjabbes, maar ik mocht niet op de fiets en ik mocht niet schrijven. Nou ja, dat bleek langzamerhand ook niet meer vol te houden, dus zo kwam er bij dat ik wel ging schrijven, en toen zag ik ook niet meer in waarom ik niet op de fiets zou mogen gaan.

In ons ouderlijk huis werden joodse feestdagen in zoverre gehouden, dat we altijd Seideravond hielden. Dan kwam de hele familie bij ons, zo'n stuk of dertig mensen: ooms, tantes, neefjes, nichtjes. Dat was ontzettend leuk, dan mochten we als kinderen toch ook vier glazen wijn drinken. De ouderen zaten aan het hoofd van de tafel, en wij aan de achterkant, en dan zaten we te lachen en we hadden een reuze plezier. Dat waren echte grote familiefeesten.

Ik ging in ieder geval naar sjoel op de eerste dag van het joods nieuwjaar, de tweede dag niet, en ik bleef ook niet zo lang. Dat was de sjoel in de Jacob Obrechtstraat. Ik vond het meestal vrij vervelend, omdat ik het niet kon volgen, en de Hollandse tekst was zo ouderwets. Maar ik vond het bijvoorbeeld wel mooi als ik zag dat mijn vader bepaalde handelingen in sjoel mocht verrichten.

Bij de oprichting van de Jacob Obrechtsjoel is er een zilverbeslag op die zwarte ebbehouten deuren gemaakt en daarachter waren de wetsrollen verborgen. Op dat beslag zaten twee grote knoppen en daarin had mijn vader de namen van zijn ouders laten graveren. Dus voor mij was dat ook een tikje, dat bij mij hoorde. Toen mijn grootvader nog leefde, ging mijn vader naar de Grote Sjoel op het Jonas Daniël Meyerplein, en dan was die avond altijd bij mijn grootvader. En ik herinner me dat ik een keer met moeder op vader stond te wachten aan het eind van Grote Verzoendag voor de synagoge; het was erg vol. En toen gingen de deuren open en ik herinner me dat de voorzanger en de rabbijn lange witte kleden aanhadden en hele mooie hoge witte mutsen op, en dat ik toen heb gezegd – dat was een groot succes in onze joodse familie: 'O, mamma, kijk eens, er is een kok in de sjoel!'

MARIUS GUSTAAF LEVENBACH   Mijn ouderlijk gezin was een assimilanten-milieu, er werd wel eens een joodse uitdrukking gebruikt, maar er werd niets meer gedaan aan joodse gewoontes, behalve drie dingen: 'brizemille' (van 'berith milah') dat is de besnijdenis van jongetjes, verder 'choepah', het huwelijk, en 'lewaje' (van 'lewajah'), de joodse begrafenis. Men geloofde niet, maar men wou zichzelf niet uit de gemeenschap stoten. Een overweging van m'n ouders was vanzelfsprekend dat ik besneden moest worden, want stel je voor dat ik later een joods meisje zou willen trouwen en ik was niet besneden. Dan zouden de ouders van dat meisje misschien zeggen: 'Nee, dat doen we niet, het is geen echte Jood want hij is niet besneden.'
En m'n grootvader had nog één gewoonte, die ontving z'n

kinderen en schoonkinderen op vrijdagavond en dan aten ze bij hem. De kleinkinderen waren er niet bij. Dan hield hij dus 'soir' en dan gingen ze daarna whisten. Men ging niet zoveel uit, er was geen cinema, dus je kwam bij elkaar op visite. En vrijdagavond bij grootvader, in de Muiderstraat. En op zondag dan kwamen ook alle kinderen met de kleinkinderen bij grootvader op bezoek. En we kregen altijd een 'chasséetje' van die joodse bakkerij op de Jodenbreestraat. Er werd afgeteld, er waren dertien kleinkinderen, dus voor ieder van de kleinkinderen was er een cakeje of een chasséetje en in de achterkamer kregen we limonade, en we mochten niet al te veel lawaai maken, met alle ooms en tantes er bij. Mijn grootvader was armendokter geweest. Hij was een liberale Jood. Hij geloofde niks, hij was een man van de negentiende-eeuwse Verlichting, Molenschot, Natuurwetenschap. Hij is een vooraanstaande persoonlijkheid geweest. Maar toch was hij lid van de kerk, of voorzitter van het kerkbestuur of zo, want hij was een notabele.

RUBEN GROEN   De joodse werkweek hadden wij. Bijvoorbeeld er werd gewoon aan Pasen gedaan. Ik weet nog heel goed dat mijn moeder met Pasen speciaal keukengerei had. Dat was tóch kosjer. Dat bewaarde ze speciaal voor de Paas en dat werd nooit voor iets anders gebruikt dan voor Pasen. Ze had dus eigenlijk een dubbel servies.
Ze was niet vroom, maar dat zat er zó in, dat onderhield ze.

LOE LAP   Oma was het in die tijd, die de dienst uitmaakte. Want ik herinner me, m'n vader was vijfenveertig jaar, maar mijn grootmoeder had nog steeds het gezag over ons. Ze was min of meer vroom. En ze stond er op, ze wilde haar kleinkind ooit zien als voorzanger – het had er niks mee te maken of ik wel of niet mooi kon zingen, zij had dat ideaal, en ik had me maar te onderwerpen. M'n vader, die liberaal was en er niets voor voelde, en die zelfs toen ik geboren werd niet eens wilde dat ik besneden zou worden, vader onderwierp zich aan z'n moeder, want daar kon hij toch niet tegen op.

En toen ik dertien jaar werd moest ik bar-mitzwah doen, hè! Dus m'n oma mee naar sjoel, dat was voor dat mens de belevenis van d'r leven–en ik schijn erg mooi gezongen te hebben, het goed te hebben gedaan, en iedereen was erg trots. Het was in de sjoel in de Linnaeusstraat. En je moest zo'n hoedje opzetten; ik vond het echt vreselijk. Het enige wat ik fijn vond was dat ik veel cadeaus kreeg. Maar het was sjabbes, één uur en we zitten bij m'n oma in de Korte Houtstraat, dat was het centrale punt en die had een nieuw pak voor me gekocht. Maar ik verveelde me zo en ik zeg tegen m'n moeder: 'Ik wil naar de Cinema Royal.' Daar was een film waar ik graag naar toe wou. Zegt m'n moeder: 'Dat ken je niet maken jongen, straks komt de rabbijn dit en de leraar zus en dan kan je niet weg.'

Maar ik bleef jengelen, en m'n moeder zei: 'Jij krijgt van mij geen geld.' En m'n oma hoorde het en ze zegt: 'Wat is het dan, kind?' Ik zeg: 'Oma, ik wil een uurtje weg.' Zegt ze: 'Wat wil je, een uurtje weg?' Ik zeg: 'En dan moet ik geld hebben.' Zegt ze: 'Hoeveel moet je hebben dan?' Zeg ik: 'Een kwartje. Ik wil naar de Cinema Royal.' Wat denk je dat ze deed, die sjlemiel? Op sjabbes, terwijl ze geen geld mocht uitgeven? Ze was blind en zegt ze: 'Kijk eens, is dat een kwartje, hier heb je nog een kwartje, ga jij naar de Cinema Royal.' En zo zat ik op sjabbes in de Cinema Royal op de dag van m'n Bar Mitzwah, en om vier uur was ik weer terug.

SIMON GOSSELAAR De vrijdagavond, dat ging helemaal buiten de sfeer van de religie om, dat was een sociale aangelegenheid, hè. Dat speelde altijd een heel belangrijke rol bij de Amsterdamse Joden, dat sociale element, en misschien had het in z'n oorsprong wel bepaalde godsdienstige wortels.

Op vrijdagavond werd het witte kleed neergelegd, er was soep en extra lekker eten. De joodse kinderen op de lagere school waarvan de ouders er prijs op stelden, mochten vrij van school hebben. Want dat begrip 'nacht' begon 's winters op vrijdag vaak al om drie uur 's middags. Het werd ook wel eens half vier, naarmate we weer naar de zomer toegingen, dat ging met de klok mee. Wij vonden het gewoon leuk, lekker vrij en toch geen bezwaren van je ouders. De joodse kinderen in de buurt deden dat bijna allemaal.

Ik ben wel eens in sjoel geweest, bij een bruiloft van familieleden, die absoluut ongelovig waren. Maar dat was een sociaal element, die kregen de 'choppe' (= jiddische vorm van choepah) en dat hoorde er natuurlijk bij. Ze waren ervóór nooit naar sjoel gegaan, ná de choppe gingen ze nooit naar sjoel, maar dat hoorde er bij, een conditio sine qua non, om het zo te zeggen.

Ik weet nog dat een familie trouwde in de Rapenburgerstraat, dat was het volkssjoeltje, daar kwamen echt de proletarische mensjes.

KAREL POLAK   In de Linnaeusstraat-sjoel was meneer de Jong de chazan, en die heeft mij de huwelijksinzegening gegeven, en de opperrabijn was toen Sarlouis. Bij een huwelijksinzegening is het altijd zo, dat de voorzanger de zegeningen voordraagt, en de rabbijn houdt de preek, leest de huwelijksakte voor en laat die ondertekenen.

Maar dat gebeurde niet altijd in de synagoge. Vroeger was het vaak zo dat de huwelijksinzegening werd gedaan in een feestzaal, en daarna begon dan meteen het feest en de receptie. Wij zijn dus in Atlanta op het Westeinde getrouwd en daarna begon meteen de receptie. Daar was muziek bij, met een pianist en een violist. Dat was dan de achtergrondmuziek, zodat de mensen toch konden praten. Dat was vroeger veel rustiger met een strijkje, dan nu. Het was veel intiemer en dat komt natuurlijk ook omdat er veel meer joodse familieleden waren. Wie nodig je tegenwoordig uit? Allemaal goede bekenden en vrienden, maar familie heb je haast niet meer over, omdat alles door de oorlog is uitgedund. Vroeger was er een heel groot familieverband.

MAX EMMERIK   Ik ben kerkelijk getrouwd. Ja, dat deed je voor je ouders. Hoewel ze niet religieus waren, waren ze op die dingen wel gesteld. Bijvoorbeeld sjiwwe zitten, treurdagen zitten, dat deed ik ook niet. Maar toen m'n vader overleed, zei m'n moeder: 'Jullie kunnen mij een plezier doen als jullie treurdagen gaan zitten.' Nou, we hadden er nooit een fluit aan gedaan, maar we hebben het gedaan voor m'n moeder. En als er dan armoe was, dan was het gewoonte, dat de buren die op condoleantie-bezoek kwamen, allerlei eten meebrachten, bijvoorbeeld worst of gemberbolusjes. Maar wij zaten in een buurt waar armoe troef was en toen hebben we, we waren met vijf broers, afgesproken dat we dat stiekem onder mekaar zouden geven, net of het van die of die kwam, dus zonder afzender. Dus de ene dag kwam er een grote schol, de andere dag bolussen, en één keer hebben we een stuk vlees gestuurd. En m'n moeder vloog er in, want ze zei tegen me: 'Wat een goeie mensen zijn dat toch, ik weet niet waar die kennissen vandaan komen.' Later hebben we het haar verteld en toen moest ze toch wel lachen.

SAL WAAS   Ik was ambtenaar van het joodse begrafeniswe-zen, ik moest contributie ontvangen bij de mensen. Er zijn hier ongeveer zeven begrafenisverenigingen geweest, twee voor de beter gesitueerden en de andere waren de 'menachem aweilim' (= trooster der treurenden) verenigingen, dat was voor de gewone mensen.

Ik heb gesolliciteerd bij de sociale chewre. Dat was een vereni-ging van in doorsnee hele moderne mensen, dat waren bijna alle-maal socialisten. En toen ben ik gekozen uit minstens driehon-derd mensen als bode voor die vereniging. Je moest alles kun-nen, Hebreeuws kunnen lezen, in gebed voorgaan tijdens de joodse treurdagen, de zogenaamde sjiwwe dagen, zeven dagen lang.

Mijn wijk was de Nieuwe Achtergracht, Weesperstraat, Kerk-straat, Jodenbreestraat, Sint Antoniesbreestraat, daar kon ik m'n contributie ontvangen. Als de mensen armlastig waren, konden ze niet altijd geregeld hun contributie voldoen en dan was de ge-regelde uitroep: 'Bode, volgende week dubbel!' En de markt-mensen betaalden 's zomers dubbel contributie, omdat ze in de winter niet zoveel inkomsten hadden.

Je was gewoon een familielid van ze. Je kwam bij het overlijden, bij de geboorte, bij het huwelijk van die mensen. Je was een stuk van die mensen omdat je er elke week kwam. Ze kenden mij, niet mijn vereniging. Ze zeiden: 'Ik ben lid van Waas, van Simons, van Polak.' 'Van welke chewre ben je lid?' 'Van de chewre van Waas, de chewre van Gobitz.'

Ze vroegen raad aan je over alles, je was een betweter.

Er was heel veel armoede. Ze betaalden per jaar vijf gulden tweeënzeventig contributie. En aan het eind van het jaar, een paar weken voor Pasen, dan ging je bij die mensen aan huis afrekenen en dan konden ze drie gulden terugkrijgen, of ze konden matzes krijgen; dat waren dan tien pond 'achtjes', acht pond 'tientjes' of ook nog handmatzes, acht ons matzes per persoon. Maar er waren mensen met heel veel schuld en die kregen dan geen matzes. Dan konden ze naar het joodse Armenbestuur gaan om daar om matzes te vragen, en die kregen ze ook wel. Maar er waren mensen, die waren te netjes, die vonden dat niet fijn om te doen, en dan zei ik: 'Ik zal ervoor zorgen dat jij met Pasen wijn krijgt en matzes.' Er was een vereniging Betsalel en daar ging ik dan naar toe en zei: 'Hoor eens even, voor die en die mensen heb ik matzes of wijn nodig.' Dan kreeg ik daarvoor een kaart, een bewijsje voor die mensen, dat waren de 'stille' armen, en dan konden ze daarmee hun Pasen maken.

Iedereen was lid van het begrafenisfonds hier. Lewaje, lewajah, dat is begrafenis. Er waren mensen die werden vroeger gedragen van hun huis door de joodse buurt naar het Jonas Daniël Meyerplein. Daar stond de lijkwagen, een rijtuig was dat toen meestal, en dan gingen we naar Muiderberg of naar Diemen. Die mensen waren dan meestal lid geweest van het doodgraverscollege, of het waren voorzangers of rabbijnen. En die werden dan speciaal gedragen door mannen met een lange zwarte cape om, de stad door.

Muiderberg, dat waren de geïmmatriculeerden, die hadden zich ingekocht voor Muiderberg, en vóór dat ze trouwden, moesten ze daar een extra bedrag voor betalen: de immatriculatie was veertig gulden. De gewone man ging naar Diemen.

Overveen* was een afgescheiden gemeente, de rabbijn was daar oorspronkelijk niet-joods. De familie Graanboom, die kwamen geloof ik uit Zweden, zijn overgegaan tot het Jodendom. En Isaac Graanboom is daar rabbijn van geworden. De mensen die daar werden begraven, dat was bijvoorbeeld Mr. Visser, voorzitter van de Hoge Raad, en de Wertheims, Mr. Asser en al die bekende geleerden. Dat was de elite, hè, die voelden zich heel modern. Dat 'jiddisje' dat stond hun niet aan; wij zijn Nederlanders.

Het is nu helemaal overwoekerd daar. Maar het waren orthodoxe Joden. Vóór de oorlog ging het doodgraverscollege elk jaar naar Overveen om gebeden te zeggen voor de overledenen. Dat wordt nu nog gedaan op Diemen en op Muiderberg, maar op Overveen komen ze niet meer.

NATHAN STODEL   Ik durf te beweren dat negentig procent van de Amsterdamse Joden a-religieus was. Ikzelf ben zeven jaar op een joodse school geweest, maar m'n vader ging op sjabbes naar de barbier! Toch ging hij op sjabbesmiddag naar rabbijn De Hond luisteren. Dat deed hij ter ere van een overleden zwager die oprichter was geweest van de chewre waar rabbijn De Hond leraar was.

Ik heb zeven jaar les gehad van de vader van Jo Melkman, dat was één van de 'moderne' onderwijzers, zeker voor die tijd. Dat was op het Meyerplein, naast de sjoel. Ik ben ook bar-mitzwah geworden. Mijn vader ging twee keer per jaar naar sjoel, dat was op Rosj Hasjanah en op Jom Kippoer. Dan ging hij naar het Beth Hamidrasj in de Rapenburgerstraat, daar werden speciale diensten georganiseerd. En mijn vader gold als de godsdienstigste van zijn familie.

Op vrijdagavond was er een wit tafellaken, maar mijn vader

* De begraafplaats te Overveen behoorde oorspronkelijk aan de gemeente Adath Jessurun, in 1798 gesticht. bestaande uit veelal notabele aanhangers van de Verlichting. In 1808 werd deze zogenaamd 'nieuwe' gemeente onder druk van Lodewijk Napoleon herenigd met de 'oude', hoogduitse gemeente.

maakte geen 'kidoesj'. Kippesoep eten, natuurlijk, voorzover het mogelijk was! En op sjabbesmorgen poetste hij z'n schoenen –en dat is géén sjabbeswerk, hoor!–en dan ging hij in bad, dan naar de barbier om zich te laten scheren, en op sjabbesmiddag rustig naar De Hond luisteren.

We hadden geen kosjere huishouding. Mijn moeder kookte in verschillende pannen melkkost en vleeskost, dat wel, maar het vlees kwam van een joodse slager die niet onder rabbinaal toezicht stond. Mijn vader had in zijn jeugd een slagersopleiding gehad in de Achterhoek en hij vond dat je bij de kosjere joodse slagers geen goed vlees kon krijgen. Voor het goede vlees moest je bij Isaacs zijn, in de Muiderstraat, en dat was dus niet kosjer. Ook de kennissenkring van mijn ouders leefde beslist niet kosjer.

ELIZABETH STODEL-VAN DE KAR   Mijn vader was marktkoopman op de Nieuwmarkt: toen de beste markt van Amsterdam. Daar stond hij jarenlang met zijden stoffen. Mijn grootvader en grootmoeder waren wél orthodox. Mijn grootvader overleed toen ik elf jaar was. Hij was bestuurder van een kleine chewre-sjoel, daar kwam hoofdzakelijk proletariaat. Dat was op de Sint Antoniesbreestraat, ik meen nummer vierendertig. Dat is natuurlijk allemaal verdwenen.

LEEN RIMINI   Ik was filiaalhouder van de Coöperatie in de Jodenbreestraat. En één Grote Verzoendag heb ik gesloten. En toen kwamen diezelfde joodse mensen steeds aan de deur om een paar boodschappen. En toen woonde ik achter in de winkel en dan dorst je niet te weigeren, want de klant was koning. Dus wat had ik nou, dat ik elke minuut naar die deur moest lopen! Toen ben ik op een gegeven moment zo kwaad geworden, toen zei ik: 'Nou kennen ze voor mij naar de verdikkemis lopen, maar ik hou Jom Kippoer niet meer gesloten.'

Nou dan had je het in de buurt moeten horen! Maar die Jom Kippoer dat ik het open had, toen had ik het nog druk ook! Want al die mensen die nou tekeer gingen, die gingen heus niet naar de kerk toe. Maar als je naar het Rembrandttheater of naar

Tuschinski kwam, dan was het afgelaaien die dag, van diezelfde joodse mensen.

HUBERTUS PETRUS HAUSER   Wij woonden dus in de Jodenbuurt, en ze kwamen wel eens vragen om te helpen op vrijdagavond, op sjabbesavond dus, hè. Dan werd me gevraagd of ik het licht aan wilde maken of de kachel wilde opporren, omdat de Joden op sjabbesavond, na zonsondergang, niks meer mochten doen. De fijne Joden dan, hoor, niet de spekjoden, die doen niet veel meer aan hun geloof, maar de fijne Joden hielden zich daar in het algemeen toch wel stipt aan. Voor het merendeel waren het de beter gesitueerden, maar ook wel de gewone arme Joden, dus mensen die op de markt stonden en zo. Die gingen ook op sjabbes naar sjoel, hè, met het kalotje op.

De term 'sjabbesgoj' werd inderdaad wel eens gebruikt, maar ze zouden bijvoorbeeld nooit roepen van 'Hé, goj' of zo. Ze kenden me gewoon bij m'n voornaam en dan was het: 'Bob wil je even dit of dat doen?' Nou en als ik thuis was dan deed ik het gewoon. Het merendeel was het licht aanmaken, in de winter dus wel eens de kachel opporren, het eten wat opstond van het vuur halen, gas aansteken. En dan vroegen ze er zelfs bij: 'Wil je over een uurtje terugkomen?' Nou ja goed, dan kwam je weer even terug. En in die tijd, als je daar een dubbeltje mee verdiend had, dat was beslist de moeite waard, hoor.

CAREL REIJNDERS   Het gebeurde wel dat ik op weg naar school op sabbat werd aangehouden en dat ze me vroegen: 'Wil je even voor me aanbellen, jongetje?' of: 'Wil je het gas voor me aansteken?' Dat waren orthodoxe Joden die geen vuur mochten maken op sabbat. Bij een elektrische bel springen kleine vonkjes over en als je precies volgens de letter van de wet wilt leven, dan mag je geen elektrische bel gebruiken. Vroeger vond ik dat typisch, twee bellen aan joodse deuren, een trekbel en een drukbel: een trekbel voor de sabbat en een drukbel voor de week. Maar als de trekbel nu ontbrak, dan moesten ze dus een nietjood, een 'sjabbesgoj' eventjes vragen of die voor hen wilde aanbellen.

Als we door de Jodenbuurt naar school liepen, dan was het daar alle dagen vreselijk druk, en de Weesperstraat was toen net zo smal als de Utrechtsestraat nu is.

Op sabbat ging een aantal mensen altijd met een hoge hoed op naar de synagoge. Eén van de mensen die heel trouw de synagoge bezocht, was de beroemde standwerker Kokadorus, die eigenlijk Meyer Linnewiel heette, maar dat wist bijna niemand. Mijn vader stootte me altijd aan als we 's morgens op weg naar kantoor of school waren en dan zei hij: 'Kijk, daar gaat professor Kokadorus!' Die liep dan in de Weesperstraat, terug naar huis.

Je zag daar ook op sabbat mensen bij de bakker vandaan komen, waar ze sjaletpotten gezet hadden, die werden daar warm gehouden. Dat waren potten met een middagmaal erin. Die werden dan vrijdags bij de bakker gebracht, en die maakte dat dan warm, want anders hadden de Joden op zaterdag geen warm eten omdat ze geen eten mochten verwarmen. En daar zag je ze ook mee sjouwen langs de straat. Sommige vrome Joden hadden een hooikist, waar ze dan vrijdags de spullen inzetten, die ze op zaterdag konden eten. Ik vond dat leuk.

En er waren ook allerlei bezigheden bij de Joden die met vuur te maken hadden. Dat vond ik ook eigenaardig als kind. Indertijd brandde er in de sigarenwinkel altijd een vlammetje, waar je je sigaar of sigaret mee kon aansteken. Maar bij de Joden hadden ze bij de banketbakker een vlammetje staan voor de gemberbolussen, die zaten in een blikje en die werden dan warm gemaakt. Ik vond dat verrukkelijk gebak. En er waren ook volop joodse karren met brandende kacheltjes erop, waarop ze kastanjes poften, 'kastengen' werden die genoemd. Het had altijd iets met vuur te maken. Vóór de Paastijd, als ik over het Jonas Daniël Meyerplein kwam, stonden daar joodse jongens die riepen: 'chomets battelen, chomets battelen!' En dan stonden ze stukjes oud brood te verbranden langs de stoeprand en ze kregen daar ook wat geld voor, maar de betekenis van het verbranden van het oude gezuurde brood heb ik pas veel later begrepen.

Speciaal vrijdagavond was de nasj-avond, dan gingen de Joden nasjen. Wij spraken thuis ook altijd van nasjen. Mijn moeder ging op vrijdag altijd fruit kopen en we hadden altijd wel iets lekkers. Dat hadden we waarschijnlijk afgekeken van onze joodse buren, die op vrijdagavond ook nog de tafel dekten met een wit tafellaken. Die mensen waren niet religieus, maar ze zetten toch alles kant en klaar om vrijdags gewoon lekker te eten.

Ik ben nog altijd een liefhebber van noten, pinda's en dergelijke, die volop in de joodse winkels verkocht werden. Ik heb van jongs af aan rozijnen, krenten, vijgen en zo leren eten en ook veel fruit.

JACOB SOETENDORP   Als er één ding te maken had met het vooroorlogse Jodendom, dan is het dat je tenminste precies wist wat je 's avonds te eten kreeg, want dat stond altijd vast. Donderdagavond vis en vrijdagavond natuurlijk je sabbat-eten. Dat bleef bewaard tot zaterdagavond. Maar dat eten van vrijdagavond was iedere week hetzelfde. Eén van de meest merkwaardige dingen is, dat mijn grootmoeder aan mijn moeder vroeg: 'Jans, wat eet je sjabbes?' En dat mijn moeder dan het menu opnoemde, maar daar was nooit enige verandering in. De vraag was overbodig en het antwoord was overbodig. Maandagavond stamppot, dinsdagavond en woensdagavond snert of bonen.

Er was nog iets merkwaardigs in verband met het eten. De socialistische Joden hadden geen ritueel geslacht vlees, maar ze gingen wel naar een joodse slager en die had soms zelfs voor zijn deur die drie hebreeuwse letters staan die 'kasjeer' (kosjer) betekenen. Daar moest het rabbinaat dan tegen waarschuwen, dat dat niet nadrukkelijk betekende 'Onder Rabbinaal Toezicht', want dat was hij niet. Voor hem betekende het: geen varkensvlees. Want negentig procent van deze zo zeer aan het niet-orthodoxe Jodendom verknochte socialistische Joden at toch beslist geen varkensvlees.

En als je tegen een meisje zei: 'Kom, we gaan vrijdagavond uit', dan zei ze: 'Nee, vrijdagavond ben ik thuis', want dat was altijd zo. En als je dan zei: 'Jaja, vrijdagavond thuis, zeker 'kesouse mangele' eten!' (curaçaose amandelen, pinda's), dan zei ze: 'Wat? doe je nou een aanval op mijn geloof?'

84

Het klinkt potsierlijk, maar het betekent dat zij de uiterlijke vormen als een soort saamhorigheidsgevoel hadden overgehouden.

RUBEN GROEN   Als ik vrijdagmiddag met mijn vader naar huis ging dan gingen we eerst het Waterlooplein over en speciaal de fruitmarkt. En mijn vader had de gewoonte om dan praktisch alles wat er maar enigszins op fruitgebied te koop was, te kopen: een meloen, bananen, sinaasappelen, mandarijnen. En die had daar een jongetje, dat was waarschijnlijk het zoontje van de fruitkoopman, en die nam altijd het fruit mee naar huis. Dus dan liepen wij naar de Valkenwegpont, en dat jongetje ging mee, en hij had het gekochte fruit in een houten bak. En dat droeg hij dan op zijn hoofd, dat zie je nog wel eens in India, maar hij droeg het allemaal mee naar de overkant van het IJ. En mijn moeder zei dan altijd: 'Sjabbesie komt er weer aan', want dan wist ze, de sjabbes is begonnen. Mijn vader was thuis en dat was dan vrijdag en zaterdag.

JOOP EMMERIK   Op vrijdagavond hebben we altijd lekker gegeten. Door de week bijvoorbeeld wel eens helemaal niets, maar op vrijdagavond was het altijd lekker. Soms was het kopvlees, of hartlapjes, dat was toen goedkoop, maar we hadden vlees én soep.

En op Vreugde der Wet krijgt ieder kind dat in sjoel komt een zakje met bruidssuikers. Nou, die hebben we nog nooit misgelopen, daar waren we als de kippen bij. Maar als ik die bruidssuikers eenmaal had, dan ging ik er gauw weer uit.

EMMANUEL AALSVEL   Mijn ouders hebben het thuis vreselijk arm gehad. Het mooiste verhaal dat mijn vader mij verteld heeft ging over de sjalet. De Joden brachten vroeger een koek of cake bij de bakker, dat noemen ze in Amsterdam een sjalet. Nou waren er arme sjalets en rijke sjalets. In de rijke zaten krenten, rozijnen, gember en alles, en in de arme zat alleen maar meel. De bakker deed die sjalets op donderdagavond of vrijdagmorgen in de oven. Mijn vader heeft het me wel honderd keer verteld, en dan zei hij: 'Manuel, we hebben op vrijdagavond de sjalet gehaald en toen we thuis kwamen, hebben we heerlijk gesmuld, want de bakker had zich vergist. Die had ons een van die sjalets van de rijke Joden gegeven en we hebben heerlijk gesmuld van al die rozijnen en krenten en gember.'

GERRIT BRUGMANS   In een kosjere bakkerij is een sjoumer, een opzichter, die let er alleen maar op of de mensen hun handen wassen, voordat ze beginnen of als ze van de wc komen of zo. Dát is kasjroet.

Bij Theeboom moest er altijd een galle wezen, door de week, maar vooral op sjabbes. Een galle, dat is een gevlochten brood. Ik heb bij Theeboom op donderdag wel vijftienhonderd moutse galletjes gehad, voor het gebed. Voordat je gaat eten neem je toch een stukje brood, dat doop je in het zout en je zegt: 'Dit is het brood wat gij zult eten.' En vóór de oorlog moest er op zo'n klein galletje een strengetje zitten; dat was mooier. Nu doen ze dat niet meer, daar hebben ze geen tijd voor, dat kost te veel geld.

De Joden waren gewend aan een doorgebakken brood, dat kosjere brood, dat was waterbrood, dat kan je harder uitbakken. Joden moeten geen zacht brood hebben, ze moeten het kunnen voelen tussen hun tanden. Melk, dat zit er niet in, dat maakt altijd zachter, hè, en die vetten die ze er in doen. Melk mag niet gebruikt worden in het brood, alleen water, dat is neutraal, dat kun je bij alles gebruiken! In melk zit dierlijk vet.

BAREND DRUKARCH   In de hand-matzebakkerij werden de matzes dus met de hand vervaardigd, dat was op zichzelf al een kunststuk. Want je moest die mensen zien bij het walsen, het uitrollen van het deeg. De matze moet voortdurend in beweging zijn om het rijzen tegen te gaan, en omdat ze nogal dicht in de buurt van de ovens stonden, moesten ze er voortdurend mee bezig zijn, zolang het deeg niet de oven in kon. En dan hadden ze een paar van die geknede matzes over hun arm liggen en die gooiden ze dan op in de hoogte, gewoon wat jongleren ermee, en dan gingen ze op een gegeven moment de oven in. Ik probeerde het wel eens na te doen, maar dan plofte de hele zaak in elkaar. Ze vingen die deegstukken met de platte hand op, en dan gingen ze zó de oven in.

In de Joden Houttuinen had je zo'n hand-matzebakkerij. Dat was tussen de Uilenburgerstraat en de Valkenburgerstraat. Daar was een gangetje waar je doorheen moest lopen, zoals er zoveel van die gangetjes waren in die tijd, en daarachter had je dan de hand-bakkerij. Die matzes waren natuurlijk wel veel dikker dan die machine-matzes van De Haan.

Dat is zesenveertig jaar geleden, ik was toen tien jaar oud. Dat was in 1925-1926, toen bakten ze ze, en ook nog een paar jaar daarna.

EDUARD CHARLES KEIZER   Wij kennen de schriftelijke leer, de Thora, grondwet van de Joden; daarnaast de mondelinge leer, beiden door het joodse volk aanvaard. De mondelinge leer sluit aan bij hetgeen in de Thora geschreven staat. Zo staat in Deuteronomium 12-2: 'Slachten ... zoals ik je geboden heb.' In de mondelinge leer werd dat dan nader bekend gemaakt. In Genesis 9-4 staat: 'Maar vlees met zijn leven, zijn bloed, mogen jullie niet eten.' En in Leviticus 3-7: 'Als eeuwige wet voor jullie nakomelingen, waar jullie ook wonen, geldt dat jullie nooit bloed mogen nuttigen.'

In iedere joodse gemeenschap worden deze voorschriften nauwkeurig nageleefd. Zo waren in Amsterdam, met zijn ongeveer zeventigduizend joodse inwoners, zes 'sjouchetim', kosjere slachters werkzaam, die onder controle van de rabbijnen ervoor zorgden dat het vlees, voor de Joden bestemd, aan bovengenoemde voorschriften voldeed. Daarnaast waren er toendertijd zesentwintig kosjere, 'geadmitteerde' slagers. Ook waren er een tiental kosjere poeliers. Die zesentwintig kosjere slagers waren, tot 1920 ongeveer, allen ondergebracht in twee vleeshallen, één in de Nieuwe Amstelstraat en één in de Nieuwe Kerkstraat. Daar had iedere slager zijn eigen 'bank', een afgescheiden ruimte

87

waar hij zijn bedrijf uitoefende. In beide hallen was een toezicht-houder. Nadien mochten deze slagers hun bedrijf ergens anders vestigen. Zij verspreidden zich en vestigden zich in Centrum, Oost en Zuid. De poeliers hadden hun zaak óf in de Jodenbree-straat óf in de Weesperstraat óf in de Nieuwe Amstelstraat.

De kosjere slager moet kunnen 'poorsjen', het vlees ontade-ren. Door het poorsjen wordt het bloed, dat nog in het vlees aan-wezig is, verwijderd. Dat poorsjen vereist vaardigheid want het vlees moet verkoopbaar blijven en dat kan alleen als de poorsjer vakbekwaam is. Doordat het bloed uit het vlees is, blijft het vlees langer goed, want bloed is het eerste dat bederft. Heel veel niet-rituele slagers kochten vóór de oorlog heel graag die bouten ritueel geslacht vlees, want ze zeiden zelf dat het veel langer goed bleef.

Als het vlees 'gepoorsjt' is, moet het nog worden 'kosjer ge-maakt': een half uur 'in water' en een uur 'in zout'. Als het daar-na goed is afgespoeld, voldoet het vlees of gevogelte aan de eisen en is het geschikt voor de joodse huishouding. Lever moet worden 'geroosterd'.

Voor 1940 moest iedere kosjere slager bewijzen dat hij strikt volgens de joodse wetten leefde. Als dat door het rabbinaat was vastgesteld, kon het kerkbestuur hem als kosjere slager aanvaar-den.

Naast de kosjere slagers en poeliers waren er de zogenaamde 'broodjes-met-vlees-winkels', waar speciaal de Joden van buiten hun honger konden stillen. Maar ook de Amsterdamse Joden hielden van hun 'broodje pekelvlees' of 'broodje half om', half pekelvlees, half lever. De winkels van Prins en Meijer op de Jo-denbreestraat werden zeer goed bezocht en ook die van Frits Content in de Utrechtsestraat. Speciaal op zaterdag- en zondag-avond trof men de orthodoxe jeugd daar aan, die na het 'leren' in de genootschappen 'Toutseous-Gajim' en 'Zichron-Jaacob' daarheen trok en menig joods huwelijk werd daar het gevolg van!

Al met al was er letterlijk en figuurlijk veel werk aan de win-kel om te zorgen dat iedere Jood kosjer kon leven.

Het grootvee werd op het Amsterdamse abattoir geslacht. De sjouchetim hadden daar eigen kamers ter beschikking en konden zich daar na een groot aantal slachtingen terugtrekken om even uit te rusten. Ook waren er toen nog vleeswagens waarop uitsluitend het kosjer geslachte vlees naar de kosjere slagers vervoerd mocht worden. Immers, op de andere wagens werd ook varkensvlees vervoerd! Voor het gevogelte was een aparte slachtplaats, gelegen precies achter de Uilenburgersjoel.

De geadmitteerde slagers en poeliers moesten voor het werk van de sjouchetim aan het kerkbestuur een retributie betalen. Voor vlees was dat ongeveer zeven cent per kilo, voor gevogelte vijf tot dertien cent per stuk. Alleen de voorvoeten van het geslachte vee zijn geoorloofd voor nuttiging. De achtervoeten zijn verboden, onder andere vanwege de 'verwrongen spier' (Genesis 32-33), een woord dat door Dr. Dasberg terecht is vertaald met 'verwrongen vaatzenuwstreng'.

Er stond in het Vleeskeuringsbesluit artikel 10a, dat het slachten moest geschieden met voorafgaande verdoving; in artikel 10b stond: 'uitgezonderd het slachten van vlees volgens de Israëlitische ritus.' Bij het kosjere slachten wordt de koe neergelegd met een kluister; drie poten worden gekluisterd, één poot blijft vrij. Binnen enige tellen ligt de koe rustig neer en dan komt de sjouchet, die staat klaar met z'n mes, waaraan geen enkele pegieme mag zijn, geen afwijking of schade; want als er iets aan mankeert, mag hij de halssnede niet toebrengen om dat dan de mogelijkheid bestaat dat door zo'n haakje die halssnede, al is het maar een seconde, wordt belemmerd en dat dat beest dan pijn heeft. De man die de halssnede toebrengt is daar helemaal geperfectioneerd in, dat gaat bliksemsnel, hij doet dat subliem! Op datzelfde moment spuit het bloed uit de hersenen en daardoor is er geen pijngevoel meer.

Dus wat de mensen wel zeggen: 'Dat beest heeft te lijden!', dat is juist niet zo!

ABEL JACOB HERZBERG   Er is dat bekende verhaal over Jokev (Jacob) Content. Je mag niet eten vóór je je ochtendgebed hebt gezegd 's morgens. Maar Jokev Content moest altijd over de Jodenbreestraat naar sjoel, en hij kon Snattager (de joodse banketbakker) maar niet voorbij zonder een gemberbole te eten. Hij was verslaafd aan gemberbolussen. En wat hij ook deed, het lukte hem niet, van de dagelijkse gemberbolus af te blijven. En eindelijk, op een dag, heeft hij al zijn krachten verzameld en het is hem gelukt: Hij is Snattager voorbijgegaan zónder een gemberbolus te eten! En toen heeft hij tegen zichzelf gezegd: 'Jokev, Jokev, aangezien je zó sterk bent geweest dat je erlangs bent gegaan zonder een bole te nemen, mag je teruggaan en er een kopen!'

Het is natuurlijk de vraag of het verhaal op waarheid berust, maar het is een typisch joodse roddel.

Muziek

EDUARD CHARLES KEIZER   Vrijdagavond in de 'nieuwe sjoel' was een belevenis. De sjoel was stampvol tot in de ingang van het gebouw. Chazan was Wolf Reisel, een mooie tenor, leerling van Sirota. Daar was een 'gemengd koor', dat wil zeggen mannen en jongens. Dit koor stond onder leiding van Herman Italie, die hoofdonderwijzer op de Talmud-Thora-school was. Daar had hij onder zijn leerlingen 'ruime keus'. De besten daarvan kwamen in zijn koor. Zo herinner ik mij de twee broertjes LeGrand, Heiman en Abraham. Heiman werd later chazan in Den Haag. Ik geloof dat van al die koristen alleen Maurits Brilleslijper nog in leven is. In de tijd waar ik het nu over heb, was hij elf of twaalf jaar oud. Hij had een prachtige 'jongensstem', hoog en zuiver. Zijn solo's waren beroemd. Ik hoor ze nóg, evenals die prachtige chazones van chazan Reisel. Ook Brilleslijper werd later chazan. In de Obrechtsjoel, nu Raw Aron Schustersjoel, deed hij dienst als tweede chazan.

In de 'grote sjoel' zongen chazan Cats, chazan Stoutsker en natuurlijk chazan Maroko, een kleine man met een prachtige stem. Bij het eerste geluid dat ik van hem hoorde tijdens zijn proefdienst, zei ik tegen mijn buurman: 'Die wordt het!' Die stem was lieflijk en toch krachtig.

Verder was het dubbelmannenkwartet van Sam Englander beroemd. Vader en zoon Gobets, Jo Rabbie en Louis Nieweg, de laatste eerst als koorknaap en later als bariton. Hij is de enige van dat dubbelmannenkwartet die nog leeft.

In de Rapenburgerstraat stond eerst chazan Schlesinger en later Jacob Veldman; in de Uilenburgerstraatsjoel chazan Drukker, in de Lange Houtstraatsjoel chazan Poons, in de Obbenesjoel chazan Jacobson. Het was de tijd dat op hoogtij-dagen de bereden politie voor de 'Grote Sjoel' het opdringende publiek moest tegenhouden.

BAREND DRUKARCH   Niet de rabbijn leidt de dienst in de sjoel, maar de chazan. De rabbijn heeft wel de supervisie over de dienst, maar de chazan is de centrale figuur. En daarom heeft men dus altijd zeer hoge eisen aan hem gesteld, want hij moest ook bedreven zijn in de halachische literatuur. Hij moest precies weten wat wél en wat niet mocht. En hij moest zich natuurlijk volkomen volgens de joodse normen gedragen, zowel thuis als in het openbaar. Volgens deze voorschriften moet een voorzanger een persoon zijn die geaccepteerd is door de meerderheid van de gemeente of van de sjoelbezoekers waar hij zijn diensten zal verrichten, en het liefst door allemaal. Vandaar dan ook dat de chazan altijd gekozen werd. En wanneer er verkiezingen plaatsvinden, moeten er altijd meerdere kandidaten zijn, anders hoef je niet te kiezen. En de ene houdt meer van een tenor, de ander meer van een bariton. En zo vonden ze altijd partijen, de één voor de één, de ander voor de ander.

Je hebt in het muzikale naar-voren-brengen van de gebeden twee genres: de chazan en de baltefille (= die het gebed voordraagt) en die laatste, daar kun je dus geen muzikale eisen aan stellen.

De joodse muziek die wij kennen is voor een groot deel afkomstig van profane muziek, waarvan dan een motief, zoals een stuk uit de opera De Parelvissers, werd overgenomen en verwerkt. De chazan was min of meer vrij in het kiezen van zijn melodieën of in het improviseren daarvan. Bij de Portugezen waren ze praktisch altijd gebonden aan de melodieën die ze hadden.

Je had verschillende soorten van chazanim. Men heeft gehad een oppercantor, een voorzanger, een eerste voorzanger en een voorlezer, dus dat liep zo'n beetje af. En dat waren benamingen voor personen die allemaal precies hetzelfde deden. Ik herinner me een geval van chazan Veldman van de rabbinaatsjoel in de Rapenburgerstraat, die zich op een gegeven moment zeer bekaaid voelde in zijn loon, omdat dat erg afstak tegen de beloning van oppervoorzanger en voorzanger. En die stapte naar Dr. Sluis op het Meyerplein, die de dictator van het Meyerplein werd genoemd, omdat hij secretaris was van de joodse gemeente, en wat hij bepaalde, dat gebeurde.

Maar deze Veldman zei: 'Luister eens eventjes, hoe zit dat nou, mijn salaris is zoveel lager dan ...' En toen zei Sluis: 'Jij bent maar een voorlezer.' Waarop Veldman kwaad werd en zegt: 'Dan zal ik voorlezen!' En toen heeft hij het inderdaad bestaan om het middag- en avondgebed in zeven minuten voor te lezen. Hij zei: 'Als ik nou toch voorlezer ben, dan zal ik ook voorlezen.'

Ik heb Englander persoonlijk gekend. Ik heb de periode meegemaakt toen het koor nog op de koorgalerij in de Grote Sjoel stond. Later zijn ze van boven naar beneden verhuisd, omdat het contact tussen chazan en koor beter was als het koor achter de rug van de chazan stond dan wanneer het boven hem op de galerij stond.

Ik was altijd onder de indruk van wat ze brachten. Englander had trouwens ook een internationale naam als koordirigent van zowel joodse als profane muziek, zelfs van socialistische liederen. Dat was niet zo vreemd als het lijkt, want de salariëring van zo'n sjoel-koordirigent was zó laag dat de man daarvan niet kon leven.

ARON DE PAAUW   Toen ik een jongetje was van zo tussen elf en vijftien jaar ging ik aan het handje met m'n oom naar de sjoel en dan zong er een oberkantor met een prachtig joods koor, onder leiding van Englander. Nou, die vrijdagavond was voor mij genotvol, ondanks dat ik niet orthodox was en ook niet geworden. Die muziek sprak mij enorm aan. Ik kende ook al die melodieën, ik kon ze dromen en de woorden kende ik ook zelfs op den duur. Maar er kwamen ook veel niet-joden op het laatst van de dienst binnen om te luisteren. Het was gewoon een concert.

MAX REISEL   Mijn vader, Wolf Reisel, was chazan in de Nieuwe Synagoge, de zogenaamde 'Neie Sjoel' in Amsterdam. Hij kwam uit Litauen en hij heeft jarenlang in Rusland en in

Berlijn gewoond. Hij is hier gekomen in 1909. Er waren in die tijd weinig opgeleide chazanim, en dus zocht men in het buitenland naar kandidaten. Zo werd ook mijn vader opgespoord in Berlijn.

Hij was geboren in Chaki, een klein plaatsje in Litauen en hij heeft in Wilna les gehad van een toen beroemde chazan, Sirota. Daarna ging hij studeren aan het conservatorium in Berlijn. En toen kwam die vacature in Amsterdam. Er waren goede kandidaten bij, onder anderen Victor Schlesinger en het was een nogal felle verkiezingsstrijd. Maar ze hebben hem toen verkozen boven Schlesinger.

Bij de proefdienst was er zoveel belangstelling, dat men een ruitje kapotsloeg om het van buiten ook te kunnen volgen! Zo groot was toen de belangstelling voor chazanoet. Chazan Schlesinger werd kort daarna in een andere synagoge in Amsterdam benoemd. Er waren nu drie gespecialiseerde chazanim in deze voor Joden zo belangrijke hoofdstad: chazan Kats, chazan Schlesinger en chazan Reisel. Men waardeerde alle drie en men merkte op, dat de beginletters van hun achternamen samen terecht het woord Kascher (= geschikt) vormden. Men ondervond tijdens de door hen geleide synagogediensten een religieuze en muzikale bevrediging; ook hun fraaie composities van nieuwe synagogale gezangen werden gewaardeerd.

De voorganger van mijn vader was chazan Heymann, die de 'Gnezer chazan' werd genoemd omdat hij uit het Poolse plaatsje Gnesen kwam. Deze man had vijftig jaar dienst gedaan en zijn kinderen had hij ook muzikaal opgevoed. Eén van hen was liberaal-joods geworden en die zei tegen mijn vader op de dag van de verkiezing: 'Ik heb vanmorgen de tefillien gelegd.' (Dat is een religieuze handeling bij het bidden, waarbij men een hol blokje tegen het hart legt waarin vier teksten uit de Thora zitten, en een blokje met zulke teksten tegen het hoofd, en een bepaalde winding van banden om de linkerarm.) Hij zei: 'Na jaren heb ik dat weer gedaan.' Mijn vader vroeg hem: 'Waarom hebt u dat zo ineens gedaan?' Toen zei hij: 'Ik wil graag dat mijn vader een waardige opvolger krijgt!'

Muzikaal heeft een chazan twee mogelijkheden. Ten eerste het zingen van de recitatieven, waarbij hij vooral de traditionele vormen overbrengt. Daarnaast heeft hij de taak, vastgelegde gecomponeerde muziek uit te voeren. Nu is vooral bij de recitatieven een speling, doordat naast de traditionele motieven ook improvisatie op die motieven is toegestaan. Daar ligt de vrijheid, waarvan mijn vader steeds een voorzichtig gebruik heeft gemaakt.

Mijn vader werd geassisteerd door een koor, dat aanvankelijk gemengd was: mannen en jongens. (Vrouwen zijn er nooit bij, want het is een oude traditie dat mannen en vrouwen in de sjoel gescheiden moeten zijn.) Mijn vader putte bezieling uit zijn religieus gevoel en zijn Oosteuropese achtergrond. Hij bouwde zijn chazanoet zó op, dat er een aparte kleur kwam in het betrekkelijk eenvoudige gebed. En wat er uitgevoerd werd, had nog meer dimensie doordat het vierstemmige koor eraan verbonden was. Onder andere de tegenstellingen tussen de tenor en de bas, de mannenstem en de jongensstem, maakten een rijk geschakeerd geheel dat als zodanig al weldadig aandeed. Maar de bezieling die er achter zat, maakte het tot iets specifieks, dat imponeerde. Mijn vader was geen chassid, maar hij had wel de geestdrift van de chassid.

De dirigenten die mijn vader terzijde stonden, waren achtereenvolgens: Herman Italie, Barend Muller, Emanuel Plukker en occasioneel Sam Englander. Zij presteerden allen veel. Het koor van Englander was goed. Die man had feeling voor goed chazanoet. Mijn vader zei: 'Hij heeft Russische oren!' Dat was een compliment, omdat hiermee werd aangeduid dat hij die aparte sfeer aanvoelde. Een chazan die zelf improviseerde, kon moeilijk gevolgd worden door het begeleidende koor. En iemand die zó meeleefde, dat hij mee kon gaan met het improviseren van de chazan, die had een speciale feeling!

Het gemengde koor werd op den duur vervangen door een mannenkoor. Dat was een betrekkelijk klein koor van acht mensen, dat af en toe aangevuld werd met een jeugdige solo-zanger. Dat wat Englander met zijn koor bracht, wist hij met smaak te kiezen en uit te voeren. Hij heeft ook een prijs gewonnen van joodse koren in een internationale wedstrijd in Londen. En hij heeft ook een keer een prachtige uitvoering gegeven van Awodat Hakodesj van Ernest Bloch, in het Concertgebouw in Amsterdam. De solopartij werd toen gezongen door een oud-chazan, Hermann Schey!

Wanneer er een gast-chazan was in Amsterdam die grote kwaliteiten had, dan weigerde de joodse gemeente, hem in de gelegenheid te stellen om in de dienst voor te gaan, want dat was tegen de reglementen. Dan was zo'n man genoodzaakt om óf gastvrijheid te vragen aan de Russische sjoel, óf door een aantal vrienden een zaal te laten huren en zó een uitvoering te geven. Dat is enige malen gebeurd met Sirota, die een paar keer een sabbat-dienst heeft geleid in de Diamantbeurs, in het Gebouw van de Werkende Stand of in het Concertgebouw, omdat de joodse gemeente geen sjoel ter beschikking wilde stellen.

HIJMAN SCHOLTE   Victor Schlesinger had een prachtige stem en was ook als componist bijzonder begaafd. Iedere chazan had z'n eigen melodie, z'n eigen composities. Ik vind het niet klinken als opera, het zijn juist altijd die gedragen melodieën, hè. En dat moet je aanhouden, met de nodige tierlantijntjes erbij. En dat is niet aan te leren, hoor. Al heb je nog zo'n mooie stem, je moet het gevoel in je hebben.

Toen ik in de Rapenburgerstraatsjoel zong, toen had Sam Englander z'n koor in de Grote Sjoel. Dat was ook een prachtig koor. In dat mannenkoor zaten onder andere Michel Gobets en z'n vader, die waren de twee grote krachten van het koor. Michel Gobets is later ook nog operazanger, of liederenzanger, een groot concertzanger geworden. Die ook helaas niet meer is teruggekomen, Michel Gobets.

MEIJER MOSSEL   Ik heb proefdienst gedaan in de Gerard Doustraatsjoel. Dat was een hele zware strijd. De mensen werden met auto's opgehaald om toch vooral op jou te stemmen. Er werden blaadjes uitgegeven met de kandidaat waar je op moest stemmen, of de tegenpartij.

Ik heb toen heel veel hulp gehad van de directeur van de Joodse Invalide, mijnheer Gans 'zichrouno livrocho'. Ik weet dat de kantoren van de Joodse Invalide toen op volle toeren hebben gedraaid, om mij te helpen. Op de ochtend van de verkiezing – dat gebeurt niet door het bestuur, maar door de leden van de gemeente – zijn er nog pamfletten in de brievenbussen van de gemeenteleden gestoken, om ze aan te sporen om mij te kiezen als chazan. Dat blaadje hadden ze 's nachts gestencild. Zo ben ik benoemd!

Synagoges en rabbijnen

EDUARD CHARLES KEIZER   De sfeer in sjoel was toen heel anders dan nu. Ieder kwam keurig gekleed in sjoel. Op sjabbes en jontof met hoge hoed. Iedere getrouwde man, ongeacht zijn rang of stand, kwam met een hoge hoed op. Ik herinner me, dat in de 'nieuwe' sjoel ene mijnheer Groente stond. Die was putjes- schepper, maar als hij op sjabbes en op de feestdagen in sjoel kwam, dan had hij een keurig net zwart pak aan en een hoge hoed op. En die man werd gewoon geaccepteerd. De diensten duurden lang, soms zeer lang: op sjabbes van zeven tot twaalf uur, dat was heel gewoon! Nu waren alle plaatsen in sjoel ver- huurd aan 'occupeerders'. Een occupeerder had recht op zijn zit- plaats. Dit betekende, dat de jongens en jongetjes de hele dienst moesten staan en dat deden ze ook, want dat was heel gewoon. De goed gesitueerde occupeerders huurden ook nog plaatsen voor hun kind(eren). Maar daar gingen dan weer mannen op zitten die geen plaats gehuurd hadden; en dan was er een con- flict dat de oppassers met veel tact moesten zien op te lossen.

Wij kwamen in de 'nieuwe' sjoel met zes man, mijn vader, vier broers en ik. Ik herinner me nog heel goed dat mijn vader mij op schoot nam, toen ik nog heel klein was, zolang staan kon ik nog niet.

In de 'Grote-Sjoel' stond de opperrabbijn, het kerkbestuur en de meeste leden van de kerkeraad: ook de 'rijke Joden'.

Ik ging graag naar de Portugese sjoel, ik vond het een mooi gebouw en de dienst vond ik erg imponerend. Maar ik was een 'hoogduitse' Jood en ik mocht daarom niet in het binnenste stuk van de Snoge komen, ik moest aan de buitenkant staan.

En toen liepen we eens een keer uit sjoel met een paar Portu- gezen en ik zei bij wijze van grapje: 'Er waren veel hoogduitsen bij ons in sjoel vandaag, is u dat opgevallen?' En toen zei ik daar- na: 'Och, hoelang nog, dan is die Snoge van ons!' Waarop één van die mensen die mij goed kende naar mij toe kwam en tegen mij zei: 'Mijnheer, hoe heet u, wie bent u?' En ik heel rustig, want ik voelde dat hij een beetje gepikeerd was: 'Keizer.' Toen riep hij: 'Onaangenaam, mijnheer! Onaangenaam, mijnheer! Liever het kruit erin, dan dat jullie het krijgen!'

DAVID RICARDO Die trotse Portugezen hebben niet gaarne verkeerd met de Oostjoden (= de afstammelingen van de in de zeventiende en achttiende eeuw naar Amsterdam geëmigreerde Joden uit Duitsland en Oost-Europa: de zogenaamde hoogduitse Joden).

Ze hebben een speciale vereniging opgericht om die vluchtelingen uit Oost-Europa te ondersteunen, ze hebben ze aan huizen geholpen, ze hebben ze aan baantjes geholpen, maar dat ze met ze aan één tafel zouden gaan zitten, dat was natuurlijk minder waarschijnlijk. En nog minder waarschijnlijk was het dat zij hun dochter zouden geven aan de zoon van een van die mensen. Want als een Portugese aan een Todisko (= Duitser) moest worden uitgehuwelijkt, dat was een familiair ongeluk. En de Portugese mannen trouwden liever met een christin dan met een Todiske. Er was ook een beroemd gezegde bij die oude Portugezen, en dat was in een heel speciaal dialect, zo zwaar-tongig, van een man die tegen zijn vrouw zegt: 'Geef dat gezegende kind een koekie en dat todiskisch kind een half koekie.'

Ik was dirigent in de Portugese synagoge. Maar bij ons werd alles gedaan voor niks en we hadden enige goede krachten, waaronder één hele goede tenor en die kocht meneer Englander voor geld, want dáár betaalden ze. En toen hadden we nog een paar tenoren en die wilden ook naar de overkant, en zo bleef ik zonder mensen zitten. Een van die mensen die bij die meneer Englander gezongen heeft, dat was Duque, die later de chazan is geweest van de Portugees-Israëlitische Gemeente. Nebbisj hij is ook in de oorlog weggehaald. Maar ik heb hem horen zingen in de Grote Sjoel, ik was dirigent van het koor 'Santo Servicio', dat wil zeggen 'Heilige Eredienst', zo heette ons koor. En op een goede dag zeiden de heren: 'Wij verdommen het, we zingen niet meer, wij willen ook betaald worden.' En dat ging niet. Misschien had de Portugese gemeente het wel kunnen doen, maar dan waren we op het hellende vlak geweest, want de hoogduitse gemeente was véél en véél rijker. Dus als wij ze een tientje gaven, dan gaven zij weer twaalf gulden, en als wij ze twaalf gaven, gaven zij vijftien. Dus daar konden we niet mee concurreren. Dus op een goede dag wordt er verteld: 'Santo Servicio' stopt, houdt op met zingen!' Nou dat vond ik iets verschrikkelijks.

Ik heb toen op m'n eentje een groep mensen en kinderen verzameld en met hen het hele repertoire ingestudeerd, op mijn kamer, waar ik een harmonium had. En toen men dacht dat we de feestdagen zonder koor zouden zitten in de Snoge, hebben wij de diensten met ons gezang opgeluisterd.

LOE LAP De hoogduitse Joden, zoals ze genoemd werden, dat waren de gewone Joden, en de Portugezen waren de Joden uit het Zuiden. En je kon het ook horen aan de uitspraak van het Hebreeuws.

Ze scholden ook tegen mekaar, de Portugezen en de niet-Portugezen, in m'n jeugd. Want ja, als zo'n jongetje nou Cardozo heette, dan wist je dat hij Portugees was. En dan zei je als hij wat zei: 'Ga weg mesjoggene Portugees', want Portugees is mesjogge. Misschien heeft er ooit een Portugees 's iets geks gedaan en dan waren alle Portugezen mesjogge.

AARON VAZ DIAS Als vroeger een Portugese Jood met een hoogduits meisje wilde trouwen, dan was dat een mésalliance! De Portugezen hadden kapsones, zei men. Zoals bekend, kwamen de Portugezen naar Holland met veel geld en relaties. Veel legaten zijn nagelaten voor speciale doeleinden: zo is er bijvoorbeeld de 'Sortes', een legaat voor huwelijksgiften, die alleen meisjes konden trekken.

Nog steeds vindt op de ochtend van Poerim de trekking plaats in de Portugese synagoge. Dit gaat heel officieel, met allen in groot tenue en de loten in zilveren schalen. Er waren prijzen van 25.000 gulden, van 20.000 gulden, van 8.000 gulden, enzovoorts. Als een meisje iets getrokken had en ze wilde trouwen

met een hoogduitse jongen, dan kreeg ze, heel vroeger, niets. Later werd dat veranderd in de helft van het bedrag en weer later zijn er nog andere wijzigingen in aangebracht.
Verder zijn er legaten voor weesmeisjes, voor arme bloedverwanten, bijdragen in de kosten van de Paasweek, enzovoorts.

EDUARD VAN AMERONGEN Dat kerkgenootschap was helemaal niet zo democratisch, want het meest elementaire begrip dat wij hebben, het algemeen kiesrecht, dat was er helemaal niet. Om te kiezen of gekozen te worden, daar moest je een zeker bedrag voor betalen: immatriculatie heette dat. En dan kon je kiezen en gekozen worden voor de kerkeraad en dan kon je ook in Muiderberg begraven worden. En als je dat niet betaalde, dan kwam je in een mindere klasse. Dan kon je niet kiezen, niet gekozen worden, en je moest naar Diemen om begraven te worden. Dus tot 1940 waren er zulke vreemde bepalingen, dat je nu denkt, hoe is het mogelijk dat dat nog bestond? Na de oorlog is het natuurlijk allemaal veranderd.

SIMON GOSSELAAR Men was lid van een kerkgenootschap omdat men er niet uitstapte, dat klinkt misschien een beetje raar, maar zeer velen hadden geen enkele binding met het geloof en ook niet met het kerkgenootschap. De kerkgenootschappen verwachtten van hun lidmaten een bijdrage, en niet ten onrechte. Dat heette ook belasting. Maar dat was administratief zo'n rommeltje, en het gros van de echt arme mensen betaalde dat niet. Maar dan kwamen ze in moeilijkheden bij bijvoorbeeld huwelijksinzegening of het begraven op een joodse begraafplaats, want dat liep allemaal via de administratie van de Nederlands Israëlitische Hoofdsynagoge of de Portugezen. Die hadden alles in handen.

MAX VAN SAXEN Er was een kleine sjoel in de Commelinstraat, een chewresjoel, een buurtsjoeltje waar de mensen uit de buurt bijeen kwamen om contact te houden, en waar geen rabbijn was. Dat was vrij dicht bij de Linnaeusstraat en op zaterdagen en op joodse feestdagen ging ik daarheen. De chazan was een onderwijzer die zangles gaf aan het seminarium. En voor zo'n klein sjoeltje hadden we een hele goede chazan. Er kwam ook een heel oud mannetje, dat nog in de verte familie van me was en die fungeerde als rabbijn. En er was een meneer die een hoedenzaak had in de Dapperstraat–zijn dochter leeft nog–en er was ook een firmant van een chocoladefirma, Dünner & De Jong, en die was ook op joods gebied heel goed ontwikkeld. Maar er was ook een voddenman die daar in de buurt woonde.

Een merkwaardigheid was dat men dingen mocht doen in de sjoel, die werden van te voren bij opbod verkocht, in het jiddisj. En dan zei de sjamasj, de bediende: 'Wie betaalt er drie stuiver om de Thora-rol te mogen optillen?' En dan werd er uit de sjoel geroepen: 'Vier!' En een oom van mij was een van de bestuursleden; hij moest precies bijhouden wat de mensen moesten betalen, want dat mochten ze op die dag zelf niet doen. En daar had hij een perkamenten boek voor met gaatjes er in, waar de namen van de leden in stonden en de bedragen bovenaan. En dan haalde hij een veter door een gaatje bij de man die zo'n voorrecht had gekocht, en dat dan later moest betalen. In de grotere, officiële sjoelen gebeurde dit niet op die manier.

BAREND LUZA   De Jodenbuurt behoorde tot de armste buurten van Amsterdam. Ik ben begonnen als waarnemend controlerend geneesheer van de gemeente Amsterdam en die had in die tijd een instituut dat gratis geneeskundige hulp gaf. Die hulp was voor politie- en brandweermensen en ook voor de armsten van Amsterdam die hun ziekenfondsgeld niet konden betalen. Ik was dus ook een beetje een armendokter. Nou, een van de armste buurten was de Jodenhoek, wat men toen nog onder andere Uilenburg en Vlooienburg noemde.

En daar was rabbijn Meyer de Hond een geziene figuur, want die was in staat met zijn opvattingen om de mensen zo niet geestelijk, dan wel emotioneel op een hoger niveau te brengen. Er woonden in die buurten nog heel veel vrome Joden.

De Hond, die toen al heel anders dacht dan ik, had zo'n bepaalde overredingskracht en zo'n prachtig retorisch talent, dat hij iedereen te pakken had. In elk geval ben ik altijd door hem beïnvloed. Niet in die zin dat ik weer religieus en erg godsdienstig zou worden, maar dat ik alles wat hij zei overdacht, en dat had ik niet bij de speeches van de orthodoxe rabbijnen, die ik ook hoog gewaardeerd heb, maar die niet die grote invloed op mij hebben gehad.

Volgens mij was hij geen anti-socialist. Hij was natuurlijk geen lid van de S D A P, maar hij was een echte volkstribuun en in zijn voordrachten was hij toch wel de man van het volk. Bij feestelijke en bij droevige gelegenheden voerde hij als rabbijn dikwijls het woord. Hij werd ook de volksrabbijn genoemd. Misschien ook daardoor heeft hij bij de officiële orthodoxie hier geen gemakkelijk leven gehad. Hij was in de zin waarin ik het mij voorstel, dat wat een socialist moet zijn en dat wat een gelovige moet zijn. Ik heb niet het idee dat hij iets bijzonders tegen de socialistische partij had, maar hij was zo religieus ingesteld, dat hij dat niet nodig vond. Ik geloof dat De Hond zó dacht: 'Als ze maar aan God denken, God eren, Gods wetten opvolgen, dan hebben we geen socialisme nodig!'

JACOB SOETENDORP   Ik ging naar de joodse jeugdvereniging Betsalel en daar kreeg ik les van rabbijn De Hond persoonlijk, die een fervent tegenstander was van het socialisme. Daar werd in hoofdzaak geleerd.

Die vereniging bestond uit cursussen waar je bij elkaar kwam en daar kreeg je nog eens een keer een extra portie joods onderwijs. Betsalel deed ook veel aan cultuur, toneel en zang. Het was een eenmansaangelegenheid, het werd helemaal gedomineerd door rabbijn De Hond. Hij schreef de toneelstukken, hij schreef de stukken die moesten worden voorgelezen. En toen er een joodse jeugdkrant moest worden uitgegeven om over heel Nederland, ook in Drachten en Lemmer die kinderen te bereiken die in hun woonplaats geen joodse gemeente meer hadden, toen richtte hij die op. Dat is een uniek fenomeen in de geschiedenis van het onderwijs, die joodse jeugdkrant. Want hij speelde het

klaar om woord voor woord de vertaling te leveren van de gebeden, van de Thora, iedere week een stuk, zodat die kinderen
thuis met hun ouders konden leren. En het was gewoon een mi-
rakel, die krant heeft jaren bestaan, en hij deed het bijna zonder
advertenties.

Er was een jeugdkoor van Betsalel, dat heeft bij aubades en zo
opgetreden.

Ik wist toen niets af van het chassidisme, geloof ik, maar als ik
nu aan hem terugdenk, dan heeft hij op mij als kind de indruk
gemaakt van een rebbe van het chassidisme. Hij was het absolute
voorbeeld voor wat je moest doen en laten. Ik herinner mij nog
altijd uitspraken van hem. Bijvoorbeeld hij kwam boven bij een
barmitzwah-jongen en ik zei tegen hem: 'Mijnheer de Hond,
kan men hier eten?' en hij zei: 'Waar ik kom, kan men eten, anders word ik niet verwacht.' Dat is mij bijgebleven als een bijzonder liberale uitspraak, het aanvaarden van het vertrouwen
van de ander.

Zijn kleine buurtsynagoge was in de Korte Houtstraat. Ik
kwam er 's morgens wel eens en dan maakte je samen met hem
de kachel aan. En dan had ik het over die mensen die zomaar
voorbijliepen en die helemaal niet wilden horen bij het quorum
van de tien man, die dus geen minje wilden maken, en dan zei
hij: 'Misschien hebben ze dat, wat ze verdienen wel méér nodig.'
Die man heeft mij geleerd wat levensheiliging betekent. Hij was
een man die dwars door alles heen ging, die waarschijnlijk allerlei mensen voor het hoofd heeft gestoten en die idealistische
ideeën had van wat er allemaal zou moeten gebeuren.

Hij stond bijvoorbeeld heel negatief tegenover het zionisme.
Iedereen die iets met het Oranjehuis te maken had, had voor De
Hond een speciale verbinding met het Jodendom. En zo sprak hij
ook over 'het keppeltje' van Willem de Zwijger. De cultuur-
geschiedenis leert dat meerdere mensen een hoofddeksel dragen,
zonder dat het iets met hun religieuze overtuiging te maken
heeft, maar dat was voor De Hond niet waar. En dat de kaart
van Nederland op die van het Heilige Land lijkt: dit was Kanäan
voor hem. Hij was eigenlijk een Nederlands nationalist op grond

van wat Nederland voor de Joden betekend had. Stel voor dat de Joden een zo grote gemeenschap zouden zijn geweest als de Christenen, dan zou De Hond de Abraham Kuyper zijn geweest van de Joden. Hij zou een anti-revolutionaire joodse partij hebben opgericht. Want hun uitgangspunt was hetzelfde: We hebben het socialisme niet nodig, we hebben toch de Tenach? Wil je nou nog meer socialisme hebben dan je daar al uit leert? En daarin staat hij als rabbijn en als predikant niet helemaal alleen. Je zou verder terug kunnen gaan en je zou kunnen zeggen dat de gedachten waardoor de socialisten worden bewogen, toch eigenlijk komen van diezelfde profeten, die De Hond citeerde tegen de socialisten.

We hadden het vreselijk arm, en die armoede bepaalde eigenlijk helemaal het ritme van het leven. Maar temidden daarvan gaf het Jodendom toch nog enige vreugde. Later heb ik pas ervaren dat die filantropie van rijkere mensen die de armere hielpen min of meer ook was gericht tegen de strijd naar lotsverbetering. Maar je werd opgevoed in de gedachte dat dat nu eenmaal zo moest zijn en dat je, als je het Jodendom goed begreep, daardoor tot een ander lot zou komen. En zo'n De Hond had daarbij een bepaalde invloed. Hij viel de rijken wel aan, het onrecht, de sociale onrechtvaardigheid als verschijnsel. Maar hij koos niet voor de socialistische oplossing.

Hij heeft een poging gedaan om een joodse woningbouwvereniging op te richten, hij had daarvoor een paar straten op het oog, van wat later de Nieuwe Uilenburgerstraat heette. Hij wilde dus dat daar orthodoxe joden zouden komen wonen. In die tijd was er namelijk ook bij de christelijke woningbouw nogal neiging om zich tot de eigen mensen te beperken. Later zijn de socialistische woningbouwverenigingen tot grote bloei gekomen. Het kan ook wel zijn dat hij dacht dat het Jodendom erdoor zou verwateren. Hij was daar natuurlijk erg bang voor en hij wilde altijd laten zien dat je die dingen ook allemaal op orthodoxe manier kon doen.

Hij zou het woord 'orthodox' overigens nooit hebben gebruikt. Voor hem bestond er alleen maar joods. Nou ja, en als een Jood niet naar alles leefde, dan leefde hij eigenlijk toch wel naar alle geboden, alleen... hij was in overtreding, en dat, nebbisj, daar kon hij zelf ook niet zo verschrikkelijk veel aan doen.

En je wist dat er één kijk op het ghetto was, die gaf De Hond, en een andere kijk op het ghetto, die gaf Heijermans, maar die van Heijermans die was fout.

Onderwijs

JULIA VAN SAXEN-HEERTJES   In 1931 ben ik hier gekomen. Wij kwamen uit Den Bosch, mijn vader was opperrabbijn en ik had de kans om bij het onderwijs te komen, hoewel er ontzettend veel leerkrachten waren. Er werden ook hoge eisen aan je gesteld, veel meer dan tegenwoordig. Nu zijn ze blij als ze een onderwijzer kunnen krijgen, maar toen moest je er voor vechten, je moest eerst proefles geven.

Ik kwam dus op Talmud-Thora in de Tweede Boerhaavestraat en ik begon daar met een klas van vierenvijftig, een hele menigte. Ik vond de kinderen hier veel drukker dan in Den Bosch, maar ze waren ook veel liever en hartelijker. Als ze 's morgens binnenkwamen, kwamen ze meteen bij je tafeltje staan om allerlei dingen van thuis te vertellen, en als ze dan merkten dat je aandacht voor ze had, dan verafgoodden ze je werkelijk, en de ouders ook. Het contact kind-leerkracht was veel spontaner dan nu. Ze hadden behoefte aan je. De lessen waren veel langer.

In het algemeen vond ik dat in Amsterdam de Joden allemaal op elkaar zaten. In Den Bosch woonde een dominee naast ons, nou daar had je gewoon contact mee. Maar dat moest natuurlijk wel, want anders zou je helemaal afgezonderd leven. Je had een niet-joodse vriendin, want er was geen joods meisje precies van jouw leeftijd. En op sabbat, na sjoel, dan kwam je niet-joodse vriendin uit school even bij je langs, en als je ging eten dan zat ze er gewoon bij. Dat kon je je in Amsterdam niet voorstellen. Je ging als joodse familie niet met een goj aan tafel. Het bewust omgaan met Joden, dat heb ik pas hier in Amsterdam gedaan.

De joodse school duurde langer dan de openbare. We gaven ongeveer anderhalf uur per dag godsdienstonderwijs. De ouders vonden dat heerlijk, want de kinderen zaten warm, en ze waren van de straat, ook op zondagmorgen en woensdagmiddag. Nou gaf je wel anderhalf uur, maar dat heeft niet zoveel resultaat gehad, je bereikte toch nog te weinig. De kinderen waren op het laatst ook moe. Meestal begon ik 's middags al te zeggen: 'Kinderen, gaan jullie maar met je armen over elkaar zitten en leg je hoofd maar neer en ga maar een beetje slapen.' En dan vielen er echt ook kinderen in slaap. Dat moest je echt wel doen met die kleine kinderen. En je 'dawwende', dat is bidden. Goed, dat deden ze allemaal maar daar leer je niks van. Dat gaf een bepaalde sfeer in de klas. Ze vonden het vooral heerlijk als je joodse geschiedenis vertelde.

MAX VAN SAXEN   Ik was een jonge onderwijzer op de Talmud-Thoraschool. Het was een lichtelijk wanordelijk volkje, en ik eiste méér van ze, dan ze van huis uit hadden meegekregen. Ze zwierven veel op straat, ze werden vaak de deur uitgestuurd, waren lastig. Als je 's avonds om een uur of tien in die buurt kwam, dan zag je nog veel van die kinderen uit de lagere klassen rondlopen.

Er waren veel dingen waar je je mee moest bemoeien, bijvoorbeeld hygiëne. De GGD kwam geregeld onderzoek doen op hoofdluis. Iedere morgen begon ik de les met: 'Handen op tafel. Jouw handen zijn vuil, je nagels zijn niet schoon, ga je handen schuieren.' 's Middags keken we zo nauw niet. Aan de deur stond het hoofd van de school: 'Waarom zijn je schoenen niet gepoetst?'

Ik heb daar in de buurt ook als kwekeling gewerkt bij het openbaar onderwijs, daar heb ik deze activiteiten niet zo gezien. Maar als je eenmaal het vertrouwen van de kinderen had gekregen, dan kon je een bijzonder vruchtbare samenwerking opbouwen. Alle ouders gezamenlijk hebben onze school bijvoorbeeld een uitneembaar toneel geschonken. Hoe ze het voor elkaar hebben gekregen, weet ik niet, want daar moest een bedrag voor bij elkaar worden gebracht, dat was enorm voor hen.

Er waren ook ouders die hun kinderen om niet-materiële redenen naar ons stuurden, om ze in een joodse omgeving te houden, en een meer harmonische opvoeding mogelijk te maken.

Bij de materiële redenen speelde mee, dat op onze religieuze school van kerkelijke zijde ook bijdragen werden geleverd aan de vele mensen uit het joodse proletariaat, die toen in grote armoede verkeerden. En bij ons werd er het een en ander extra gedaan. Het was de crisistijd van de jaren dertig.

Zo werd er bij ons tussen de middag een warme maaltijd verstrekt, dat gebeurde op de openbare scholen ook, maar niet kosjer natuurlijk. Er werd extra kleding verstrekt voor diegenen die het nodig hadden en dat waren er veel. Het is vaak gebeurd dat kinderen niet naar school konden omdat hun schoenen kapot waren. Op een openbare school werden in zo'n geval klompen verstrekt, en dan was je meteen een getekende: 'Hij draagt klompen, dus hij heeft ze van de liefdadigheid.' Bij ons werden schoenen verstrekt, dan was het niet merkbaar. Op bepaalde tijden kregen de kinderen allemaal keurige kleren, nieuw ondergoed, bloesje, broekje voor de jongens, kousen. Dat kan natuurlijk een materiële aantrekkingskracht voor onze school zijn geweest.

LOE LAP   Ik zat op de joodse school Talmud-Thora in de Boerhaavestraat. En die joodse school dat is op zich een giller, want de verhoudingen lagen daar heel anders dan op openbare scholen. Joodse leraren konden geen gezag krijgen bij joodse leerlingen. Want Joden onderling hebben toch geen gezag voor elkaar? Nee, dat jongetje keek niet op tegen die meester, dat was toch óók eentje van de eigen ploeg? En veel leerlingen hadden ook familiebanden met de onderwijzers. Allemaal klitten!

Op de openbare scholen moest je aanwezig zijn van negen tot twaalf en van twee tot vier, maar op déze school van negen tot half één en dan nog van twee tot vijf; op woensdagmiddag school, op zondagmorgen school en op sjabbes moest je in sjoel zijn! Dat werd gecontroleerd op zondag, dan vroegen ze: 'Waar was jij gisteren met sjoel?' En wij gingen dikwijls niet naar sjoel, en daar zijn we één keer mooi ingetuind! We waren met twee, drie vriendjes, want dan had je getuigen als je loog. Dus we zitten in de klas en: 'Waar waren jullie gisteren naar sjoel?' En toen zeiden wij, een jongen van Lessing, een jongetje van Verdoner en ik: 'Wij waren gisteren op Uilenburg in sjoel!' En die meester keek ons aan en zei: 'Weten jullie dat zeker?' 'Ja, híj was er en híj ook.' 'Nou,' zei hij, 'dat lijkt me erg vreemd want die sjoel is vrijdagavond afgebrand!' Dat was een giller, dan kreeg je straf.

En bij geschiedenis kregen ze op de gewone school bijvoorbeeld: 'vijftig jaar voor Christus, honderd jaar voor Christus', maar wij leerden dan: 'vijftig jaar voor de gewone jaartelling, honderd jaar voor de gewone jaartelling', dus het was een heel andere sfeer.

's Ochtends om negen uur begon je met Hebreeuws, anderhalf uur lang. We leerden uit de Thora en we lazen 'tefillim-gebeden', en Rashi en nog zo'n paar rabbijnen die speciale boeken hadden geschreven over het geloof. En die moest je dan ook leren. Je dreunde het in je hoofd op, maar het had geen enkele inhoud voor je. Ik geloof dat het een contra-uitwerking heeft gehad; ik ben het gaan haten.

BAREND DRUKARCH   Het seminarium verschafte in feite een gymnasiale opleiding met daarnaast de zuiver geestelijke voorbereiding van de jongelui. We hadden ook Dr. de Jong, die Latijn en Grieks doceerde en mythologie en zo. Het leven was natuurlijk wel in een joods milieu, want die jongelui werden daar opgeleid voor geestelijke beroepen en ambten, ze kwamen óf in de joodse gemeente terecht, óf op een joodse school.

De armoede was vrij groot. Maar Dr. de Jong, die rector van het seminarium was, was eigenlijk zijn generatie ver vooruit. Want hij zorgde er voor dat de armoede beslist niet kon worden opgemerkt aan het uiterlijk of de kleding. Als hij zag dat een jongen geen goede kleding kon bekostigen, dan riep hij die jongen bij zich en zei: 'Ga maar daar en daar heen om een kostuum te kopen, en je zegt maar dat je door ons gestuurd bent.' Of hij gaf hem een briefje mee, en de zaak was beklonken. Geen mens wist er ooit iets van, ook de medeleerlingen niet.

Als de jongens van het seminarium hun functies moesten vervullen, dan deden ze dat het liefst in de kleinere sjoeltjes, omdat die hun eigen sfeer hadden, veel meer dan de grote. Ikzelf ben vaak gegaan naar een sjoeltje dat aanvankelijk was gevestigd boven de wijnkelder van Stein, en later naast het seminarium in de Rapenburgerstraat. Er hing daar een kabbalistische sfeer. En op Tisjebov, de vastendag waarop wordt herdacht de ondergang van de Tempel en het einde van de nationale zelfstandigheid van het joodse volk, en die dus een rouwdag was, toen hebben we veel plezier gehad. Alle lichten werden gedoofd, en de sjamasj, de koster, deelde kaarsjes uit en iedereen ging op de grond zitten. En de jongelui kropen dan onder de banken door naar de plaats waar ze hadden gezien dat de sjamasj de restanten van de kaarsjes bewaarde. Die werden prompt uit het kastje gehaald en we maakten er kleine balletjes van door het te smelten. En we probeerden de mensen er mee te raken onder de banken door. En een oudere man, Sjmoel Kohn, dat was een bakker uit de Zwanenburgerstraat, die hoorde daar in dat sjoeltje en die kreeg op een gegeven moment zo'n balletje tegen zijn hoofd en hij riep: 'Nou versjteren ze me hier ook nog mijn Tisjebov!'

EDUARD CHARLES KEIZER   Ga ik in mijn herinnering terug, dan zie ik ruim zestig jaar geleden voor me: de Herman Elteschool aan de Nieuwe Keizersgracht. Op diezelfde gracht, een twintig huizen daar vandaan was de joodse school van Norden.

Bij Elte gingen de orthodoxe kinderen; zij kregen profaan én godsdienstonderwijs. Andere joodse scholen waren aparte godsdienstscholen, waar de leerlingen heengingen na afloop van de gewone lessen. Op maandag, dinsdag en donderdag van vier tot vijf uur; op zondag van negen tot twaalf en van twee tot vier, en op woensdag van twee tot vier. Veel tijd om te spelen bleef er dan ook niet meer over!

Bij ons thuis waren we op de openbare school en daarnaast bij de heer Norden, op de zojuist vermelde uren. De openbare school was de Hendrik Westerschool op het Weesperplein, waar nu de 'Doodkist' staat, tussen de Stadstimmertuinen en de Sarphatistraat. Hoofdonderwijzer was de bekende bioloog Eli

Heimans, ook een Jood. Er waren wel niet-joodse onderwijzers en onderwijzeressen, maar de school bleef op zaterdag dicht. Er kwamen slechts enkele tientallen leerlingen, het overgrote deel der leerlingen ging op sjabbes naar sjoel. De heer Heimans leerde ons eerbied voor hetgeen dat leeft, in alle facetten. Mijn vader heeft ons bewust naar de openbare school gestuurd. Hij zei: 'Je leeft hier in een maatschappij van Joden en Christenen, je moet leren met ieder mens om te gaan en je niet af te zonderen!' En ik moet zeggen, ik ben erg blij dat ik heb geleerd met andersdenkenden om te gaan en ze te respecteren.

Nu liggen de zaken anders. Er is maar een heel kleine joodse kern overgebleven, en het hele joodse leven is gericht op Israël. Daarom vind ik het nu wel juist dat joodse mensen hun kinderen naar joodse bijzondere scholen sturen, waar ze leren wat Joodzijn is en wat Israël voor ons betekent in de wereld.

JACOB SOETENDORP Mijn ouders waren felle tegenstanders van joods bijzonder onderwijs. Mijn moeder was een van de felste propagandisten voor het openbaar onderwijs van toen. En ik kreeg dus joods onderwijs op een joodse school. Dat betekende dat je 's morgens om negen uur naar de openbare school ging tot 12 uur, dan was je om half één op de joodse school. Je kon er ook om kwart over twaalf al komen, dan nam je aan een soort gaarkeukenmaaltijd deel. Van half één tot half twee had je joods onderwijs, en dan was je om twee uur terug op de openbare school. Om half vijf ging je weg van de openbare school en dan was je om vijf uur weer op de joodse school, om te beginnen aan een forse portie joods onderwijs, die dit keer duurde tot half zeven. De openbare school was in wat later heette de Valkenburgerstraat, maar wij noemden het altijd Marken. Dat was de beroemde 'school nummer twee', gevestigd naast een buurtsynagoge. En het joodse onderwijs vond plaats in de grote joodse school in de Rapenburgerstraat, waar meer dan twaalfhonderd leerlingen waren. Dat was juist tegenover het latere seminarium.

Wij woonden in Kattenburg; er zal daar misschien wel eens 'Jood' zijn geroepen, maar ik kan me dat niet herinneren. We waren daar sociaal volkomen geïntegreerd. Alleen, we gingen daar niet op school. Je ging, ook op de openbare lagere school, in de joodse buurt op school. Dus zo kwamen we op de Valkenburgerstraat, want er waren scholen genoeg op de Eilanden. En de overgang van de éne school naar de andere was erg gemakkelijk, want van de Valkenburgerstraat naar de Rapenburgerstraat is maar één straat. Ik denk dat dat gewoon efficiency-overwegingen waren. Want die joodse schooltijden waren zó ingedeeld, dat je, om in het totale patroon te kunnen vallen, er wel vlak bij op de openbare school moest zitten.

BEN SAJET   Andere kinderen waren vrij op zondag en op woensdagmiddag en dan moesten wij naar de joodse school. Ik zat op een openbare school, maar je moest toch allerlei dingen leren, zoals Hebreeuws. We leefden toch wel in een zeer joodse gemeenschap. De scholen waar we heen gingen, ook de openbare scholen, daar waren bijna alleen maar joodse kinderen.

Ik had joodse vrienden, maar dat lag voor de hand. Ik leefde in een buurt waar vrijwel alleen Joden woonden, en op school waren bijna alleen joodse jongens. Maar toen ik op de HBS kwam, toen kreeg ik niet-joodse vrienden, waarmee ik zeer bevriend raakte, en één van die jongens, dat was de zoon van een hoofdinspecteur van politie. En die vader die voelde zich... Het was toch wel een hele gebeurtenis, toen die jongen voor het eerst bij ons thuis kwam, die Christenjongen. En misschien ook toen ik bij hun thuis kwam! Maar bij ons, dat je zag dat er een gojse jongen kwam, dat was toch wel even iets bijzonders. Je accepteerde het, maar het was toch wel vreemd. En later werd het heel gewoon.

Filantropie

NATHAN STODEL   Er bestond een vereniging, dat was de
bar-mitzwahvereniging, een chewre, daar zaten bijvoorbeeld
juweliers en kleine diamantairs in uit het orthodoxe milieu. En
die vereniging verlootte zo'n drie, vier keer per jaar een bar-
mitzwahpakkie. Dat lieten ze dan maken door een zesdehands
kleermaker, die ook weer blij was dat hij dat maken kon. En bij
dat pak zat dan ook een bon om bij een bepaalde manufacturenzaak wat ondergoed te kopen voor zo'n jongetje van dertien
jaar. Verder wat centen om een soort receptietje te organiseren.

Er was een gebouw in de Muiderstraat, Pigol, het Portugees-
Israëlitisch Gesticht voor Oude Lieden, die verhuurde zalen, en
daar kwam ook het bestuur van die chewre bijeen om te loten
onder de donateurs en de leden, die de bijdrage gaven van ongeveer een rijksdaalder per jaar. Maar de bar-mitzwahjongetjes in
spé, die stonden dan met hun ouders op de gang. Als er dan
iemand had gewonnen die zelf geen zoon had, dan probeerden
de ouders via relaties die donateur of dat chewre-lid te benaderen
om hun zoontje aan het bar-mitzwahpakkie te helpen.

Dus op een gegeven moment zou ik ook bijna bar-mitzwah
worden en er was weer een verloting. Ik weet niet meer hoe ze
heette, maar zeg maar mevrouw Kulker had het gewonnen, en
m'n vader met mij haastje repje er naar toe: 'Mevrouw Kulker,
ik wens u mazzel tof. U hebt het gewonnen, mag mijn zoon de
bar-mitzwahjongen zijn?'

Mijn vader liep met de kar in wat men toen noemde de 'gegoede' buurt, de Plantage Franschelaan, wat nu de Dr. Henri
Polaklaan is, en daar woonden verschillende kleine en midden-
grote diamantairs en zo.

Nou gebeurde het heel vaak dat zo'n mevrouw Kulker allang
aan een personeelslid van haar man zo'n bar-mitzwahpakkie had
beloofd, als ze het zou winnen. Maar soms ook niet. En op die
manier heb ik dus een bar-mitzwahpakkie gekregen. De wijze

waarop ik dat bar-mitzwahpakkie kreeg, heb ik als zéér vernederend ervaren, want je moest ook in sjoel worden opgeroepen.

KAREL POLAK Mijn vader stierf toen ik negen jaar was. Ik was de jongste van vijf kinderen en volgens mijn leeftijd kon ik nog net in het Nederlands-Israëlitisch Jongensweeshuis worden opgenomen. Dat was op de Amstel bij de Blauwbrug. De achteruitgang van het gebouw was in de Zwanenburgerstraat, en dat noemden wij als weeskinderen de Zwijnenburgerstraat, want het grensde aan het Waterlooplein. En er kwamen na vieren daar veel voddenkarren om de handel kwijt te raken, dus het was daar 's middags een zwijnetroep. Maar bij de ingang, aan de Amstel, daar was het altijd rustig en schoon en helder.

Er bestond toen geen sociale wetgeving, alles moest komen van de filantropie. Het Nederlands-Israëlitisch Armenbestuur, dat is een hele nare naam. Tegenwoordig heet het de NIISA, Nederlands-Israëlitische Instelling voor Sociale Arbeid. Zij hielpen de armen zoveel mogelijk, bijvoorbeeld met een renteloos voorschot voor handel, of als er geen eten was en geen warmte, met geld voor eten of voor kolen voor de kachel. Toch leefde je in die tijd in de regententijd.

In het weeshuis was het één groot gezin van tachtig kinderen in drie groepen, de jongsten, de middelgroep en de oudsten. De oudsten waren natuurlijk de jongens die naar de MULO gingen, naar de middelbare school, ambachtschool, of gingen werken bij een firma.

Als een jongen van de lagere school kwam, en die school was ook in het weeshuis, dan werd hij uitgenodigd met zijn voogd of voogdes bij de ambachtscommissie en dan werd gevraagd wat hij wilde worden. En als dat kon, dan werd dat gedaan. We hebben zelfs jongens gehad in het weeshuis die arts zijn geworden, accountant, leraar. Dus wat er in zat, dat werd er uit gehaald.

Er werd erg veel aan geestelijke ontwikkeling gedaan, maar ook aan de joodse ontwikkeling. Drie maal per dag naar de synagoge, 's morgens gebed, 's middags gebed, 's avonds gebed.

JACOB SOETENDORP   Het seminarium is een van de vreemd-
ste scholen die je je kunt voorstellen. Het is een school waar kinderen middelbaar onderwijs kregen, terwijl hun ouders daar
het inkomen eigenlijk niet voor hadden. Een groot aantal seminaristen heeft het laten afweten voor het rabbinaat, en zij zijn aan
een maatschappelijke carrière begonnen via de universiteit. Maar
die rabbijnenopleiding bracht je toch maar tot het staatsexamen,
tot toelating aan de universiteit. Het was een buitengewone manier van kennis maken met algemene vorming.

Ik ben zelf 'menseneter' geweest. Dat begrip kende men ook
bij de talmudscholen in Oost-Europa, nl. dat de arme leerlingen
een dag moesten komen eten bij mensen die het beter hadden.
Mijn vader was gestorven en ik moest heel hard werken buiten
schooltijd, om nog wat bij te verdienen voor het gezin. Ik gaf bij-
les aan wat minder begaafde jongetjes en ik leidde bar-mitzwah-
jongens op. Daarnaast was ik lijkenwacht, dat heb ik al gedaan
toen ik een jaar of zestien, zeventien was.

In die tijd ben ik ook eens een keer flauwgevallen. De conrector van het seminarium ving me op, en die heeft toen bepaald
dat ik voortaan drie dagen in de week bij mensen zou gaan eten.
Er waren daar natuurlijk mensen bij, waarvan je als jongen
dacht: 'Ze geven me expres op mijn dag dat eten wat ik niet
verdraag.' Of je moest zo braaf zijn en als een zoet poedeltje je
pootje opsteken. Maar de onderliggende gedachte is dat men de
Thora-studie in stand houdt door mensen te helpen. Maar het
was echt nog de oude manier, en ik geloof dat het een typisch
joods idee was. Maar wij ervaarden dat toch als vernederend.
Bovendien had ik de grote moeilijkheid dat ik wel ging eten,
maar dan kom je naar huis en je broertjes en zusjes hebben niet
genoeg te eten gehad en die zeggen: 'Jij hebt je lekker volgevre-
ten.' Een van mijn broers was in het weeshuis, hij heeft het daar
vreselijk moeilijk gehad met de vernedering van de georganiseerde weldadigheid.

Ik heb dat ook wel zo ervaren. Ik had eens een keer van
iemand een jas gekregen, een mooie jas, en toen kwam ik bij een
van die mensen waar ik at, en die nam dan zo die jas in de arm en

zei: 'Mooie jas heb jij', zodat je de indruk kreeg dat je die jas gestolen had. Ja, ik ben erg veel in opstand gekomen tegen de georganiseerde weldadigheid in mijn jeugd, en ik denk eigenlijk wel
de meeste jongens.

MOZES HEIMAN GANS   In een radiorede werd over de Joodse
Invalide gezegd: 'Het is voor de geknakte en gebroken mens,
die niet meer werken kan.' En het werd heel gewoon gevonden
dat mensen daarvoor geld gaven. Men moet zich de omstandigheden van toen héél anders voorstellen dan nu. Die mensen in de
Joodse Invalide kwamen voor een groot deel uit krotten, uit het
ghetto van Amsterdam, ze waren gedeeltelijk aan de rand van de
hongersnood.

De Joodse Invalide berustte op particulier initiatief, en daardoor was het zo populair. Er was toen geen sprake van gemeen-
te- of rijkssteun of ook maar steun van de joodse gemeente. Het
waren particulieren die het geld bijeenbrachten. Dat ging met
centengaven. Later ook met loterijen en revues.

De Joodse Invalide is meen ik opgericht in 1911. Het eigenaardige is dat de grootste bloei van de Joodse Invalide plaats
vond in de crisisjaren. Juist toen het financieel het moeilijkst was,
en de armoe het grootst in Amsterdam, toen werd de Joodse Invalide hét voorbeeld. Het was bijvoorbeeld iets héél bijzonders,
dat de twee 'anti-loterij'-ministers, Colijn en Oud, over de radio
hebben gesproken vóór de loterij van de Joodse Invalide. Er was
nog geen televisie, dus het was op zich al iets groots, dat er
avonden door de radio besteed werden aan de Joodse Invalide.
Kranten kwamen met extra bijvoegsels, om reclame te maken
voor de Joodse Invalide.

Er werd natuurlijk ook veel gesproken over de revues en over
de loterijen en over alle mogelijke geldacties, maar mijn vader
gold in Nederland als dé grote sjnorrer, als dé grote bedelaar.
Zelf vond hij dat niet. Hij vond zichzelf in de eerste plaats de
directeur van het gebouw.

Hij is in dat werk gekomen dankzij m'n moeder. Hij is ongeveer tien jaar diamantslijper geweest, haatte dat vak, vond het

verschrikkelijk. Mijn moeder heeft op een gegeven moment de baas afgeschreven. M'n vader heeft toen allerlei baantjes gehad en werd tenslotte propagandist voor de Joodse Invalide, en vijf, zes jaar later directeur. Hij was een volkomen selfmade man en autodidact. Maar dat was heel sterk zo onder de diamantbewerkers.

Mijn vader was heel erg goed met Henri Polak. Ik herinner me dat Polak op een avond met zijn vrouw bij ons thuis waren, en dat er toen een hevige discussie ontstond tussen Polak en m'n vader. Mijn vader zei namelijk: 'Jullie hebben wel principes, maar intussen gaan er zoveel mensen kapot. En wij proberen in de eerste plaats de mensen te helpen, en vergeten daardoor te vaak de principes.' Hij wist dat over tientallen jaren het rijk of de gemeente het wel zou overnemen, omdat er dan een veel socialistischer maatschappij zou zijn. 'Maar,' zei hij, 'nú moeten wij zorgen dat het er is, want daarmee helpen wij die mensen.'

Wat je maar kon bedenken, dat werd daar gedaan. Bijvoorbeeld, iedere vrijdagavond kwam een groep jongeren Sabbatliederen zingen. Dan trokken we met z'n allen de zalen rond en overal gingen we zingen.

Er was een grote toneelzaal en ik herinner me het optreden van Frits Hirsch of Louis Davids of zo. En Henri Polak kwam bijvoorbeeld spreken over Oud-Amsterdam, en daar vertoonde hij dan lantaarnplaatjes bij. Ik herinner me dat hij zich één keer geen raad meer wist. Hij had namelijk tijdens de lezing gezegd dat het zo'n schandaal was om te zien hoe mensen vogeltjes in kooitjes opsloten en zo, die dieren hadden toch ook behoefte aan vrijheid? En daarop begon een van die mensen erg te huilen, want haar leven was nu eenmaal dat kanariepietje dat boven haar bed stond, en toen wist Henri Polak niet hoe hij het bij haar goed moest maken. En Sam Swaap kwam vioolspelen. Als Jack Hilton met z'n band hier was uit Engeland, dan speelde hij in de Joodse Invalide. Dat sprak voor iedereen vanzelf. En er was een soort dwergentheater uit Oostenrijk, dat kwam in de Joodse Invalide.

Op Seideravond mocht volgens oud-joodse traditie iedereen komen eten, die honger had. Er konden vierhonderd mensen komen om de Seider mee te vieren. En een paar dagen vóór de Seider zegt een van de mensen tegen ons: 'Het is toch een schande, daar komen ze allemaal weer op m'n schone vloeren lopen!' Waarop ik tegen m'n vader zei: 'Ze is pas zelf een paar maanden hier, en uit wat voor een omgeving komt ze?' Waarop mijn vader zegt: 'Is het niet prachtig hoe ze zich al thuisvoelt?'

In 1937, 1938 zou Prinses Juliana naar Duitsland gaan en ze wilde demonstreren dat ze absoluut niet voor het Duitse antisemitisme voelde. En de beste manier was in die dagen, de Joodse Invalide bezoeken. Dus enige dagen van tevoren werd aan de Joodse Invalide meegedeeld dat Prinses Juliana graag het gebouw zou willen bezoeken. Ze was toen nét getrouwd met Prins Bernhard. Ze ging toen rond door het gebouw en plotseling vraagt ze: 'Wat is daar in die kamer?' Toen zei mijn vader: 'Daar ligt een stervende man die geïsoleerd is.' En toen zei ze: 'Die wil ik graag bezoeken.' Toen gingen ze naar binnen en toen zei mijn vader: 'Mijnheer Groen, dat is de Prinses, Mijnheer Groen, dat is de Prinses.' Waarop die zich plotseling oprichtte, z'n hand op z'n hoofd legde, en de lofzegging zei voor het zien van een vorstelijk persoon. En dat is het laatste woord dat hij ooit gezegd heeft.

De oude Jodenbuurt

Omstreeks 1900 *woonde nog altijd de overgrote meerderheid van de Amsterdamse Joden in de zogenaamde oude Jodenbuurt, een stadswijk ongeveer gesitueerd tussen Nieuwmarkt en Sarphatistraat. Al vanaf* 1800 *begonnen geleidelijk welvarende Joden zich te verspreiden over andere delen van het toenmalige Amsterdam, dat ongeveer samenviel met het tegenwoordige Amsterdam Centrum.*

Tussen 1870 *en* 1900 *ontstonden in West, Zuid en Oost nieuwe woonwijken, sommige voor de rijken, andere voor de 'mindere' klassen bestemd. Tot de eerste categorie behoorden de Plantage en de Sarphatistraat, waar zich overwegend deftige joodse families vestigden. De lanen van de Plantage, evenals de Sarphatistraat grensden aan de oorspronkelijke Jodenbuurt en werden hier als het ware bij ingelijfd.*

Ook in de nieuwe chique wijken rond Vondelpark en Concertgebouw vestigden zich joodse families, maar lang niet zoveel als in de Plantage. Van de nieuwe arbeidersbuurten, die in het laatste kwart van de vorige eeuw werden gebouwd, bleven die in West (Kinkerbuurt etc.) vrijwel geheel zonder Joden. Iets meer Joden gingen in de Pijp in Zuid wonen. In de nieuwe arbeidersbuurten in Amsterdam Oost (Vrolikstraat, Swammerdamstraat, Blasiusstraat), die direct aansloten bij de oude Jodenbuurt, vestigden zich daarentegen wel veel joodse arbeiders: speciaal diamantbewerkers.

Oorspronkelijk woonden in de oude Jodenbuurt de arme en rijke Joden bij wijze van spreken op een steenworp afstand van elkaar. In deze buurt waren echter straten voor armen zoals de Valkenburgerstraat en de Batavierstraat met de daartussen liggende gangen, en grachten voor rijken: bijvoorbeeld de Nieuwe Heren- en Nieuwe Keizersgracht. Met de uitbreiding van de stad na 1870, *wanneer het moderne kapitalisme in Amsterdam zijn entree maakt, wordt ook in geografisch opzicht bij Joden de klassentegenstelling steeds duidelijker. Rijk en arm verspreiden zich dan namelijk over aparte buurten, al of niet met een specifiek joods karakter.*

De grote uittocht na de eerste wereldoorlog van Joden behorend tot alle sociale klassen over nieuwe stadswijken in Oost en Zuid (Transvaalbuurt, plan-Zuid, Betondorp), komt in het volgende hoofdstuk aan de orde. Voor de oude buurt had deze verhuizing o.a. tot gevolg dat er meer Christenen gingen wonen.

Leef- en woontoestanden

KAREL POLAK   De Rapenburgerstraat, dat was een bijzondere straat, eigenlijk het centrum van het Amsterdamse Jodendom. Je had daar het seminarium, het rabbinaat, verder de joodse fröbel- en kleuterschool, en de kosjere wijnhandel van Stein. Je had er het Nederlands Israëlitisch Meisjesweeshuis, en in de Rapenburgerstraat was ook Beth Ha Midrasj, een gebouw waar iedereen heen kon die wilde leren.

CAREL REIJNDERS   Als kind zeiden wij thuis wel: 'Die familie Delmonte of Vleeschhouwer of Daniëls, die zijn 'van de natie'. Ik had toen helemaal niet het idee dat het zoiets betekende als 'Duitse of Portugees-joodse natie', maar het was net zoiets als wanneer je zei over een katholiek: 'Die is van het houtje' zo zei je over een Jood: 'Die is van de natie.'

Pas later, door m'n studie, heb ik begrepen dat het een historische oorsprong had, dat de Joden tot aan de Franse tijd tot de 'Hebreeuwse natie' behoorden, en dat wou duidelijk zeggen: géén burger. Ze hoorden nergens bij. Ik gebruikte alle joodse uitdrukkingen zonder het te weten. We hadden het over 'gein', je had 'pech' en 'mazzel' bij het knikkeren, we spraken over 'ponum' of 'porum'. En 'attenojeleheine', dat was eigenlijk een joodse vloek, maar dat gebruikte je gewoon als krachtterm. Het betekent, 'Adonaj Eloheinoe': 'Mijn Heer en mijn God', dat heb ik gevonden in een boekje van Beem. 'Addenom' werd ook wel gebruikt als verbastering. Maar in de Amsterdamse volkstaal werd het verbasterd tot 'attenoje', en dat werd volop gebruikt.

Mijn moeder komt uit oud Amsterdam, van de Groenburgwal, en die hoorde onder de Mozes en Aäronkerk. Het is heel eigenaardig dat die katholieke kerk, die eigenlijk heet 'Heilige Antonius van Padua', 'Mozes en Aäron' wordt genoemd. Maar dat hangt samen met de oude schuilkerk, waar twee gevelsteentjes in zaten van Mozes en Aäron. En de pastoor van die kerk werd wel spottend genoemd 'de rabbijn van de roomse synagoge'.

En met Kerstnacht stond die kerk vol met Joden, en dan was er altijd wel een politieagent in de kerk. Dat is merkwaardig, omdat er nooit moeilijkheden geweest zijn. De Joden kwamen gewoon met Kerstnacht omdat er mooi gezongen werd met een orkest erbij. Dan kwamen ze luisteren, en dan stonden ze vaak achterin.

Maar mijn moeder heeft ook wel meegemaakt, dat het gerucht ging dat in diezelfde kerk een joods meisje, dat katholiek was geworden, zou gaan trouwen. En toen liepen al de fruitjoden te hoop, en ze wilden de bruiloftgangers te lijf. Tot duidelijk kon worden gemaakt, dat het helemaal geen joods meisje was.

MAURITS ALLEGRO   Die oude Jodenbuurt voor de oorlog, die bestond uit de Valkenburgerstraat, grote armoe en ellende, hofjes met éénkamerwoningen. Ik weet nog wat een misère het was op het Boltensgrachtje, waar nu het politiebureau (tegenwoordig Anne Frankstraat) staat, ongeveer. Er waren twee trappen, en de derde moest je je ophijsen, want die derde trap was zó steil. Daar hing een vet touw naast, God weet hoe oud dat ding was, en daar moest je echt tegenop klimmen. En ik weet dat daarboven een gezin woonde met acht of tien kinderen en die hadden het brood niet te eten. De kinderen kregen vier kaartjes op school voor de zogenaamde 'snertloods'. Daar konden ze dan soep halen, en dan gooiden ze er water bij, zodat de hele familie ervan kon eten. Die kinderen droegen kousen van de gemeente, met een rood-zwarte rand, de kleuren van het gemeentewapen, en dan kon je zien dat het van de bedéling was. Het was hier een armoed in de Jodenbuurt, gewoon niet te beschrijven. Er waren natuurlijk enkelen die het wel iets beter hadden. Maar het gros was armoed, hoor. Echt met een voddenkarretje.

HARTOG GOUBITZ   Wij woonden in één kamer met dertien personen, op Marken. Dat is de Valkenburgerstraat, de straat die grenst aan de afrit naar de IJ-tunnel, dat was Marken. Die ene kant is weggebroken, waar wij woonden, daar was een gracht tussen, daar grensde de Rapenburgerstraat aan. Maar Marken, · dat was een straat zo breed als de kamer hier.

In die woningen waren geen keukens. Het waren enkel kamers met een bedstee erin, en boven die bedsteden waren dan dikwijls nog hokken, daar kon je met een ladder bijkomen. Er was een luik voor, en daar kon je ook slapen.

Er was wel water, maar geen wc, maar een 'stilletje'. 's Avonds tegen het donker kwamen ze van de stadsreiniging met van die karren, dat werden 'Boldootkarren' genoemd, vanwege de prettige lucht die zo'n kar verspreidde. Dan werden die emmers voor de deur gezet en die karren haalden ze dan op.

Als ik denk aan m'n grootmoeder die honderdanderhalf jaar oud is geworden, dan zie ik haar nog voor me op Marken, in de Valkenburgerstraat, waar ze woonde in de Rooie Leeuwengang, in een slopje, één-hoog, zoals die woningen waren in die jaren. Ik zie haar nog zitten met een stoof onder haar voeten, zoals toen die mensen voor de warmte zorgden. En m'n vader, die haar vrijdagavond bezocht, zoals dat de gewoonte was onder Joden, zag dat die stoof brandgevaarlijk was, omdat er gaten in zaten, en hij zei: 'Memme, ik zal je een nieuwe stoof geven.'

M'n vader liet haar die stoof bezorgen in de loop van die week, en in diezelfde week stierf haar man, m'n grootvader. Hij was schoenpoetser, hij stond voor het toenmalige Café 'De Bisschop' met de schoenenbank, dat was op de hoek van het Markenpleintje en de Jodenbreestraat. En toen m'n vader haar die week bezocht, toen zei ze tegen hem: 'Maupie, nou hei je mij die stoof gegeven, en nou kan ik er 'sjiwwe' op zitten.'

De foto van mijn grootmoeders honderdste verjaardag is te zien in het Joods Historisch Museum. Op die foto zit ze tussen opperrabbijn Onderwijzer en burgemeester Tellegen in.

ALEXANDRE JOSEPH GOUDSMIT De Valkenburgerstraat, dat was toch wel armoe, hoor. Je had een doorgang onder die huizen, en dan werd het daarna een beetje breder, zo'n drie meter. Daar stonden aan weerszijden vier huizen en daar woonde het armste van het armste. Dat heette de Rooie Leeuwengang. Ik kan me een verhaal herinneren over Henri Polak. Hij vertelde eens een keer in het Weekblad, dat was het weekblad van de diamantslijpers, dat hij een brief had gekregen uit Amerika van Samuel Gompers, dat was de oprichter van de grootste Amerikaanse Vakcentrale, 'The American Federation of Labour'. Dat was een van de jongens van het eerste uur, die was in de Rooie Leeuwengang geboren, en als baby met z'n ouders naar Amerika geëmigreerd. En hij wou nu wel eens zien, waar hij was geboren. Hij sprak geen Nederlands, dus hij had het over de 'Red Lion's Court', en Henri Polak prakkizeerde zich suf wat dat toch kon zijn. Maar omdat Gompers had gezegd dat het hartje Jodenbuurt was, begreep Henri Polak dat het de Rooie Leeuwengang was geweest. En toen hij naar Amsterdam kwam, heeft Polak hem daar ook gebracht. Maar dat is nou weg, want die kant is helemaal tegen de grond gegaan.

BAREND DE HOND   Je had in die jaren een joodse kring, omdat je eigenlijk niet buiten de joodse gemeenschap ging. Je woonde ook in een soort ghetto, en er waren heel weinig christenmensen die daarin woonden. Als je bijvoorbeeld zoals wij op het Nieuwegrachtje woonde, dan had je nog Uilenburg en 'Vlooienburg' (dat was de Lange Houtstraat) en de Batavierstraat en de Rapenburgerstraat. En dan was er nog de Valkenburgerstraat. Dat was die ring, hè, en als je de brug over ging, dan kreeg je de Foeliestraat, en daar waren christenmensen. Er hebben daar wel enkele joodse mensen tussen gewoond, niet vijandig was het, maar het was net de grens, hè.
Ik ben geboren op het Nieuwegrachtje nummer één op de derde etage. We hadden een huur van plus minus één-vijfenzeventig per week, en mijnheer Roodenburg, de huisbaas, die kwam altijd geld ophalen op zondag. Mijn vader werkte bij Nijkerk, een ijzerhandel. Daar moesten ze ijzer sjouwen in de schepen, wat tegenwoordig allemaal met kranen gaat; tachtig, negentig kilo op hun nek en dat dan van 's morgens zes tot 's avonds vijf uur.

Mijn ouders hadden tien kinderen, en mijn vader verdiende maar zestien gulden per week. Dus u begrijpt dat m'n moeder wel eens geschwindeld heeft: 'Mijnheer Roodenburg, komt u volgende week terug?' Want die één-vijfenzeventig waren er niet. En die woningen waren zo, dat als je geen kleden op de grond had liggen, dan kon je de buren op tweehoog zien lopen. Dat waren gewone balklagen met een vloer en daar zaten spleten in; dus je kon elk woord van de buren horen.

We hadden tien kinderen en drie bedsteden, vier jongens sliepen in één bedstee, en drie meiden weer in een andere bedstee, en m'n vader en m'n moeder ook samen in een bedstee. Uit nood hebben we op zolder ook nog een bed neergelegd.

En we zijn gewend om op vrijdag een pannetje soep te koken. Maar op een vrijdag had m'n moeder geen geld voor soep, en toch wel nog een beetje zelfrespect. Dus wat doet ze, ze zet op de kachel een pan water. 's Middags komt de buurvrouw naar boven en zegt: 'Tante Diek, wat voor soep heeft u?' En m'n moeder zegt: 'Nou, ik heb lekkere soep, hoor, vanavond.' Zegt de buurvrouw: 'Ja, ik ga toch even kijken.' En ze tilt de deksel op en ziet dat het gewoon een pan met water is. En die buurvrouw is naar beneden gegaan, en die heeft voor een daalder soepvlees gehaald en groente en aardappelen en ze gaf er nog vijf gulden bij en zei tegen m'n moeder: 'Nou kunt u sjabbes maken.'

Er was ook een heel oud mannetje, en nou waren er jongens of oudere mensen die hem plaagden. En die man was heel erg vroom, maar hij heeft ze een vloek gegeven, dat heet een 'klole' in het jiddisj. Hij zei: 'Je zal iemand liefhebben en nooit zullen krijgen.' Dat was Japie Schapendief. Hij bedelde alleen maar, samen met nog een paar, als er een choppe was in de Rapenburgerstraat.

JOOP EMMERIK   Ik heb in de armenbuurt gewoond, in de Kerkstraat tussen de Amstel en de Weesperstraat. Dat was een héle arme buurt. Er was maar een enkele af en toe, die kon zeggen dat het hem goed ging; misschien een paar winkeliers die daar hebben gezeten.

Er kwam een porder 's nachts. Die heette Brammetje Lelie. Ik was een jongetje van vier of vijf jaar, hè. En ik was zo bang, dan kroop ik onder de dekens, en dan stond hij te ratelen op de deur boven. En er waren geen bellen aan de deuren, dus dan moest hij naar boven lopen en dan riep hij: 'Betje, sta je nog niet op? Het is vier uur, hoor!' Want Manke Betje moest elke morgen vroeg naar de markt.

Je had ook Japie Schapendief, ik zie 'm nog zó lopen met z'n stokkie. Als de mensen gingen trouwen, dan stond hij te bedelen, wij noemden dat 'bietsen'. En als hij nou wat kreeg, dan zei hij: 'Mazzel en broche voor je hele misjpoche'. Dus veel geluk voor je hele familie, hè? Maar als hij niets kreeg, dan was hij aan het vloeken, dat was niet mooi meer.

En dan was er een man, die heette Joost Mohado, die hebben ze Joost Kanaal genoemd omdat hij vaak stond te plassen op straat.

En dan was er een man, die woonde boven het Russische sjoeltje. Die man noemden ze Hemeltje, want hij keek altijd naar de lucht. Het was een vrome Jood, en als je als klein kind 'Hemeltje!' riep, dan kwam hij je achterna.

Later werd er een boottochtvereniging opgericht in de Kerkstraat, die heette geloof ik 'Ons Genoegen'. En dan gingen ze éénmaal per jaar zo'n boot huren om een tocht te maken langs de Amstel. En dan kwamen ze 's avonds met volle muziek van die boot gemarcheerd, zó de Kerkstraat in, met het muziekcorps voorop. En de hele straat liep leeg, iedereen ging er achteraan lopen in een hele lange stoet. Dat was iets fantastisch. Mijn vader was ook een van de oprichters daarvan, samen met Benjamins en Brammetje Lelie. Dat was één groot stuk gezelligheid. Mijn vader draaide dan grammofoonplaten, op zo'n grammofoon met van die grote hoorns. Dat was dansmuziek. Dat ding moest je aandraaien, en dan speelde hij uit het raam en dan gingen de mensen dansen op straat. Je had daar toen ook een familie Swaab, hun zoon Barend kon ontzettend goed piano spelen. En die jongen heeft vaak gespeeld met het raam open, en dan stonden de mensen er met plezier naar te luisteren.

LEEN RIMINI Je hebt eerst het Rembrandthuis, dan De Vries van Buuren, dan een poelier, de sigarenwinkel van De Raap, het kaaswinkeltje van Kaats, het boter- en kaaswinkeltje van Van der Woude, en dan kwam mijn winkel van de Coöperatie. De bioscoop Tip Top zat op de hoek van de Uilenburgersteeg en de Jodenbreestraat. En er was voor de winkels van de Coöperatie in Amsterdam een acht uur-sluiting, die gaven het voorbeeld. Later werd het zeven uur. Maar dat kon bij mij niet omdat Tip Top om acht uur aanging, en van zeven tot acht had ik het te druk met het snoep, want er werd verschrikkelijk veel snoep verkocht. De bezoekers, de jodenmensen, haalden de pinda's en de bonbonnetjes en de chocolaadjes om naar de Tip Top te gaan. Dus ik mocht van zes tot zeven sluiten en dan moest ik weer openmaken van zeven tot acht.

Ja, als je weet hoe die mensen boodschappen deden... Een half onsje boter was niets, als ze de helft daarvan hadden kunnen krijgen, hadden ze het gekocht. Maar ze aten goede boter! En ze wisten niet van een pond suiker, nee, een ons suiker moesten ze hebben. Ik heb het zelf verkocht, dus ik weet het: een cent azijn, een cent bleekpoeder, twee centen bleekpoeder, een half maatje sla-olie, een cent peper, een half ons rozijntjes, een ontbijtkoek van drie cent, en dat was een behoorlijk koekje hoor.

Waar nu het monument van de Dokwerker staat, daar had je in die tijd een badhuis van Handwerkers Vriendenkring. Dat was het enige badhuis in het hele ghetto, het kostte vijf cent, en als je 's morgens een kaartje haalde, dan kwam je 's avonds aan de beurt. Dat was het werk van Handwerkers Vriendenkring. Naderhand kwam er een badhuis van de gemeente, op Uilenburg, en toen hebben ze er nog een bad-, tevens washuis na gebouwd in de Valkenburgerstraat.

BEN SAJET Het was een verschrikkelijk arme buurt, waar ik ook heel veel gekomen ben omdat ik bevallingen meedeed als student, en dan ging je met een vroedvrouw op stap. En die vroedvrouw die mij was toegewezen, werkte in de Uilenburgerstraat en de Batavierenstraat. Nou ja, slechter dan daar kon je je de woningtoestand niet voorstellen. Eénkamerwoningen met tien, twaalf kinderen, en ieder jaar kwam er altijd maar weer een bij. Stel je voor hoe die sliepen in zo'n kamer, op de grond een stelletje, zes in een bedstee: drie koppies naar de ene en drie koppies naar de andere kant.

Ik had wat sociaal-medische studies geschreven samen met een vriend, Van Gelderen, een statisticus, over mazelen, kinkhoest, en zo, waarbij we aantoonden dat de pauperskinderen doodgingen aan die ziekten, en de welgestelde kinderen bijna nooit. Maar door hun slechte behuizing en omstandigheden kregen de pauperskinderen tuberculose en gingen dood. Ze kregen die ziekten ook veel jonger omdat er veel meer kinderen bij elkaar waren op Uilenburg en zo.

In de Amsterdamse joodse paupersbuurt heerste trachoom, dat is een oogziekte, waarbij korrels ontstaan op de bindvliezen. Die korrels worden groot en die tasten het oog zelf aan, het hoornvlies, zodat er grote gezichtsdefecten kunnen komen, en blindheid. In alle achterlijke landen, zoals bijvoorbeeld Egypte, daar heb je veel trachoom. Maar in Amsterdam had je wat wij noemen een 'endemie', dat treft een bepaalde bevolkingsgroep, terwijl een 'epidemie' algemeen is. Dus trachoom was wat wij noemen 'endemisch' in de arme joodse paupersbuurt. En ik heb een huis-aan-huisonderzoek ingesteld naar trachoom, dat is eigenlijk het eerste 'sociaal-medische' wat ik heb gedaan. En het bleek dat bijna iedereen trachoom had of had gehad, dat kon je aan de lidtekens zien. Zo algemeen was dat.

LOE LAP Mijn opoe van m'n moeders kant had een snoepwinkeltje in de Uilenburgerstraat, daar verkocht ze snoepgoed voor kinderen. Ja, en ik had de bron, hè, ik kon grijpen zoveel ik wou. En later is dat een hele grote winkel geworden met kruidenierswaren en toestanden. Dat was Tante Pinnie, naast het Van Rosenthal-schooltje. Dus al die schoolkinderen kwamen 's morgens bij m'n opoe in dat winkeltje een stukkie nasj kopen van een halve cent en van een cent.

Ik kan me dat snoepwinkeltje nog goed voor de geest halen, hoor, want het heeft bestaan totdat ik een jaar of tien, elf was. Je had er duimdrop, koningsbroodjes, pijpies kaneel, pepermuntstokken, salmiakdrop, nogablokken. En op koninginnedag verkocht ze klappertjes en vuurwerk. Ze was een hele struise vrouw. Ze had tweeëntwintig kinderen en m'n grootvader was alcoholist, die dronk tegen de klippen op. Ach, sigarenmakers, die zopen allemaal. Er waren echt wel Joden die dronken, hoor. Daar heb je weer zo'n image: 'Joden drinken niet.' Nou, was het maar waar geweest, maar de alcoholbestrijding werd niet voor niets gevoerd, het was een sociaal probleem.

Er was een hele nauwe verwantschap tussen de Jodenhoek en de Jordaan. Ze spraken beiden een eigen taaltje, en ze gingen erg veel met elkaar om. Als je als Jood in de provincie op de markt stond, dan merkte je véél meer dat je Jood was, dan in Amsterdam.

NATHAN STODEL   Als de mensen spreken van de goeie ouwe tijd, zoals bijvoorbeeld Meyer Sluyser, die heeft het wel goed afgeschilderd, maar toch nog te veel gepoëtiseerd. Want die armoed was afzichtelijk; stel je voor, op de sluis en in de hele Jodenhoek kon je drie of vier haringen krijgen voor een dubbeltje, maar de mensen konden het gewoon niet betalen!

Mijn ouders hadden een groentewinkeltje in de Lazarussteeg. Ze hadden als bedrijfskapitaal per week tien gulden nodig, over welk bedrag ze niet beschikten, en wat ze moesten lenen om te kunnen handelen! Ze waren ín- en ínfatsoenlijke mensen. Ik was het enigst kind, maar het is vaak gebeurd dat m'n ouders geen geld hadden om m'n schoenen te laten maken, en dat ik stukjes karton in m'n schoenen gekregen heb, in plaats van zolen.

Ik heb meegeholpen met boodschappen doen, maar ze hebben me naar de Mulo gestuurd toen ik elf was. Je mocht op je dertiende al werken, en ze zouden die centen héél goed hebben kunnen gebruiken, maar ze hebben me naar school gestuurd: 'Nathan ga naar school. Nathan leer je les.' Mijn vader had beslist niet veel ontwikkeling, maar dat was iets vanzelfsprekends,

Nathan moest leren, hij moest uit die armoede komen. Zelf gingen ze om vijf uur 's morgens naar de groentemarkt.

MOZES DE LEEUW   Er zaten ook vooraanstaande mensen in de Jodenhoek, zoals bijvoorbeeld de firma De Beer, de wijnhandel. De Beer stond zelf in de zaak met een pilo-broek aan en een petje op. Maar hij woonde ergens in de Plantage Parklaan, de rijke buurt. Daar woonden vooraanstaande Joden, zowel financieel als qua ontwikkeling, dat was een heel ander niveau dan in de Jodenhoek. En die vrome Joden waren lid van Artis en op zaterdag liepen ze daar dan, want omdat ze lid waren hoefden ze niet te betalen. Het hele joodse culturele leven speelde zich daar af. Daar woonden ook de rabbijnen.

MARIUS GUSTAAF LEVENBACH   's Zomers gingen we allemaal naar Artis met de hele familie, daar hadden we een abonnement op. Dat wil zeggen, de gegoeden natuurlijk, de iets beter gesitueerden. Tenslotte kostte een jaarabonnement voor de hele familie een paar tientjes. En op zondag was er een concert in Artis, 's zomers in de tuintent. Het was veelal Zaagmans die die concerten gaf. 's Zomers in de tuin en 's winters in de zaal. Daar was later het Bevolkingsregister.

EDUARD VAN AMERONGEN   Artis is natuurlijk maar een beestentuin, maar het was toen eigenlijk de speciale tuin voor het Amsterdamse Jodendom. Iedere zaterdagmiddag kwamen ze daar, gingen ze zitten, bestelden ze wat, hoefden niet te betalen, want ze rekenden volgende week af. Ze hadden geen enkele interesse voor beesten, ze gingen helemaal niet naar de beesten.

Ze gingen nog wél eens als de zeeleeuwen gevoerd werden, dan keken ze, en verder niet. Maar het was hun tuin. Er waren toen uitvoeringen van Frans van Diepenbeek, die dirigeerde daar in de jaren '20. Daarna kwam Van Beinum met de Haarlemse Orkestvereniging. Er werden een paar keer op woensdagavond en op zondagmiddag concerten gegeven. En die sfeer van Artis op zaterdagmiddag... dat waren alleen maar Joden in die tuin. Dat was van hun, en dat hoorde bij hun leven.

DAVID RICARDO   Iedere zondag waren er in Artis concerten, 's zomers buiten en 's winters binnen in de grote zaal, van Frans van Diepenbeek van het vijfde regiment van het leger. Het was een blaasorkest, ze speelden opera's.

En ik zou haast zeggen, er kwamen alleen maar Joden, het was er stampvol, het was iets heel feestelijks.

Hier zijn de grondslagen van mijn dirigeer-kunst gelegd (afgekeken van Frans van Diepenbeek!).

Emancipatie

De emancipatie van het joodse proletariaat in Amsterdam, d.w.z. de economische, sociale en culturele verheffing van geschoolde arbeiders, diamantbewerkers, sigarenmakers etc., vond plaats in een Nederlands kader. De binding aan SDAP, ANDB en later NVV en AJC, bevorderde tot op zekere hoogte de integratie van joods- en niet-joods proletariaat. Volledig werd deze integratie echter nooit. Dit blijkt bijvoorbeeld uit het feit dat de Federatie Amsterdam van de SDAP in het begin van de eeuw er voor terugschrok joodse propagandisten bij de verkiezingen in te zetten in de westelijke arbeidersbuurten. Dit bezwaar gold echter niet voor kiesdistrict 3, het diamantbewerkersdistrict bij uitstek, waar onder de Christenen door hun grotere vertrouwdheid met Joden blijkbaar ook minder vooroordelen tegen Joden heersten.

Uniek was vooral het opvoedende werk dat door de ANDB onder de arbeiders werd verricht. Mensen als Henri Polak beschouwden de vakbond niet alleen als een organisatie die voor hogere lonen en betere sociale voorzieningen dienden op te komen, zij trachtten ook via de vakbond de arbeiders kennis en liefde voor kunst en natuur bij te brengen.

Uiteraard had de ANDB op dit gebied niet het monopolie. Handwerkers Vriendenkring, een vereniging waar arbeiders van verschillende politieke kleur lid van waren, had al in de zeventiger en tachtiger jaren van de vorige eeuw culturele arbeid onder de joodse werklieden verricht. Heiman Barnstein, overtuigd vrijzinnig-democraat en jarenlang voorzitter van HWV, heeft overigens in 1894 een belangrijke bijdrage geleverd tot de stichting van de ANDB.

In alle partijen en partijtjes, die zich sinds 1909 losmaakten van de SDAP, omdat deze partij te veel het revolutionaire ideaal leek te verwaarlozen, trof men Joden. Dat Joden communist, trotzkist, OSP-er, raden-communist of anarchist werden, had niets met hun joodse afkomst als zodanig te maken. Mogelijk was de strijd tussen joodse sociaal-democraten en communisten in Amsterdam extra fel, omdat ze elkaar doorgaans persoonlijk goed kenden. De principiële controverse droeg daardoor soms toch wel het karakter van een familieruzie.

In dit hoofdstuk is bij de paragraaf die handelt over de nieuwe buurten relatief veel aandacht besteed aan de zogenaamde Transvaalbuurt. Deze buurt bestond in feite uit verschillende kernen met in sociaal op-

zicht verschillend samengestelde bevolking. De Pretoriusbuurt was bijvoorbeeld wat deftiger dan de Retiefbuurt. Sommigen bedoelen met Transvaalbuurt de hele wijk tussen Linnaeusstraat en President Steijnplantsoen, anderen verstaan onder Transvaalbuurt het stuk behorend bij Transvaalstraat, -plein en -kade.

Politiek en vakbeweging

HARTOG GOUBITZ   De sigarenmakers werkten bij elkaar op één fabriek. En onder het harde werken werd er dikwijls heftig gediscussieerd over de toestanden. De sigarenmakers hebben door hun samen-zijn het organisatieleven bevorderd, terwijl de typografen de meest geschoolde arbeiders waren. De diamantbewerkers, dat is een geschiedenis apart. Maar die werkten ook gezamenlijk op fabrieken en dat leidde dus ook tot discussies, en daaruit kwamen de verschillende stromingen voort.

De lonen waren een hele tijd erg laag. De Sigarenmakersbond was bijna de eerste organisatie die een Collectieve Arbeids Overeenkomst tot stand kon brengen, een arbeidscontract, waarin de lonen en de verhoudingen in het bedrijf beter geregeld werden.

De Sigarenmakersbond behoorde tot een van de oudste organisaties. De Typografenbond was hier de eerste vakorganisatie en je had toen wel een Diamantbewerkersvereniging, maar de ANDB was nog niet opgericht. Die werd opgericht door Henri Polak in die grote staking, ik meen dat het in 1894 was, en tegelijkertijd was er een staking van de sigarenmakers. (NB: In 1894 waren er successievelijk grote stakingen van sigarenmakers en diamantbewerkers.)

Mijn vader was sigarenmaker, en in 1898 toen hadden we hier die grote sigarenmakersstaking, en m'n vader was een staker. Hij was een grote voorstander van lotsverbetering, en toen de staking was opgeheven, toen werden degenen die hadden gestaakt, als opruiers beschouwd, die kwamen op een 'zwarte lijst' en konden nergens meer werk krijgen. Dat was in die jaren gebruikelijk.

Toen werd door de Bond voor de slachtoffers van de sigarenmakersstaking een coöperatieve fabriek opgericht, om die mensen te werk te stellen. Daar werkte onder andere de latere voorzitter van de Sigarenmakersbond Harry Eichelsheim. Toen hebben zich nieuwe sigarenfabrikantjes gevestigd en toen was er één klein joods sigarenfabrikantje, Leuvenberg, op de Binnenkant, en daar heeft mijn vader toen gewerkt. De vader van Leuvenberg was godsdienstonderwijzer in de Rapenburgerstraat, daar werd dus 's zondags gewerkt en 's zaterdags niet. Mijn vader was later bestuurder van de Sigarenmakersbond. Het was ook zo, dat als je ziek was, dan moest je maar zien hoe je aan inkomsten kwam, want ziekenuitkering bestond toen niet. Toen heeft m'n vader een ziekenfonds opgericht. Ze betaalden dan geloof ik een kwartje per week en als ze dan ziek waren, dan konden ze wel drie of vier gulden krijgen per week. Mijn vader was vijfendertig jaar, hij ging op een dag 's ochtends naar z'n werk, en we hebben hem nooit meer gezien. Van de Utrechtsedwarsstraat moest hij naar de Binnenkant, het vroor vreselijk op 22 februari 1902, ik was dertien jaar, hij heeft een hartverlamming gekregen.

Mijn moeder bleef onverzorgd achter met negen kinderen. Het was gebruikelijk, dat als een gezin onverzorgd achterbleef, er vooral door de bestuurders van de Sigarenmakersbond een weldadigheidsvoorstelling zou worden gegeven. Dat gebeurde in gebouw 'dGeelvink', op het Singel, waar nu de Spaarbank voor de Stad Amsterdam is. Dat was toen een volksgebouw, daar werden de contributies geïnd door de verschillende bestuurders van de vakbonden. Dan werd er bijvoorbeeld een tombola aan verbonden en op die manier kwam er dan een bedragje bijeen. Want honderd gulden dat was een kapitaal, daar kon je toen een paar maanden van leven. En zo is dat bij ons ook gegaan.

GERRIT BRUGMANS   Er was in die jaren nog nachtarbeid. Mensen die overdag met een karretje fruit liepen, die waren 's nachts in de bakkerij en dan verdienden ze vier-vijftig in de week met veertig cent brood elke nacht.

Toen ben ik in de Lepelstraat terechtgekomen, bij ene Koppens, een joodse bakker, dat was ongeveer in 1903. Ik heb de grote staking van 1903 bij hem meegemaakt, de algemene spoorwegstaking, dat was een staking over de hele linie. Er is nog veel ellende van gekomen voor die mensen, al die spoorwegbeambten ontslagen. Maar toch heeft het de eerste stoot gegeven, want ná 1903 is het in ieder geval een beetje gegroeid. Ik heb echt de opkomst van het socialisme meegemaakt.

Vroeger ben ik lid geweest van de bakkersbond, nu nog trouwens. Ik heb altijd gezegd dat ik tot m'n dood toe lid zou blijven. In die dagen hebben we wel verschillende stakingen gehad, en daar heb ik me altijd mee bemoeid. Ik ben ook wel eens uitgestoten, toen ik werkte bij Snapper op de Breestraat, vroeger was dat bij Snattager, de grote banketbakker naast Joachimsthal. Daar was een staking geweest, daar was ik bij betrokken geweest en toen was er geen baas meer die me wou hebben, dat is nu zesenzestig jaar geleden. Hadden ze me op de zwarte lijst gezet. Toen heb ik een tijdje in Duitsland gewerkt, en ik ben ook nog mijnwerker geweest. Daar werkte een vriend van me, Japie Grishaver, Japie Bokkie noemden we hem, omdat z'n moeder, die met het chewre-boekje liep, voor de tweede maal trouwde met een Van der Bokke.

BERNARD VAN TIJN   De Weesperstraat was de rooie straat. Als ik me niet vergis is in 1913 Troelstra daar in eerste stemming verkozen. Er werd ook altijd gezegd: 'In district 3, dus de Weesperstraatbuurt, kun je een rooie lantarenpaal kandidaat stellen, dan wordt die ook gekozen!' Nadat het mislukt was met Oudegeest stond er een karikatuur in de Telegraaf. Oudegeest ligt tegen een lantarenpaal en er onder staat: 'Was ik maar een lantarenpaal geweest,' zei de oude en gaf de geest. Ik zie die plaat nog voor me.

JO JUDA   Mijn vader had graag musicus willen worden, maar ze wisten niet hoe ze dat moesten aanpakken, en bovendien hadden ze er geen geld voor. Hij moest een vak leren, en zo gauw mogelijk. Hij heeft ook erg veel vakken geleerd, maar niets beviel hem, tot hij uiteindelijk in de diamantslijperij terecht is gekomen.

Hij was socialist, want het socialisme had een grote vat op de joodse arbeider. Mijn vader vertelde, dat hij, toen hij een jaar of zestien was 's morgens om zes uur de fabriek in ging en er 's avonds om zes uur weer uit kwam. En dankzij de ANDB is daar in 1911 verandering in gekomen, door de achturige werkdag, dat was een enorme verbetering.

SALOMON DIAMANT   De ANDB was sterk anti-syndicalistisch, tegen het NAS (Nationaal Arbeiders Secretariaat): dat waren de anarchisten, de syndicalisten. Die vormden bijvoorbeeld ook geen weerstandskassen, zoals de ANDB deed. Je had ook een liedje in die jaren:

> *Henri Polak dat is mijn neef*
> *En als Henri Polak mijn neef niet was*
> *dan hadden we geen geld meer in de weerstandskas*

dat was gericht tegen de anarchisten, die steunden op de solidariteit van hun mede-arbeiders om hun te redden in de strijd. De anarchistische beweging is lange tijd belangrijk geweest, tot 1908 ongeveer. Toen is het minder geworden omdat de SDAP overwegend invloed had en die stond op het standpunt van het 'parlementarisme', dat je het parlement als tribune moest gebruiken in het belang van de arbeidersklasse.

ARON DE PAAUW   Het was een wereld op zich. Men sprak niet van 'ik ben bij een diamantslijperij', nee, men zei 'ik ben bij het Vak' en 'ik ben lid van de Bond', in plaats van 'ik ben lid van de ANDB'. Er was een vàk en er was een bònd.

Je kon niet op een fabriek werken zonder lid te zijn van de ANDB, want dan wilde geen diamantbewerker met je samenwerken. Men was daar bijzonder orthodox socialistisch in. Men deed niets buiten de organisatie om. Als er bijvoorbeeld een belangrijke steen (diamant) bewerkt werd en als het dan schafttijd was, dan moest die steen eerst af. En als dat een kwartier in de schafttijd zou duren, dan belde men eerst op of dat wel goed was.

KAREL POLAK   Je moest examen doen om lid van de ANDB te worden. En naast de ANDB had je ook nog een joodse diamantbewerkersbond en die heette geloof ik Betsalel. Maar daar was ik geen lid van. Mijn aanstaande schoonvader had een diep geloof in de SDAP. Hij was een bewuste Jood, maar niet godsdienstig. Er werd bij m'n schoonouders veel verteld over de opkomst van de SDAP, en ze waren daar erg actief in.

SALOMON DIAMANT   Toen ik een jaar of veertien was, werd ik lid van de ANDB omdat ik diamantbewerker was geworden. Ze zorgden dat de jongelui die geen middelbaar onderwijs hadden gehad, nog het een en ander konden leren.

In 1917 heeft de oktoberrevolutie in Rusland plaatsgevonden en dat betekende een groot keerpunt, niet alleen in de Nederlandse arbeidersbeweging, maar ook internationaal. Er was een golf van enthousiasme. Ik was toen lid van de SDAP. Men besefte dat toen voor het eerst in de wereldgeschiedenis het socialisme in een land werd gevestigd.

Toen de eerste wereldoorlog uitbrak was ik drieëntwintig jaar. En ik herinner me de verbondenheid tussen Joden en niet-Joden, dat was te danken aan de moderne arbeidersbeweging, aan het streven van de SDAP. Die had in haar program geschreven dat het een partij was die op het standpunt van de klassenstrijd stond. Dat kon van de andere bewegingen, die de bestaande orde aanvaardden als 'van God gegeven', niet worden gezegd.

Ik heb meegemaakt dat de ANDB nog op de Binnen-Amstel gevestigd was, ik heb de opening van het gebouw in de Franschelaan meegemaakt en daar staat een spreuk in tegels aangebracht: 'Proletariërs aller landen, verenigt u!' Deze leuze is de basis van de moderne socialistische beweging geweest. Die bracht mee dat men redeneerde: 'Er zijn geen Joden en Christenen, er zijn alleen uitbuiters en uitgebuitenen!'

LEEN RIMINI   Als iemand in de Jodenbuurt om een glas water vroeg, dan noemden ze hem 'Davidje Wijnkoop'. Dat heb ik gehoord van een oude sigarenmaker, die vertelde over november 1918; toen liepen de communisten onder leiding van Henriette Roland Holst en David Wijnkoop naar de Alexanderkazerne om een paar kameraden te bevrijden. En toen werd er op de demonstranten geschoten. Toen is David Wijnkoop zo zenuwachtig geworden, dat het eerste wat hij zei, was: 'Heeft u een glas water voor me?'

JAN DE RONDE   Ik woonde in de Kinkerbuurt. Ik ging in dienst in 1918. Half oktober trok Minister Ruys de Beerenbrouck de verloven in wegens het gevaar van grensoverschrijding door vreemde troepen bij het ineenstorten van het westelijk front. De ontevredenheid bij de militairen, die niet met verlof mochten, was groot.

Ik was toen bevriend met een jonge militaire arts, die ook de pest aan het militaire had. Hij vroeg mij, de was naar zijn vrouw te brengen, op de Willemsparkweg in Amsterdam. Hij gaf mij hiervoor een gulden: dat was bijna mijn traktement!

Ik ging vanaf het Centraal Station lopen in de richting van de Kinkerbuurt: Kalverstraat, Elandsgracht... en toen ik op de Elandsgracht kwam, was er een hele grote demonstratie van het revolutionair actiecomité, dat was Wijnkoop, mevrouw van Zelle-van den Berg en Kitsz van de NAS. Die hadden met z'n drieën besloten om de revolutionaire strijd in Amsterdam voort te zetten en een demonstratie te organiseren.

Ik dacht: 'Hee, daar moet ik bij zijn!' Toen begon Wijnkoop te praten: 'Kameraden! Wij eisen dat de militaire voorraden worden verdeeld onder de noodlijdende bevolking! De revolutie is al begonnen in Rusland, maar uw vijand staat in eigen land!' Dat maakte diepe indruk op mij. Ik stond erbij in uniform en ik werd door een politieagent in de kraag gegrepen met zo'n helm op met een koperen knop, en die zegt: 'Doorlopen jij!' Ik zeg: 'Heb ik met je op school gegaan?' Hij zegt: 'Er mogen geen militairen bij de demonstraties zijn!' Ik zeg: 'Dan ben jij abuis man, want ik moet weten wat ik moet verdedigen!'

Maar Wijnkoop zei ook tegen mij: 'Loop nou maar door, want ze zoeken een aanleiding om de mensen uit elkaar te slaan.'

Dus ik ging naar huis. Ze hebben geschoten op die demonstranten en toen ben ik 's avonds naar de eerste vergadering van de communistische partij gegaan. Dat was op het Waterlooplein, daar sprak Seegers en Henriette Roland Holst en ik heb me opgegeven als lid. Dat was op 7 november 1918. Ik ben een van de oudste partijgenoten!

Wijnkoop verdedigde in de SDAP het consequente marxisme tégen de stroming van het revisionisme in. Toen kwam in 1909 het Deventer Congres, waarin de splitsing een feit werd. Er werd een krant uitgegeven die *Eruit* heette, ze bedoelden dat de marxisten uit de SDAP werden gegooid. Dat congres was erg belangrijk en mensen zoals Wijnkoop, Van Ravesteijn, Gorter en Henriette Roland Holst hebben daar een grote rol gespeeld. De SDAP is dus ontstaan na dat congres in 1909, maar in 1905 was er al een stroming geweest die naar links wou.

Toen de oorlog van '14-'18 dreigde, waren er socialisten die hun mond hielden omdat ze zogenaamde 'godsvrede' in eigen huis wilden. Maar anderen, zoals Jean Jaurès, Karl Liebknecht en Rosa Luxemburg, zeiden: 'Als er oorlog uitbreekt, moeten de arbeiders de algemene werkstaking afkondigen!' Jaurès is een paar dagen voor het uitbreken van de oorlog neergeschoten.

De oorlog kwam wél, mijn vader was gedesillusioneerd, hij zei: 'De socialisten zijn zó sterk in Duitsland, in Frankrijk; we hebben zo'n macht in Nederland met de vakorganisaties! En nu lopen we allemaal over naar de bourgeoisie en het wordt een massa-slachting!' Maar toen de revolutie van 1917 in Rusland uitbrak was hij enthousiast en riep: 'Dat is het begin van het einde van het kapitalisme!'

Ik was achttien jaar en was lid van de Jeugdbond 'De Zaaier'; de zoon van Wijnkoop zat daar ook bij. Een aantal communisten kwam uit de diamantbewerkersbond, maar de meeste joodse communisten zaten onder de kleermakers. Ik was kleermaker en ik weet dat er veel joodse kleermakers, vooral thuiswerkers waren die communistisch dachten of in ieder geval links stonden. Ze zijn niet meer teruggekomen. Ze zijn vermoord bij de Februaristaking. Er waren zeven of acht joodse kleermakers die manifesten hadden verspreid. Ze kwamen uit het proletariaat en ze hadden aan den lijve gevoeld, wat kapitalisme betekende.

Het grootste deel van de Joden is als diamantbewerker onder de invloed gekomen van de SDAP. Maar de kleermakers waren thuiswerkers en er zijn talloze vooruitstrevende mensen uit voortgekomen. Ik geloof dat het komt doordat ze rustig de gelegenheid hebben om na te denken tijdens hun werk, geen machines en zo horen. Dat is een van de oorzaken dat je onder kleermakers dilettant-filosofen hebt van de eerste rang. De oude Gerhard, de eerste socialist in Nederland, dat was ook een kleermaker. Ik heb hier een paar kleermakers gekend die buitengewone redevoeringen konden houden over de filosofie van Spinoza! Gewone kleermakers, die de hele dag op de tafel zaten en met niemand in aanraking kwamen, die konden prachtig praten!

En er waren zoveel joodse kleermakers omdat het een vrij beroep is, dat je thuis kunt uitoefenen. Op bepaalde fabrieken wilden ze geen Joden hebben, maar een kleermaker kon in de confectie thuis gaan werken.

Cultuur en opvoeding

BERTHA KOSTER-BARNSTEIN   Heiman Barnstein, mijn oom, was geboren in Hoorn. Hij kwam oorspronkelijk naar Amsterdam om rabbijn te worden aan het seminarium, evenals zijn grootvader, die in Hoorn vele jaren het ambt van 'rebbe' had vervuld. Hij was een jaar aan het seminarium, maar de opleiding botste met zijn politieke en ook religieuze gevoelens.

De diamantindustrie stond in die tijd bekend als een bijzonder gunstig vak voor joodse werknemers–het was kort na de Kaapse tijd–en hij gaf zich op als leerling. Toen hij dat thuis vertelde, werd dat niet zo vriendelijk ontvangen, omdat zijn vader graag had gewild dat hij rabbijn werd. Maar hij kreeg een opleiding en oefende het vak ook uit, maar ontpopte zich al gauw als een typische verenigingsman en als zodanig kwam hij ook in aanraking met Handwerkers Vriendenkring, waar hij al snel voorzitter van werd. Handwerkers Vriendenkring was bedoeld voor de geestelijke verheffing van de arbeiders en het verenigingsgebouw was op de Nieuwe Achtergracht, in de Jodenbuurt. Het had veel joodse leden, meestal diamantbewerkers.

Mijn oom zorgde ook voor een paar uitvoeringen per jaar om ook de vrouwen wat afleiding te bieden, en dit werd bijzonder gewaardeerd. Er was ook een maandblad, *De Handwerksman*, waar altijd een aardig verhaal in stond. Mijn vader heeft ook dikwijls verhalen vertaald. Handwerkers Vriendenkring had trouwens een heel goede bibliotheek waar de leden voor een heel laag bedrag wekelijks een boek konden lenen. De bestuurders vervulden om beurten de taak om die boeken uit te reiken of weer in te nemen. In het verenigingslokaal aan de Nieuwe Achtergracht was het ook mogelijk een middag door te brengen met een of ander spel.

Het gebouw werd uitgebreid toen een paar huizen vrij kwamen aan de Roetersstraat. De zaal van het tegenwoordige Kriterion wijst er ook op dat de ingang ergens anders moet zijn geweest.

Handwerkers Vriendenkring bewoog zich op verschillende gebieden die tegenwoordig door de overheid worden beheerd, zoals het badhuis op het Jonas Daniël Meyerplein. Dat voorzag in een grote behoefte omdat in die buurt geen enkel badhuis was, dat bestond nog helemaal niet in de Jodenbuurt.

Een van de belangrijkste dingen die Handwerkers Vriendenkring tot stand heeft gebracht is de stichting van het ziekenfonds 'Ziekenzorg'. Mijn oom ergerde zich er namelijk aan dat in de AZA de doktoren zo'n dominerende rol speelden. Hij vond dat de cliënten, de mensen die van dit fonds gebruik maakten, recht hadden op een gelijkwaardige inspraak. Toen werd Ziekenzorg dus gesticht en hij is tot zijn dood voorzitter van Ziekenzorg geweest. Hij had hele knappe medebestuurders, zoals de secretaris De Casseres en de heer Kanes, een echte SDAP-er die ervoor zorgde dat Ziekenzorg zeer democratisch werd bestuurd.

Het kantoor van Ziekenzorg was gevestigd op de Keizersgracht 719 en mijn oom woonde daar op de eerste etage; dat bewijst wel hoe nauw hij er zich mee betrokken voelde.

Handwerkers Vriendenkring functioneerde heel goed temidden van de toen nog vaak falende bemoeienissen van de Gemeente ten opzichte van de minder bedeelde mens.

ARON DE PAAUW   De ANDB was niet alleen een vakvereniging die zorgde dat de lonen en de arbeidsvoorwaarden werden verbeterd, maar die ook zorgde voor het culturele peil van hun mensen. De ANDB had daarom ook een hele grote boekerij. Die was niet alleen voor mij, maar voor honderden jongens en ouderen zeer belangrijk. En die boekerij werd geregeld door mensen die daar hun hele avond aan gaven om de mensen te helpen, en alles belangeloos. Dat waren zelf ook diamantbewerkers. Men beschouwde het eigenlijk als een soort tempel, als een wetenschappelijke tempel, hoe overdreven dat misschien ook klinkt.

Maar de grote stuwkracht, dat was Henri Polak. De diamantbewerkers kregen elke week het Weekblad thuis, en elke week schreef Henri Polak daar zijn hoofdartikel in. En hij schreef dat dan in zulke eenvoudige bewoordingen, dat iedereen dat begreep. Er waren knappe bestuurders, maar die hielden zich hoofdzakelijk bezig met de loonvoorwaarden en met de secundaire arbeidsvoorwaarden, maar Henri Polak drukte voornamelijk het geestelijke stempel op de organisatie. Er is ook een weekblad voor jongeren gekomen, *Het Jonge Leven*, en daar waren ook artikelen in op het gebied van sport, van cultuur, van schaken, muziek, noem maar op. Ik las veel, en dat blad, die artikelen van Henri Polak stimuleerden me ook toen om me met politiek bezig te houden.

Hij zei altijd: 'Jullie moeten hoger, beter ontwikkeld worden.' Toen ik bij Stokvis leerde, studeerde zijn ene zoon al voor psychiater, en die andere voor advocaat. En dat zijn ze later ook geworden. En hun vader was een hele goede diamantbewerker bij Asscher.

En de zoon van Andries Rodenburg, die ook diamantslijper was, die had een zoon die hij liet studeren voor violist bij Oskar Back. En hij is toen al opgetreden in het Concertgebouw als solo-violist. Maar op den duur is hij toch maar medicijnen gaan studeren, want hij wilde naar Detroit in Amerika. En daar is hij getrouwd met een dochter van professor Snapper, en de vader van die professor Snapper was ook diamantbewerker geweest bij Asscher.

Een vriendje van me, uit de Lepelstraat, die tegenover me woonde en waar ik dagelijks mee gespeeld heb, dat was professor Groen, de psychosomaticus. Zijn vader was ook diamantbewerker.

De vader van dr. De Vries, een bekende oogarts, was diamantsnijder. Dr. Luza, op de Apollolaan, zijn vader was diamantslijper, en zo zijn er nog veel meer.

MAX EMMERIK   In het Bondsgebouw was die oude Duinkerk, die was daar bibliothecaris en hij heeft boeken apart gelegd voor mij, waarvan hij wist dat ik er in geïnteresseerd was. Ik ging iedere dinsdagavond naar de ANDB. Dan kon je boeken uitzoeken. Toen ik vijfendertig jaar was, toen was Duinkerk al in de zeventig. En hij deed dat allemaal belangeloos. Ik heb nooit een cent hoeven te betalen.

Die bibliotheek! Je stond in rijen om een boek te krijgen of aan te vragen. Als je aan Duinkerk vroeg om een boek vast te houden, dan zei hij: 'Ik zal zien of ik het kan krijgen.' En dan had hij het in nog geen uur in handen. Duizenden boeken waren daar, op elk gebied.

HARTOG GOUBITZ   Ik las over het algemeen geschiedenis, en veel over het socialisme. En goede romans, je had toen Herman Heijermans, Israël Querido, Van Campen, en andere joodse schrijvers. Querido heeft één boek geschreven dat speciaal gewijd was aan de diamantbewerkers, *Levensgang*. Hij was zelf ook diamantbewerker. En een van de eerste werken van Herman Heijermans was *Diamantstad*. In die tijd had ik er veel aan, maar ze zijn nu verouderd. Een nicht van mij kon toevallig dat boek *Diamantstad* kopen bij De Slegte, geloof ik, voor een prikkie. Dus ik heb het weer eens gelezen en het zei me niets meer. Maar in die tijd waren die boeken buitengewoon actueel, want ze beschreven de toestanden in die buurt.

LEEN RIMINI   Wist je dat er een joodse symfonie is? Dat is de vijfde van Beethoven, dat noemden ze de 'joodse symfonie'. Op donderdagavond gingen de joodse mensen naar de volksconcerten, de diamantslijpers, en naderhand sleepten ze de andere arbeiders mee, want Henri Polak wou niet alleen de diamantslijpers, maar de hele arbeidersbevolking omhoogstuwen. En dat is hem gelukt. Want je kreeg toen het Instituut voor Arbeidersontwikkeling, dat veel heeft gedaan om de culturele waarde van de arbeider omhoog te vijzelen, en dat is een succes geweest.

JOOP VOET   Mijn vader heeft me altijd verteld, dat toen hij van de lagere school kwam en hij naar de fabriek ging, hij dat eigenlijk geen leven vond. Er was een hiaat in z'n leven, hij las niet, hij schreef niet, totdat hij in aanraking kwam met de vakbond, de ANDB. En toen werd hij betrekkelijk snel gekozen om tweede secretaris te worden van een of andere commissie. Hij moest notulen maken, hij moest schrijven, en toen merkte hij dat hij bijna niet meer schrijven kon. En daar heeft hij zich toen op gegooid, en hij is een heel goed journalist, een stylist geworden. Later is hij dan bestuurder geworden van de ANDB, waar hij als jongen van zeventien, achttien jaar kwam en waar hij eigenlijk – het klinkt een beetje gek – heeft leren schrijven. De ANDB heeft de mensen mee gekregen om zichzelf te ontwikkelen. Mijn moeder heeft mij bijvoorbeeld verteld dat toen ze ging trouwen, ze twee dingen niet kon: ze kon niet verstellen, wat je moest doen als huisvrouw, en ze kon ook niet meer schrijven, dat had ze na de lagere school niet meer gedaan. Dus ze heeft een cursus gevolgd in verstellen, en ze heeft ook weer schrijflessen genomen als volwassen vrouw. De ANDB heeft de mensen daar een hele sterke impuls toe gegeven.

Dat Bondsgebouw van Berlage, dat was iets heel bijzonders, om voor een betrekkelijk kleine vakbond een dergelijk gebouw te laten ontwerpen door Berlage, die toen dé vooraanstaande architect was. Tenslotte is het maar voor de helft uitgevoerd. De diamantbewerkers hadden een eigen drukkerij, ze drukten hun weekblad zelf, alles drukten ze zelf. Later is dat samengegaan met de coöperatie, en dat werd de 'Dico', de diamantbewerkers-coöperatie-drukkerij. Ze hadden een hele grote uitleenbibliotheek. Ze hadden heel veel eigen culturele instellingen, die nu niet meer bestaan, want het bestaat nu overal.

Maar het feit dat het hun eigen bibliotheek was die gevestigd was in hun eigen Bondsgebouw, bracht de mensen er veel gemakkelijker toe om boeken te gaan halen. Wij gingen er ook elke week boeken halen. Ze hadden er jongensboeken, en voor m'n moeder haalde ik ook. Het was een rijk verzorgde boekerij. Adviseur was de later bekend geworden schrijver-criticus M. H. van Campen, zelf aanvankelijk diamantbewerker.

De ANDB hief ook een hele hoge contributie voor die tijd, zodat ze veel meer konden doen dan andere vakbonden.

JOANNES JUDA GROEN   Dat onze vaders diamantbewerkers

153

waren, betekende veel meer dan dat ze alleen maar hetzelfde beroep uitoefenden. Het betekende een bepaald cultureel milieu, ook al omdat het joodse mensen waren. In die tijd, eind negentiende begin twintigste eeuw kregen de arbeiders de gelegenheid te emanciperen, deel te krijgen aan de cultuurwereld om zich heen, en de diamantbewerkers waren de eersten die daar gebruik van maakten.

Mijn vader verdiende als arbeider vele jaren lang maar weinig, maar hij had toch boeken. En één van de boeken die hij mij misschien een beetje te vroeg in m'n handen heeft gegeven, was de *Max Havelaar* van Multatuli, want ik was nog te jong om het allemaal te begrijpen.

Maar ik zag die boeken in z'n kast staan, geschiedenis van de arbeidersbeweging, nogal veel brochures van Troelstra, en vooral het Weekblad van de diamantbewerkersbond. De ANDB gaf éénmaal per maand een cultureel bijvoegsel bij hun blad uit, en dat werd altijd geschreven door Henri Polak of zijn medewerkers. Daar stonden stukken in over maatschappij-ontwikkeling, maar ook over bloemen en planten. Een vriend van Henri Polak, Van Laren, was 'hortulanus' van de Hortus Botanicus, vlak bij het ANDB-gebouw. En die man schreef dus ook in dat blad. Ik heb er ook stukken over kunstgeschiedenis in gelezen.

Dit blad, *Het Jonge Leven*, werd bezorgd in de huizen van alle diamantbewerkers, en het werd niet alleen maar door de arbeiders gelezen, maar ook door hun gezinnen. Ik kan wel zeggen dat ik heb leren lezen al vóór ik op de lagere school kwam, doordat ik leerde spellen: *Het Volk, Dagblad voor de Arbeiderspartij*. Dat was de krant die bij ons thuis werd gelezen.

Ik herinner me, dat ik op een dag opgetogen van school thuiskwam en vertelde over de geschiedenislessen en Jan Pieterszoon Coen en z'n veroveringstochten. De zaterdagmiddag daarna ging m'n vader met mij naar het Rijksmuseum en nam me mee naar de plek waar de schatten van Bali en Lombok stonden. En terwijl ik vol bewondering en ontzag daarnaar keek, zei hij: 'Allemaal gestolen! Dat alles hoort niet van ons. En nou moet je goed bedenken: de Nederlanders hebben zich onafhankelijk gevochten van de Spanjaarden, maar nou hadden ze die vrijheid niet moeten gebruiken om direct daarna in Indië te doen, wat de Spanjaarden hier in Nederland hadden gedaan.'

Ik voelde wel dat dit nou niet bepaald iets was wat ik moest vertellen aan mijn onderwijzer op school, maar het maakte diepe indruk op mij.

Mijn vader had zichzelf ontwikkeld. Op latere leeftijd had hij zichzelf eerst trombone leren spelen, later klarinet en toen speelde hij in het orkest van de Nederlandse Diamantbewerkersbond. Die had een uitstekend harmonie-orkest onder leiding van een zekere mijnheer Heijmans, die zelf in het Concertgebouworkest speelde.

Ze gaven uitvoeringen in het Paleis voor Volksvlijt, in de zomer, in de tuin, en verder liepen ze natuurlijk mee in de mei-optochten, dat spreekt vanzelf. En ik was natuurlijk erg trots als m'n vader daar liep te spelen.

Toen ik een jaar of dertien, veertien was, zei m'n moeder tegen m'n vader: 'Neem die jongen eens mee naar de Volksconcerten.' De eerste keer ben ik dus met m'n vader naar een volksconcert geweest, maar toen ik eenmaal wist dat zoiets bestond, ging ik zelf wel in de rij staan, want het was moeilijk om er plaatsen voor te krijgen.

De ANDB heeft ook al heel vroeg een voortreffelijke uitleenbibliotheek opgezet. In de tijd dat ik jong was waren in de stad kleine bibliotheekjes, particulier van boekhandelaren, waar je tegen geld boeken kon lenen. De boekhandelaren zochten dan de boeken uit; het waren meestal goedkope romannetjes of weinig verheffende lectuur. Henri Polak alweer, heeft al heel vroeg een uitleenbibliotheek opgericht waar de diamantbewerkers gratis boeken konden lenen. En de bibliotheekcommissie en hij zorgden er voor dat dat boeken waren van hoog cultureel niveau. Daar waren dus alle grote klassieke romanschrijvers; verder ook erg veel boeken over de arbeidersbeweging, maar ook over bloemen, planten en dieren.

Die bibliotheek was niet alleen een succes voor de arbeiders zelf, maar ook voor hun gezinnen. Ja, het is een feit dat Henri

Polak altijd méér bedacht was op de vooruitgang van de arbeidersklasse hier en nu, dan op de schoonste idealen en revoluties in de onzekere toekomst. Hij onderscheidde zich van veel andere socialistische leiders door een grote mate van praktische zin en ook door opvallend weinig haatgevoelens tegen de bezittende klasse. Hij kon onverzettelijk zijn in de organisatie van stakingen, maar het was merkwaardig te zien hoe weinig persoonlijk fel deze man was. Dat heeft ook z'n hele parlementaire activiteit gekenmerkt; want al heel gauw genoot hij toen hij in de Kamer zat en ook in de gemeenteraad, algemeen respect, ook bij zijn tegenstanders. Daar maakte hij ook uitgebreid gebruik van door persoonlijk met hen te praten over z'n ideeën, hè? En diezelfde 'common sense' uitte zich ook in het feit dat hij zich nóóit tegen het Koninklijk Huis heeft gericht. Al heel jong heeft hij begrepen dat hij daarmee alleen maar sympathie zou verspelen, en dat het voor de arbeiders van heel weinig betekenis was.

Hij stond ook altijd klaar als je hem persoonlijk nodig had voor hulp, bijvoorbeeld dat hij op een ministerie moest gaan praten of zo, om wat voor de zoon van een arbeider te doen. Henri was altijd te spreken, voor ieder van de diamantbewerkers. Je ging voor alles naar Henri; Henri was de vader-figuur in het gebouw van de diamantbewerkersbond, daar in de Franschelaan.

Ik kwam daar die indrukwekkende trap op, van dat gebouw van Berlage. Daar zag je de muurschilderingen van Roland Holst, je was daar eigenlijk al direct opgenomen in die geestelijke atmosfeer van de betere mensheid, van die geweldloze betere mensheid, waar iedereen de ander begrijpen zou, en waar door overleg en naastenliefde een betere wereld tot stand zou komen. Dat socialisme van toen was toch nog enigszins beïnvloed door een achtergrond van religieuze naastenliefde, of het nou joods was of christelijk.

Ik weet zeker dat Henri Polak het als z'n plicht beschouwde als vertegenwoordiger van de arbeiders in het parlement, om op alle manieren hun belangen te behartigen. En hij zag die tweede generatie waar ik toe behoorde ook wel degelijk als de mensen waar hij trots op was, omdat die nu opgroeide en deel kon nemen aan de cultuur. Verder had hij een geweldig veelzijdige belangstelling, iets wat toch ongewoon was voor een arbeidersbeweging-figuur. Hij nam bijvoorbeeld privélessen bij diezelfde Van Laren van de Hortus, om te leren over bloemen en planten. Ik heb in m'n jeugd gezien, en later in Israël ook vaak meegemaakt, dat de Joden die uit de ghetto's van Polen kwamen, een heel nieuw leven begonnen als ze voor de eerste keer een tuin hadden.

Ik ben geboren op een derde etage, en die tuinen waren natuurlijk niks, die arbeiderswoningen hebben haast geen tuintjes. Dus ik wist niet wat bloemen waren of vogels. Zo was het ook met Henri, en die heeft het dus op latere leeftijd ingehaald. Daarom ging hij ook al vroeg in Laren wonen. Mijn vader en zijn zwager hoorde ik erover praten thuis: 'Henri is in Laren gaan wonen. Waarom is dat nou, dan moet hij iedere dag heen en weer met de trein, waarom doet hij dat?' Maar ze begrepen het later wel, want toen ging mijn vader met mijn oom ook fietstochten maken, en 'dé' fietstocht was natuurlijk naar het Gooi, daar ging een andere wereld voor hen open.

Ik herinner me ook nog wat een geweldige gebeurtenis het was voor ons, toen m'n vader voor de eerste keer een week vakantie had, dat was in 1913 als ik me niet vergis, en toen hadden ze een huisje gehuurd en daar gingen we met ons allen naar toe.

In dat opzicht had Polak eigenlijk al heel vroeg de visie dat de zuiver economisch-marxistische weg van het socialisme te eenzijdig was. Ik heb mijn vader en zijn vrienden daar vaak over horen discussiëren, dan werd Henri 'rechts in de partij' genoemd. Het was een feit dat hij vanaf de stichting van de Bond, die niet alleen heeft gezien als een organisatie voor verbetering van de arbeidsvoorwaarden, die als het moest, hard kon staken; maar vanaf het begin heeft hij het menselijk, het geestelijk welzijn gezien als het ideaal náást de materiële welvaart.

RUBEN GROEN   Ik kan me herinneren, dat Henri Polak een

kunstsubsidie in het leven heeft geroepen, waar verschillende diamantbewerkers gebruik van hebben gemaakt. Dat was zowel op muzikaal als op schildergebied. Ik herinner me een vriend van mij, Simon Furth, die was gelijk met mij leerling in het diamantbedrijf, we speelden allebei viool, en hij had les van Ferdinand Helman. Zijn vader, een sigarenmaker, was 'eigen werk'-maker. En die jongen heeft later gestudeerd van het Henri Polakfonds, als musicus. Ferdinand Helman was toen een van de concertmeesters van het Concertgebouworkest met Zimmerman, en Simon Furth heeft toen zijn plaats gevonden in het Concertgebouw, als violist. Sal Meyer heeft toen ook gestudeerd van dat Henri Polakfonds.

JO JUDA   De ANDB had ook een ethische achtergrond. Het was niet alleen dat de mensen materieel beter wilden worden, nee, we gingen naar een betere wereld. Die cultuur, die altijd alleen maar voor enkele bevoorrechten was geweest – zo zag men dat dan – die zou nu voor alle mensen worden. Het had een soort religieuze vervoering voor mijn gevoel, ook de ethiek die eruit sprak, dat iedereen een menswaardig bestaan zou leiden in de toekomst.

Bijvoorbeeld dat jeugdblad dat ze uitgaven. Ik herinner me nog, heel mooi papier, van dat gladde glimmende papier. Dat zal wel de geest van Henri Polak zijn geweest, want die nam het beste van het beste wat ze konden krijgen, voor hún arbeiders.

In de boekenkast van m'n vader herinner ik me nog boeken van Kautzky, van Marx ook wel, maar niet veel, en dan van de Nederlandse socialisten, Vliegen meen ik, *De dageraad der volksbevrijding*, ik zie het nog zó staan. Mijn vader hield verder erg van reisbeschrijvingen. En realistische romans, van Zola, in Nederlandse vertaling. Dan was er ook nog een boek van Bernard Canter, dat heette *Kalverstraat*. Ik las dat allemaal, vanaf het moment dat ik éven kon lezen.

Mijn vader nam me mee naar het Concertgebouw, hij nam me mee naar musea, en dan probeerde hij het mij op zíjn manier uit te leggen.

Het was wel een feit, dat kinderen van diamantbewerkers later voor een heel groot percentage mensen waren die iets gepresteerd hebben. Bijvoorbeeld in mijn tijd werden er drie mensen toegelaten tot het Muzieklyceum in Amsterdam, dat waren alle drie kinderen van diamantslijpers, dat was Louis Metz, Alex Baune en ik.

De eerste keer dat ik een viool zag en hoorde was op een van de zondagmiddagen dat ik met de familie moest gaan wandelen. Het begon te onweren en we vluchtten voor de bui in een café in de Amstelstraat. Er speelde een orkest daar, er stond iemand vóór met hele lange haren, dat was Long Freddy, een hele beroemde caféviolist. Toen vroeg ik aan mijn ouders of ik dat ook mocht leren, vioolspelen. Ze zeiden onmiddellijk ja, we zullen proberen een leraar te vinden. En die leraar bleek een tweede violist te zijn van het orkest dat in theater Flora speelde. Hij zat helemaal achteraan bij de tweede violen. Overdag was hij ook diamantslijper en 's avonds zat hij dus in Flora te spelen.

Ik had eerst geen eigen viool, maar na een les of zeven, acht lag er een viooltje op de tafel, dat zou mijn viooltje zijn. En toen m'n ouders me kwamen ophalen van de les, toen vroeg m'n vader aan de leraar: 'Hoeveel is het?' Heel zachtjes praatten ze, maar ik kon het horen: 'Zeven gulden vijftig,' zei de leraar. 'Dat viooltje met de kist en de stok erbij.'

En m'n vader haalde z'n portemonnee te voorschijn met dat typische gebaar van hem, en hij betaalde het. En ik had medelijden met m'n vader, omdat hij zoveel geld moest uitgeven voor dat viooltje, daar kon ik niet overheen komen. En m'n moeder zei: 'Nou, als je maar goed studeert, want dat heeft veel geld gekost.' Ja, daar was ik ook wel van overtuigd, en ik nam me ook heilig voor, om heel hard en goed te studeren, want ja, zo'n viooltje moest z'n geld opbrengen natuurlijk. Zo'n gevoel had ik op dat moment.

ARON PEEREBOOM   Ik las in de krant dat de VARA werd opgericht, de Verenigde Arbeiders Radio Omroep, en omdat ik toen nogal socialistisch was, ben ik naar Amicitia gegaan op het Waterlooplein. Er was daar iemand die mij kende, die heeft mij voorgesteld als bestuurder, en toen werd ik secretaris-penningmeester van twee hele grote afdelingen. Dat heb ik ongeveer acht jaar gedaan. Later is dat een beetje afgezakt hoor, maar toen was het echt idealisme, want dat waren allemaal functies waar je niets voor betaald kreeg.

En toen in die tijd dat er zo'n strijd was tussen de AVRO en de VARA, toen had ik iedere avond zo'n twintig, vijfentwintig werkers bij me thuis. Op dinsdagavond gingen ze altijd naar Carré als die bonte avond van de AVRO er was, en dan gingen ze de boel een beetje door elkaar gooien. Ik was daar tegen, en ik heb altijd gezegd: 'Jongens, probeer nou om niet te vechten. Ze winnen het toch.' Maar als ze bij mij thuis waren, dan gingen we huisbezoek doen en zo, en daar hadden we veel succes mee.

In het bestuur van de VARA was ik de enige Jood, maar ik heb altijd uitstekend met allen samengewerkt.

LEEN RIMINI   Ik ben eerst twee jaar bij het diamantvak geweest. Na tweeëneenhalf jaar ging je dan naar de vakschool in de Albert Cuypstraat, en dan haalde je daar je diploma. Maar toen begon de crisis.

Ik kwam dus bij De Dageraad, dat was een coöperatie van arbeiders. Dat moet nu zo'n zestig jaar geleden zijn, 1914, of zo. Ja ik ben er in 1916 gekomen, als bediende in de Jodenbreestraat. En daar kwam ik in contact met de ANDB, want die haalde boodschappen bij de coöperatie, dus als jongetje moest ik die bestellingen opnemen en ze brengen.

En op een keer kom ik bij meneer Polak. Nou verdiende ik goed bij De Dageraad, want daar kreeg ik zeven gulden per week, en bij particulieren maar een rijksdaalder. Maar ik zei tegen meneer Polak: 'Wat vindt u, zal ik deze baan opgeven en diamantslijper worden, of niet?' En hij zei: 'Als ik je een wijze raad mag geven, hou wat je hebt, want het vak komt nooit meer goed.'

Henri Polak was een van de oprichters van de coöperatie De Dageraad. Het was de bedoeling om de winst die de coöperatie maken zou, weer terug te betalen aan de leden. Het idee kwam uit Engeland. Wij voerden de regenboogvlag, maar wij waren rood! Het oorspronkelijke plan was: één voor allen, allen voor één.

Ik ben echt achter de toonbank gaan staan met het idee: dat is het! Dat was een ideaal. En toen ben ik in aanraking gekomen met de arbeidersbeweging via De Dageraad en de ANDB. We hoorden tot de eerste honderd leden van de VARA, vijftig jaar geleden. Ik was de eerste in de buurt die een 'kristalletje' had, zo'n klein toestelletje. Die antenne was pakweg dertig meter lang. En dan hoorde je 's avonds een viool. Dát was een belevenis!

Toen we begonnen met de VARA, toen hadden we niet eens geld om acht uur zendtijd te betalen, we hadden niet eens een studio. De studio was boven Cinema Royal in Amsterdam. Daar was onze eerste uitzending, en dan hoorde je in je kamer, als je een radio had – er waren niet veel mensen die dat hadden –, dan speelde een stukje muziek, en dan hoorde je op de achtergrond roepen: 'Sinaasappelen mooie waar!' Want dan liepen de kooplui op zondagmorgen met sinaasappelen te venten in die steeg. Dus dat hoorde je dan ook.

Ik weet nog goed, de mensen bij De Dageraad waren de eersten die vakantietoeslag kregen, voor twee dagen vakantie. En toen heb ik een rijksdaalder gebracht naar Swertbroek, die later fout was in de oorlog. Ik zei: 'Hier hebt u een rijksdaalder voor de zendtijd.'

JOOP VOET   Het ideaal dat de moderne arbeidersbeweging zich in die tijd stelde, leek gerealiseerd te worden in de tweede generatie. Daarbij kwam, dat vrijwel onmiddellijk na de eerste wereldoorlog, de jeugdbeweging, de AJC, de Arbeiders Jeugd Centrale, een belangrijk element ging vormen, althans voor mij persoonlijk. Ik heb daar veel tijd aan besteed. M'n moeder zei altijd: 'Joop, m'n commensaal.' Ik ging naar school, maar al m'n vrije tijd werd besteed aan de AJC, nadat ik m'n schoolwerk zo snel mogelijk had afgeraffeld.

Het leuke was de kameraadschappelijke omgang, het idealistische streven, en misschien ook wel dat ik er een rol in kon spelen, omdat ik beschikte over een hoeveelheid parate kennis en opvoeding. Zodat ik penningmeester kon zijn en wijkhoofd, en contributie mocht ophalen. Dat deed ik dan in de Transvaalbuurt met zeer veel ijver, en ik was daar als contributie-ophaler nogal bekend. Want als ik met m'n vinger op de bel drukte, en ze dan van boven schreeuwden: 'Wie is daar?' en ik antwoordde: 'A...' dan riepen ze zelf: '...JC'.

Pas veel later is mij duidelijk geworden, dat een belangrijk cultureel element van de Amsterdamse AJC wel degelijk joods beïnvloed was. Er was natuurlijk ook een groot aantal joodse AJC-ers in Amsterdam.

De AJC was ingedeeld in groepen die correspondeerden met wijken. In het begin heette dat groep één, groep twee enz., maar later heeft men de namen van de buurten: Apollobuurt, Oosterparkbuurt, Transvaalbuurt. En speciaal in de wijken waar veel Joden woonden, was dan ook een overheersend aantal AJC-ers joods. In het kader van de sterke assimilatie van de arbeidersbeweging was dat niets bijzonders, men ging volkomen gelijkwaardig en kameraadschappelijk met elkaar om, en er zijn dan ook veel gemengde huwelijken gesloten.

De joodse AJC-ers hadden een groot aandeel in het culturele leven, speciaal in de muziek, op het toneel, voordrachtskunst en literatuur, waaraan in de jeugdbeweging veel werd gedaan. De mensen die op de Pinksterfeesten voordroegen, dat was een heel hoog percentage Joden. Dat was de AJC zich vermoedelijk niet bewust, net zo min men zich in die tijd in het vermaaksleven in Holland bewust was dat van de chansonniers er heel wat Joden waren, véél en véél meer dan het percentage Joden van de bevolking.

Maar dat heeft die Amsterdamse AJC iets van de joodse levendigheid gegeven, de joodse atmosfeer, een behoefte om meer extravert te leven.

SIMON GOSSELAAR   Ik heb om zo te zeggen mijn opvoeding in de AJC gehad. Ik was in de AJC van m'n veertiende tot m'n eenentwintigste jaar lid, toen zakte de AJC een beetje af.

In de Transvaalbuurt, waar ik woonde, waren er veel jongens en meisjes uit bepaalde gezinnen lid van de AJC. Er zat geen socialistische grondgedachte bij ons, het was leuk, een jeugdbeweging. En we gingen 's zondags wandeltochten maken en dan zongen ze van die jeugdliederen. Eens in de maand kwamen alle groepen van Amsterdam bij elkaar in één zaal, daar waar nu Kriterion is, in de Roetersstraat, dat was toen van Handwerkers Vriendenkring. Dat gebeurde in de winter, en iedere groep vulde dan om de beurt zo'n middag, bijvoorbeeld die groep Transvaal, waar ik lid van was. Dat was erg leuk.

Socialisme en religie

JOANNES JUDA GROEN   Mijn vader is geboren in 1875, dus hij was negentien jaar toen de SDAP en de ANDB opgericht werden, in 1894. Kort voor die tijd was hij tot het inzicht gekomen van de geweldige misdeeldheid van de arbeiders en het maakte hem enorm verbitterd dat de joodse rabbijnen niets, maar dan ook niets deden om de joodse werkgevers tot wat meer medeleven met hun joodse arbeiders te brengen.

Er bestond een uiterst neerbuigende filantropie in die tijd. Het pannetje soep dat Kniertje van de reder kreeg in *Op hoop van zegen*, dat kregen zij, de arbeiders dus, van de rijke Joden. Het was niet iets om je daardoor solidair te voelen. Mijn vader zei: 'Er staat in de Bijbel dat je het loon van de arbeider niet mag laten overstaan gedurende de nacht.' Dat betekent dat je een dagloner aan het eind van de dag moet uitbetalen, want hij is zó arm, dat hij niet kan wachten tot de volgende dag. Hij moet dat loon meebrengen om z'n vrouw en kinderen te eten te geven.

En het is zelfs m'n vader wel gebeurd, als jongeman, dat hij op vrijdagmiddag met de vuist op tafel moest slaan bij zijn werkgever, om z'n loon uitbetaald te krijgen.

Toen hij ongeveer achttien jaar oud was, heeft hij zich bewust losgemaakt van de synagoge. Na die tijd heeft hij er letterlijk nooit meer één stap gezet. Hij had heel goed Hebreeuws leren lezen, wist nog precies hoe de gebeden gingen. Maar sinds hij ermee gebroken had, werd hij een spotter met alle geloof, en de lectuur van Multatuli heeft dat nog versterkt. Hij gaf niets meer om joodse feestdagen, gebruiken, en zo. Integendeel, hij stond er heftig afwijzend tegenover.

Mijn moeder kwam uit een middenstandsmilieu, haar vader was geen diamantbewerker (zoals de vader van mijn vader), maar hij had een winkel, een kruidenierswinkel. Bovendien kwam mijn moeder uit een heel goed burgerlijk liefdevol gezin. Dus voor háár waren het joodse geloof en de gebruiken verweven met hartelijkheid, een grote familieband, patriarchale bezorgdheid, een vader die zich veel met z'n kinderen bemoeide. En toen mijn vader en mijn moeder trouwden, was er al dadelijk een conflict in dat opzicht tussen hen. Mijn moeder heeft zich er min of meer aan onderworpen dat mijn vader 's zaterdags niet naar de synagoge ging en dat er oneerbiedig over de kerk werd gesproken en zo. En ze heeft ook nooit moeite gehad om hem te steunen bij stakingen en zo, en dat hij altijd naar vergaderingen ging en wat daarbij hoorde. Maar toch, op vrijdagavond werd er iets bijzonders gegeten, ze zorgde ervoor dat er kip was als het enigszins kon. En het was arm thuis, dus vaak aten we door de week geen vlees. Dat was er dan op vrijdagavond wel, of iets anders dat bijzonder was, zoals abrikozencompôte, heel eenvoudige dingen. Maar het werd altijd met een zekere vreugde voorgezet en gegeten, en daar was mijn vader toch ook wel gevoelig voor. Dat was dan toch een eigenaardige situatie, want mijn vader ontmoette enerzijds zijn vrienden of zwagers, die ook in het diamantvak waren, en dan voerden ze diepzinnige gesprekken over de inhoud van *Het Volk*, dagblad van de arbeiderspartij, of over wat Henri Polak in Het *Weekblad* van de diamantbewerkers had geschreven... maar in hun gezinnen leefden ze verder als Joden, door de sterke familieband, zelfs toen ze zich los hadden gemaakt van de synagoge.

Toen in de jaren 1890, 1900 de toestand van de arbeidersklasse materieel bijzonder slecht was, was de zuigelingensterfte in de joodse achterbuurten net zo laag als in de beste buurten van Amsterdam. Dat kwam door de grote zorg die deze Joden aan hun kinderen besteedden, die sterke familieband.

HARTOG GOUBITZ   Ik kwam uit een socialistisch gezin. Toen m'n vader genoodzaakt was op sjabbes te werken, en hij dus met de godsdienst moest breken, toen was hij in de buurt, in de Valkenburgerstraat, 'de sociaal'. En als hij op sjabbes naar z'n werk ging of er vandaan kwam, dan kwamen ze hem wel stenigen, dan stonden ze hem met stenen op te wachten. Zó waren die toestanden.

Hij moest op sjabbes werken omdat hij anders geen werk kon krijgen. Bij een joodse fabriek was geen plaats. En dat was ook vooral de reden waarom hij uit die buurt wegging, hè. Hij kon daar geen goed meer doen. Hij was chazan geweest in een sjoeltje op Marken; hij was vroom van huis uit. Toen hij genoodzaakt was om met de godsdienst te breken, toen is hij gaan organiseren. Hij werd lid van de Sigarenmakersbond, hij was toen voorman, had dus een bestuursfunctie.

Ook onder de diamantbewerkers waren er heel weinig Joden die godsdienstig waren. Ze hadden ervaren door hun organisatie dat je alleen door vak-actie je positie kon verbeteren. En naarmate de mensen wegtrokken uit die specifiek joodse buurt, daar om de Jodenbreestraat heen, Uilenburg, Vlooienburg, en Marken, werd door velen ook gebroken met de godsdienst.

BAREND LUZA   Een jaar lang ben ik erg godsdienstig geweest, dat was op mijn dertiende, veertiende jaar, een gevolg van het godsdienstonderwijs dat ik kreeg. Mijn vader, die helemaal niet godsdienstig was, en dus op zaterdag rookte en veel las, heeft in dat jaar geen sigaar op sjabbes opgestoken, en het licht ging niet aan vóór de sjabbes geëindigd was, en hij dus weer kon lezen. Toen ik in de Neie Sjoel zat, kreeg ik een plaats als gelovige Jood. Ik deed daar mijn gebed ook, enfin, zoals een vrome Jood behoorde te doen. Ik was onder invloed geraakt van sommige figuren op de joodse school, vooral door De Hond en ook door Van Creveld, de vader van de latere professor Van Creveld. Daar heb ik in het laatste jaar, dat was een voorrecht, ook Rasji geleerd. Rasji had een bepaald schrift, en ik heb dat schrift ook kunnen lezen. Ik kan dat nu helemaal niet meer, ik kan het wel een beetje ontcijferen, maar ik weet er niets meer van.

Maar op een dag ben ik naar m'n vader gegaan en toen heb ik gezegd: 'Ik ben toch zover gekomen dat ik hier niet meer mee door kan gaan, ik zie het geloof niet meer zo.' Toen zei hij: 'Nou jongen, dan zal ik op sjabbes m'n sigaar maar weer aansteken.' En toen ik daarna met m'n vader meeging naar vergaderingen en Troelstra en Mendels hoorde spreken, toen ben ik er helemaal vanaf gekomen. Een vergadering van Troelstra in Krasnapolsky, dat was een belevenis, hè, en op 1 mei lopen achter de rode vlag, dat was een ritueel! Ik was een gelovige socialist geworden.

ALEXANDER VAN WEEZEL   Mijn vader was lid van de joodse vereniging van diamantbewerkers, van Betsalel. En het was weer de zoveelste crisis, dat m'n vader werkloos was. En toen kon hij werk krijgen bij een christenbaas en dan moest hij op zaterdag werken. Hij stond voor de keus: werkloos en zonder eten, of 'fout gaan' en wel werken, en dat heeft hij toen besloten. Op zaterdag heeft hij gewoon z'n sjabbespak aangetrokken, en hij heeft in plaats van z'n talles een boezeroentje meegenomen in de talleszak, zogenaamd dat hij naar sjoel ging, en hij ging stiekem naar z'n werk, omdat 't zo'n sof was. Zodoende is het bij ons helemaal verwaterd, dat Jood-zijn, de orthodoxie.

Ik weet nog waar we naar sjoel gingen, in de Commelinstraat, bij de Platanenstraat. Dan werd de talles meegenomen, en op Grote Verzoendag dan moesten we vasten. Ik was dertien jaar en ik moest ook vasten. En m'n vader en z'n broer die zaten naast elkaar vooraan, ik zie het nog zó voor me, en de talles werd in die zak gedaan, en die werd onder de bank gedaan – je kon die banken opslaan. En dan gingen m'n vader en z'n broer er tussenuit, en dan gingen ze bij de Kroon op het Rembrandtplein zitten eten, ja, eerlijk. En als kinderen hadden we dat dóór, en zo zijn wij er ook uitgegaan.

Op een gegeven moment was het weer Grote Verzoendag, en er moest weer gevast worden. Mijn moeder was een zéér verstandige vrouw, en die zei: 'Er is geen God ter wereld die gezegd heeft dat we nu nog moeten boeten voor iets dat zoveel duizend jaar geleden is gebeurd. We hebben tóen gevast, maar zolang er nú eten is, zullen we eten. Als er geen eten is, dan is het erg genoeg.'

En zo hebben wij het geloof laten varen. De mensen werden zoet gehouden met het geloof, of het nu Joden of Christenen waren, en door de bewustwording, waar Henri Polak het meest toe heeft bijgedragen, daardoor zijn de mensen anders gaan denken en leven.

Mijn grootvader was ook in het diamantvak. Het was een 'gesloten' vak, en daardoor kon m'n vader het ook worden, dacht ik. Ik weet dat m'n vader niet meer thuis mocht komen omdat hij rood geworden was.

Mijn vader was leerling aan het rabbijnenseminarie, maar al na de eerste klas zei hij dat hij niet meer verder wilde. Hij vond het te ouderwets; hij was tot andere overtuigingen gekomen, werd lid van de SDAP, waardoor hij niet meer thuis mocht komen. Later hebben mijn grootouders beslist óók SDAP gestemd, maar toén was dat een verschrikkelijke zaak.

ALI SUURHOFF-VOORZANGER Mijn vader was een diamantbewerker en een atheïst van hier tot ginder. Hij wou het woord 'kerk' thuis niet horen. Anderzijds mochten wij ook niet 'God' zeggen, daar deed je andere mensen pijn mee. Dat vond, en vind ik nog steeds groots!

Mijn ouders vonden dat 'geloof', dat wil zeggen elk geloof, een zekere verstarring teweeg bracht. Het socialisme was hun 'geloof', en het onze eigenlijk ook; onze kinderen zijn er ook door geïnfecteerd. Mijn man was twee jaar ouder dan ik, geboren in 1905. Bij het vijfentwintig jarig bestaan van de ANDB heeft mijn schoonvader, die van beroep schilder was, zijn zoon meegenomen: hij vond dat hij dat wel moest zien! En toen vroeg dat jongetje: 'Wie is die man die ze zo toejuichen?', en toen zei mijn schoonvader: 'Dat is Henri Polak, die man heeft zulk prachtig werk gedaan!'

Mijn grootouders waren niet religieus. Ja, misschien hielden zij wel de vrijdagavond vast, dan aten we wel eens bij ze. Mijn ouders zijn onder druk van de familie-vooral van mijn vaders kant-in de sjoel getrouwd, want zelf wilden ze dat niet. En mijn moeder heeft mij verteld dat dat een drama is geweest; namelijk voor hun beider gevoelens! Maar ze hadden de steun van alle broers van mijn moeder (ze kwam uit een gezin van tien kinderen). Ze hebben gezegd: 'We trouwen in Zaandam, dat is goedkoop.' Bovendien had rabbijn De Haan een dochter, Carry van Bruggen, die zich van het geloof afgekeerd had. Mijn vader heeft twee van zijn zwagers naar De Haan toegestuurd en gezegd dat hij ze mocht trouwen als hij hun maar niet vertelde hoe ze hun leven moesten inrichten als Jood, want dan zou hij de sjoel uitlopen. De Haan heeft dat geaccepteerd, die zwagers hebben hem kennelijk zo overtuigd, dat hij dat heeft gedaan.

Mijn ouders vonden dat ze een concessie hadden gedaan door in de sjoel te trouwen en daarmee was de kous af; ze hebben zich ook laten uitschrijven bij de joodse gemeente.

Mijn grootouders woonden op de Groenburgwal, mijn ouders zijn gaan wonen in de Van Ostadestraat. Ze waren bewuste Joden, maar ze wensten niet op één hoop gegooid te worden met alle andere Joden. Niet omdat zij daarop neerkeken, maar veeleer omdat zij zich 'mensen' voelden, die met een ieder konden omgaan. Wat men nu 'wereldburgers' zou noemen.

Toen mijn broertje als eerste kind geboren werd, kwam mijn grootvader en vroeg: 'Hoe zal het kind heten?' 'Als u het goed vindt, naar u!' Hij heette Mozes. 'En wordt het kind besneden?' 'Nee!' En mijn grootvader stond op de drempel en zei: 'Geen onbesneden Jood zal met de naam Mozes Voorzanger door het leven gaan! En als ik ooit moet bedelen loop ik jullie deur voorbij!' Ik ben in 1907 geboren en mijn broertje in 1906. Waar kwam zoiets voor?? Zelfs in klokvrije gezinnen werden de zoons besneden! Ik vergeet het nooit omdat mijn moeder het ons zo vaak heeft verteld. Toen hebben ze elkaar acht jaar niet meer gezien, want mijn ouders zijn toen naar Antwerpen gegaan.

Toen we in 1914 terugkwamen uit Antwerpen, was er in Nederland al een grote werkloosheid. Wij moesten toen gaan naar het vluchtelingencomité dat ons opving in een school. Ik was toen zeven jaar en mijn zusje drie jaar jonger. Mijn moeder dacht: 'Kom, ik ga maar eens op de Groenburgwal kijken!' Dat was 's morgens om zes uur. Mijn grootmoeder zei toen: 'Ik dacht al: waar blijven jullie?' 'Ja, in de school!' 'Schande, haal ze! De pan soep staat al op!' Dat was de verzoening. En mijn grootmoeder was zéér bijdehand, want toen mijn moeder ons opgehaald had was meteen alles geregeld. En er is nooit meer gesproken over de onbesneden jongen.

JACOB SOETENDORP   Een half jaar na mijn bar-mitzwah was ik ruim een jaar op het seminarie, en toen stierf mijn vader. We kregen te maken met schrijnende armoede. Toen begon ik ook langzamerhand van De Hond los te raken. Je begreep dat de situatie té ernstig was om alleen maar met predikaties te worden genezen. Ik heb een tijd meegemaakt dat we inderdaad helemaal niet te eten hadden, en dan ga je je natuurlijk wel afvragen: Kan dat, kan zoiets getolereerd worden? Dat de één zoveel heeft, en de ander zo weinig? Dat is dan de tijd waarin je méér de profeten gaat lezen, en feller wordt. En ik ben dan ook op het seminarie wel fel geworden in de richting van het socialisme. Dat deed je dan door middel van eenvoudige demonstraties, zoals: met een gebroken geweertje lopen of een blok van de AJC op de tafel van de leraar leggen, die dan ineens denkt dat morgen de revolutie losbreekt en, daar begint het al! Daarmee probeer je dan naar voren te brengen dat het Jodendom toch iets anders leert dan wat er in de praktijk gebeurt. In je eigen familie had je jongens die in de AJC waren, en je ging wel eens naar bijeenkomsten toe. Ik ben wel eens bij een Pinksterbijeenkomst geweest, en ik heb wel eens in een 1 mei-optocht meegelopen. Dan begin je langzamerhand in te zien dat je een gelovig Jood kunt zijn en dáár ook bij horen, en dat niet iedereen, die bij een socialistische beweging is, automatisch vrijdenker hoort te zijn.
Die mensen zeiden: 'Dat wat wij van het Jodendom geleerd hebben, dat was alleen om ons stil te houden, en in het socialisme zie je de verwezenlijking van wat vroeger het Jodendom was.' Het was dus niet meer nodig om erbij te zijn. Dat wil niet zeggen dat ze uit de joodse gemeente zouden treden, god bewaar.
In mijn omgeving waren alle mensen ervan overtuigd dat de kinderen deden bar-mitzwah, ze gingen naar de joodse school, openbare school én joodse school. Want ze vonden toch: wat je geleerd hebt is nooit weg, en je kan nooit weten, het is toch niet nodig om van te voren al voor te stellen alsof je niet leren wilt?

Nee, integendeel, als je er tegen wilt zijn, dan moet je het helemaal geleerd hebben. Dat is een typisch joodse redenering.

De mensen rondom Henri Polak, en m'n ooms behoorden tot zijn adepten, die lieten zich er altijd op voorstaan, dat ze zoveel ervan geleerd hadden, dat ze de afdelingen uit de Thora, die wekelijks worden voorgelezen, dat ze daar de namen van op een rijtje uit hun hoofd konden opzeggen, en dat ze alles wisten van de bijbelse geschiedenis. Ze prijkten met hun joodse kennis, die joodse socialisten. Je hoeft niet te denken dat ze uit stommiteit tot het socialisme waren gekomen, o nee.

Ik herinner me dat ik heel klein was en ik was op vrijdagavond op Marken, bij vrienden thuis, en op een gegeven ogenblik stonden de karren omgekeerd, en de mensen waren joodse liederen aan het zingen. Die joodse liederen werden afgewisseld met socialistische strijdliederen. Enerzijds werd er altijd gezongen: psalm 126, dat is de inleidende psalm tot het dankgebed, Sjir Hamaälot; en anderzijds, liederen van het strijdende socialisme.

ELIZABETH STODEL-VAN DE KAR   Toen ik mijn man leerde kennen, was ik orthodox, en we hadden een kosjere huishouding. Maar mijn man droeg in die tijd een loden jas, dat was een 'sociaal-democratische' jas. Zoals ze tegenwoordig met lange haren lopen of zo.

Ik 'liep' toen met mijn man, hij kwam nog niet bij ons over huis, en toen was er een oom, die zei tegen m'n vader: 'Je dochter loopt met een AJC-er.' Hij was niet bij de AJC, maar voor hun was het een AJC-er, met zo'n loden jas. Maar goed, het was toch een joodse jongen.

Maar die vermenging van zijn joodse ondergrond, zijn socialistische inslag, en de dingen die hij in onze familie opstak, dat heeft hem gemaakt tot wat hij nu is. We hadden hele diepgaande gesprekken 's avonds als we langs de grachten wandelden. En op m'n twintigste verjaardag heb ik als eerste cadeau van m'n man gekregen – hij kwam bepakt en bezakt naar boven, er was een feestje, ik zie het nog zo – vier boeken met een dik touw erom heen, de mémoires van Troelstra.

171

Liberalen en
Vrijzinnig Democraten

SIMON GOSSELAAR   De rijke liberale Joden stonden zeer afwijzend tegenover de socialistische ideeën die door het overgrote deel van het Amsterdamse joodse proletariaat werden aangehangen. Er bestond, en er bestaat nu nog, maar het is nu een heel ander blad, een *Nieuw-Israëlitisch Weekblad*, dat was een blad van de orthodoxen, want liberalen bestonden toen niet, zoals nu de liberaal-joodse gemeente van Soetendorp.

Het was voor een groot deel een advertentie-blad, en de burgerlijke stand kwam er uitvoerig in aan bod, geboorte en overlijden en zo, dat vond men interessant, want iedereen kende elkaar. Maar er was wel degelijk ook een politieke kant aan die krant, en die was anti-socialistisch.

Mijn moeder was er op geabonneerd. Heel gek, al die joodse mensen, die dat blad alleen maar lazen voor de 'misjpochologie'. Ja, zo bleef je op de hoogte. Maar tijdens de verkiezingen kwam het blaadje echt als een lelijk blaadje naar voren. Dan werd er een beroep gedaan op de joodse gevoelens. Je had toen ook een liberale partij, die heette de 'Vrijheidsbond'. De lijstaanvoerder was Boissevain, een van de voormalige hugenoten of refugiés uit Frankrijk, die had je toen veel. En de tweede man was Dr. Vos, een bekende arts in Amsterdam. En deze laatste werd vooral gepousseerd in de Jodenbuurt, en vooral werden de proletarische Joden er op gewezen, die het grootste deel van het abonnementsbestand uitmaakten, hoewel het een conservatief, orthodox blaadje was, waar ze geen binding mee hadden. En volgens het blaadje moesten zij dan dr. Vos stemmen, een Jood. Dat was politiek natuurlijk wel een beetje onfris. Daar werd ook flink verzet tegen geboden door het joodse element in de socialistische beweging.

De liberalen belegden de laatste verkiezingsvergadering op maandagavond in de Jodenbuurt, in de Diamantbeurs, die er nu nog staat. De woensdag erná zouden de verkiezingen zijn, want ook nu nog zijn de verkiezingen altijd op woensdag. De voorzitter, Asscher-de beroemde diamantman, de man van de Joodse Raad-, een bekende liberaal, zat ook voor de Vrijheidsbond in de Provinciale Staten, en hij zou spreken, en ook Boissevain en Vos. Nu zou die vergadering eerst ergens anders worden gehouden, namelijk in gebouw Concordia, dat stond tegenover de Diamantbeurs aan het Weesperplein. Het was waarschijnlijk gebouwd door dezelfde architect als die van de Diamantbeurs, want het had dezelfde vorm, alleen veel kleiner. Daar zouden de liberalen dus oorspronkelijk vergaderen.

Maar de socialistische Joden waren er ook bij gekomen van de SDAP, met onder andere Sam de Wolff, en die moest en die zou debatteren, want het werd niet genomen dat er op zo'n vulgaire manier gebruik werd gemaakt van het joods sentiment, om toch vooral liberaal te stemmen. Dus de toeloop voor die vergadering was zó groot, dat er geen sprake van was dat de vergadering in Concordia kon plaatsvinden. Toen trok men naar de grote zaal aan de overkant.

Er was een enorme geladenheid en emoties tussen de liberalen en de socialistische Joden, vooral van de kant van de laatsten. En dan die hele troep die het Weesperplein overstak... Er werd geen gelegenheid tot debat gegeven. Dat werd niet geaccepteerd, en dat werd een ruzie en een herrie die hoog opliep. Het was in 1929, denk ik, mijn vrouw was erbij als jong meisje.

Op een gegeven moment kwam er plotseling bereden politie de zaal in: heel gek, als je weet dat die zaal op de eerste verdieping was; je moest er een marmeren trap voor opgaan. Er was zeker bericht gekomen op een of ander bureau, dat er een politieke ruzie aan de gang was, en die paarden kwamen van weerskanten de zaal in. Mijn vrouw was erg bang, maar ik zei: 'Maak je niet druk, het zijn allemaal Joden die hier zijn. Die vechten alleen met hun mond, er gebeurt niets.' En dat was ook zo. Tenslotte werd er toch gelegenheid gegeven tot debat, en dat was dus Sam de Wolff, en die was het wel toevertrouwd.

Sam de Wolff maakte toen een grapje, een vergelijking die ik heel geestig vond. Hij sprak altijd zeer emotioneel, en langzaam.

Hij zei: 'Vergadering, dat doet me denken aan die koopman met ramenas–dat was vroeger een geliefkoosd eten bij de Joden, dat doopte je in het zout, op vrijdagavond–en vóór de Blauwbrug riep die koopman 'sjeine retisj' (mooie ramenas) want dan was hij nog in de Jodenbuurt, en over de Blauwbrug was het 'mooie ramenas'. Dat was natuurlijk een vergelijking met de manier hoe Dr. Vos werd gelanceerd, en die zaal bulderde.

LEEN RIMINI   Je had dus de Vrijheidsbond met Boissevain aan het hoofd. De Joden mochten niet komen in de Grote Club in de Kalverstraat, op de hoek van de Dam. En wat deden ze in de verkiezingstijd? Dr. Vos was de tweede kandidaat, die werd in de Jodenbuurt naar voren geschoven en Boissevain op de achtergrond, vanwege het antisemitisme van de Grote Club!

MAX EMMERIK   Later is Boissevain trouwens berucht geworden. De socialisten dienden een voorstel in om douche-ruimten voor de mensen te verzorgen, want dat bestond niet in de arbeidersbuurten. En toen heeft Boissevain gezegd: 'Dan moeten ze zich maar in een tobbe wassen!'

ALEXANDRE JOSEPH GOUDSMIT   We gingen naar vergaderingen van liberalen, om onze monden open te doen. Dan had je professor De Vries, dat was een econoom, en ook een liberaal. Het was in Bellevue. Die zei dat de liberalen zoveel gedaan hadden voor de arbeiders. En Walraven Boissevain die was toen lijsttrekker. En Monne de Miranda, dat was de man van de badhuizen, hè. En Boissevain zei : 'Nee, dat hoeft niet, de arbeiders kunnen zich wel in een kommetje wassen, dat hebben ze altijd gedaan.' En toen De Vries daar in Bellevue met die badhuizen voor de dag kwam, toen schreeuwde ik door de zaal: 'U bent het kommetje vergeten van Walraven Boissevain,' en iedereen wist waar ik het over had.

Dat was trouwens een énige verkiezingstijd, met debatten op straat. Op de schutting om het afgebrande Paleis van Volksvlijt werden allemaal leuzen geschilderd zoals over dr. Vos: 'Als de vos de passie preekt...' Er waren erg veel werklozen, die gingen 's morgens stempelen in de stempellokalen, en dan stonden ze te debatteren op straat.

BERTHA KOSTER-BARNSTEIN   Mijn oom, Heiman Barnstein, was een overtuigd vrijzinnig-democraat en ook lid van de partij. Toch waren we verbaasd toen we hoorden dat hem gevraagd was of hij zich kandidaat wilde stellen in het Amsterdamse kiesdistrict 4, waar een nieuw lid voor de Provinciale Staten moest worden gekozen. Die functie werd tot dan bekleed door de liberaal Boissevain.

Mijn oom heeft zich verkiesbaar gesteld omdat men zei: 'Als iemand kans heeft om in déze buurt Boissevain te verslaan, dan bent u het, omdat Handwerkers Vriendenkring zo'n belangrijke functie heeft voor veel mensen uit deze buurt.' Er was daar het badhuis, het verenigingsgebouw, de bibliotheek en het feit dat er vaak een bijdrage werd gegeven om kinderen van armlastige leden te kunnen laten studeren.

Wij waren natuurlijk aanwezig bij het eind van de verkiezingsdag. De stembureaus sloten om vier uur en we waren in gebouw Golconda op de Nieuwe Herengracht. We zaten daar te wachten en steeds kwam er weer binnen hoeveel stemmen er waren geteld. Tegen vijf uur schreeuwt een juffrouw dat er een bepaald iemand met een vlaggetje op zijn fiets aankwam. Toen bleek dat mijn oom inderdaad met een redelijke meerderheid als vertegenwoordiger van de vrijzinnig democratische partij was gekozen in een buurt die altijd door liberalen was bezet geweest. Dat moet zijn geweest in 1910.

Nieuwe buurten

HARTOG GOUBITZ   Wij gingen in de Vrolikstraat wonen in 1904. Dat was toen een betrekkelijk nieuwe straat in Oost. Als je in de trein zit van Amsterdam naar Utrecht, dan rij je vanaf het Centraal Station door de Rietlanden, dan door de Muiderpoortbuurt, de Indische buurt, en dan kom je tenslotte in een bocht langs de huizen van de Vrolikstraat. Nu is dat opgehoogd, maar vroeger was dat gelijkstraats.

Dat was een joodse buurt, omdat er veel Joden heentrokken, vooral veel diamantbewerkers. Want die huizen waren toen nieuw en je kon in die tijd voor drie à vier gulden een prachtige woning krijgen.

Het was voor ons een enorme vooruitgang, en als jongetje vond ik het ook leuk om uit de benauwdheid van de wijk te raken. In de Valkenburgerstraat woonden we met z'n elven op één kamer, dus het was een geweldige vooruitgang, als je een aparte slaapkamer had.

LIESBETH VAN WEEZEL   In 1911, toen ik tweeëneenhalf jaar oud was, zijn we verhuisd naar het Pretoriusplein, waarvan toen nog maar twee of drie kanten bestonden. De overkant werd gebouwd in de jaren '14–'18. Daar staat nog een gevelsteen in met twee kanonnen, dus van de eerste wereldoorlog. Maar toen wij er kwamen wonen was er dus aan de overkant een bijzonder groot zandland waar je heerlijk kon spelen, op de palen.

In Amsterdam-Oost, dus in de Transvaalbuurt en in een stukje Watergraafsmeer, daar woonden vroeger ook nogal veel intellectuelen, socialisten, en mensen die in de zionistische beweging een rol hebben gespeeld, zoals A. B. Kleerekoper en Sam de Wolff.

Er werd heel veel gesproken over de politiek van de partij, de SDAP, zó sterk dat ik sprak, als meisje van acht, over ónze partij, tot grote hilariteit van mijn ouders. Er lagen overal zegelboekjes. Daar begon ik in te plakken en dan schreef ik: dit is onze partij.

Toen wij er kwamen wonen waren er nog maar weinig Joden, en onze huisbaas had de tactiek om de weinige Joden die zich meldden voor een woning, samen op één trap te plaatsen. Dus éénhoog kwam de familie Doozeman, tweehoog wij en driehoog David Wijnkoop. Later, toen Uilenburg en Marken werden gesaneerd en afgebroken, zijn er grote woningblokken bijgebouwd door Handwerkers Vriendenkring. Daardoor werd het joodse volksleven verplaatst naar onze buurt. Dat speelde zich af achter de 'gouden rand' die het Pretoriusplein toen werd. In de Retiefstraat en de zijstraatjes. Daar kwamen op vrijdag de kippeboeren, en wij gingen rondom die karren staan en deden daar onze kennis van het Amsterdams-Jiddisj op.

BERTHA KOSTER-BARNSTEIN   Handwerkers Vriendenkring moest wel aanspraak maken op een bijdrage van de gemeente, want tot hun gebied behoorde ook het bouwen van woningen. Ik weet nog dat mijn oom stralend aan mijn vader vertelde dat hij woningen ging bouwen zonder dat hij daar een cent voor hoefde neer te tellen.

Eigenlijk was het zo, dat er een bedrag van duizend gulden ter beschikking werd gesteld door Handwerkers Vriendenkring, omdat ze anders immers geen enkele binding meer zouden hebben met de bouw. De rest werd door de Gemeente gefourneerd, en burgemeester Tellegen, die evenals mijn oom vrijzinnig-democraat was, stond hem daarbij gaarne terzijde.

Bij de eerstesteenlegging voor dit blok, die burgemeester Tellegen verrichtte, prees hij Handwerkers Vriendenkring ook voor hun initiatief. Het tweede, derde en vierde blok, begrensd door de Tugelaweg en de Retiefstraat zijn ook gebouwd onder patronaat van Handwerkers Vriendenkring. Het was toen volkomen nieuw, dat de Gemeente hun dat liet bouwen. Het begon in 1917.

BEN SIJES   Om over de Retiefstraat te spreken, moet je uit-
gaan van de vroegere Uilenburgerstraat en de vroegere Valkenburgerstraat. Op oude foto's kun je zien wat voor smalle straatjes
dat waren. De Uilenburgerstraat en de Valkenburgerstraat gingen tegen de grond en er kwamen brede straten voor in de
plaats. Maar de mensen die daar hadden gewoond, moesten er
dus uit. Weg uit de zeer dichtbevolkte buurten, uit de hofjes, de
steegjes, de kelders, de 'gangen'. We hadden toen een grote sociaal-democratische invloed in de gemeente Amsterdam, en
vooral onder hun bewind werden er nieuwe huizen gebouwd.
Niet alleen in de Jodenhoek, maar ook in andere buurten, onder
andere in de Retiefstraat en op het Krügerplein.

Nu was de Retiefstraat aanvankelijk een straat waar maar aan
één kant woningen stonden en die keken uit op een spoorlijn.
Aan die overkant werden de nieuwe huizen neergezet, waarin
al die arme Joden kwamen. De mensen die al in de Retiefstraat
woonden, waren al min of meer 'geëmancipeerd' uit de Jodenhoek gekomen: ze verdienden meer, ze hadden betere huizen,
hun straat was schoon, de knop van de buitendeur was glimmend, iets waar je in de Uilenburgerstraat niet aan hoefde te
denken. Ik heb dat meegemaakt, omdat ik toen 'uit huis' ging,
bij mijn zuster en zwager ging wonen op het Krügerplein.

Aan de 'oude' kant, daar waren de deuren dus netjes dicht zoals dat hoort en er konden dus geen katten in- en uitlopen. Maar
bij die mensen uit de Jodenhoek, ja, daar was alles open, de kinderen speelden op straat en de mensen waren nogal nonchalant
waar ze hun vuilnis gooiden, dat ging niet netjes in bakken of zo.
En de trappen werden niet allemaal even goed schoongemaakt
en daar ergerde men zich aan. Dat was allemaal in het begin.
Later hadden ze zich 'aangepast'.

HIJMAN SCHOLTE   De Retiefbuurt was eigenlijk een joodse
buurt. Want de mensen die uit Uilenburg, de Batavierstraat, uit
de Jodenhoek kwamen, kregen een nieuwe woning in de Retiefbuurt. En ze hebben er toen een mop op gemaakt: honderd jaar
voor Christus: de Romeinen komen in ons land; vijftig jaar

voor Christus: de Batavieren komen in ons land; 1920: alle Batavieren naar de Retiefstraat. Daar bedoelden ze dus alle mensen uit de Batavierstraat mee.

GERRIT BRUGMANS   De verhuizing naar Oost was een ware volksverhuizing, kan je wel zeggen. Heel wat mensen moesten léren wonen, want ze kregen daar een behoorlijke kamer, ze kregen een wc met waterspoeling, waar ze eerst een 'stilletje' hadden: een apparaat dat leek op een wc, met een emmer eronder. 's Avonds kwam de 'boldootwagen' ze ophalen, dan kwam er eerst een vent met een ratel, en dan kwamen de vrouwen naar beneden met die emmer. Soms bonden kwajongens er een touw aan, en dan zat de hele trap onder.

Die mensen waren liever in hun buurt gebleven, want ze waren zo verknocht aan het Waterlooplein en de Steeg, de Jodenbreestraat. Maar er moest gesaneerd worden, en dat was maar goed ook. Later waren ze blij dat ze op een behoorlijke woning zaten, maar ze moesten toch eigenlijk nog leren wonen.

De nieuwe huizen waren heel anders geoutilleerd, en er was een behoorlijke wc met een trekker, alles werd dan weggespoeld, dat vonden ze vreemd, zo'n apparatuur. En de was deden ze op de trap, omdat ze het zonde vonden om in de keuken de boel nat te maken.

JOOP VOET   De Transvaalbuurt had een sterk socialistische inslag, in het bijzonder het Transvaalplein en omgeving. Daar had een socialistische woningbouwvereniging huisjes gebouwd, die voor die tijd de leefgewoonten vooruit waren. Ze hadden een gemeenschappelijke tuin, een behoorlijk plein, een plantsoen.

Er waren ook gewone straten, niet zo heel veel verschillend van andere straten die toen in Amsterdam werden gebouwd, waar ook veel 'moderne' arbeiders, zoals dat toen heette, kwamen wonen. Een hoog percentage daarvan was Joden, omdat de diamantbewerkers zeer gemoderniseerd waren, en grotendeels joods.

Van de maatschappelijke mogelijkheden van toen hebben de

georganiseerde arbeiders en vooral de diamantbewerkers gebruik gemaakt. Anderen konden dat ook doen: in de Pretoriusbuurt was ook een katholieke woningbouwvereniging, Patrimonium.

Drie, vier jaar later kwamen bij de Retiefbuurt de gezinnen die afkomstig waren uit de oude Jodenbuurt. Die buurt was veel meer joods. De bevolking was ook armer. In de Transvaalbuurt woonden arbeiders die over het algemeen hun brood wel verdienden, in de Pretoriusstraat en aangrenzende straten ook wel, want de huren waren daar nou niet zó laag. Maar de Retiefstraat, die daarachter lag, was duidelijk armer, omdat de mensen daar min of meer gedwongen naar toe waren verhuisd, en daarom waren de huizen daar ook goedkoper dan in de Pretoriusstraat.

In het begin is er behoorlijk veel verzet geweest dat men uit de oude vertrouwde buurt weg moest, ofschoon men veel beter ging wonen. Het was niet zó ernstig als in andere steden, waar men krottenbuurten moest ontruimen met politiegeweld, maar er was toch veel verzet en de aanpassing aan de betere woning was niet zo eenvoudig.

Er was ook een duidelijke scheiding tussen de 'nieuwe' mensen in de Retiefbuurt, en de 'oude' mensen in de wat deftiger Pretoriusstraat, en de woningbouwverenigingmensen van Patrimonium. Wij, als joodse jongens–het Jodendom totaal niet bewust, want er werd niets aan gedaan thuis–we gingen bij voorkeur spelen in de Transvaalbuurt.

Achteraf ben ik me bewust dat er waarschijnlijk veel Joden waren bij die jongens, maar zeker ben ik er niet van, want in de Transvaalbuurt was ook zo'n dertig, veertig, vijftig procent joods, dus lang niet allemaal. Op school was het bijvoorbeeld volkomen gemengd, hele goede vrienden van mij waren niet joods.

NATHAN STODEL   In 1926, toen ik vijftien jaar was, zijn we verhuisd naar de Transvaalstraat, het 'rode dorp', een echte sociaal-democratische buurt. We moesten weg uit de Lazarussteeg, omdat het huis onbewoonbaar was verklaard. De wandluizen vielen in de soep, bij wijze van spreken. We kregen een woning van de Algemene Woningbouwvereniging, en dat kreeg je niet eerder dan dat je beddegoed ontluisd was.

Maar m'n ouders waren hun winkeltje kwijt, hun bestaantje, tussen aanhalingstekens. M'n moeder is toen erg ziek geworden, ze kreeg een verschrikkelijke eczeem van nervositeit en de overgangsjaren, en daar heeft ze heel wat jaren mee gesukkeld. M'n vader bleef nog steeds met z'n groentekarretje langs de deuren gaan in de Plantage Middenlaan, de Plantage Franschelaan, de Plantage Badlaan.

Bij de verkiezingen kwamen van de Transvaalbuurt zo'n achtennegentig procent Miranda-stemmen vandaan, hè. En ik herinner me dat m'n ouders op een gegeven moment bezoek kregen van Smalhout, dat was een vooraanstaande sociaaldemocraat, en die heeft er schande van gesproken dat ik bij de OSP was. 'Ik begrijp het niet, dat je zoon zo wegloopt met die linksen van de OSP.' (De OSP was een van de SDAP afgescheiden groep linkse opposanten.)

EMMANUEL AALSVEL   Ik heb in de Transvaalbuurt een hele prettige jeugd gehad. We hebben daar de arme Joden uit de Jodenbuurt zien komen, toen die buurt werd afgebroken. Ik was toen een jaar of zeven, dus dat was 1922.

Ik zal die binnenplaats op de Tugelaweg nooit vergeten. Daar was een grote tuin en er stonden banken. Mijn vader had een beetje socialistische neigingen, en die heeft toen tegen die mensen gesproken, vanaf die veranda bij ons, hoe zij zich moesten gedragen, dat ze niet de vuile was moesten buitenhangen.

Ze hebben ook kindermiddagen georganiseerd voor al die arme Joden, met Sinterklaas en zo. En hun kleren bezorgd zodat die mensen zich een beetje gingen aanpassen na al die jaren. Ik herinner me dat er werd geroepen door iemand van de woningbouwvereniging Handwerkers Vriendenkring, dat de bedden niet aan de buitenkant mochten hangen, wel aan de kant van de tuin.

Er was geen verschil tussen Joden en Christenen, we hebben daar gewoon bij elkaar gewoond. Er was wel een verschil met de Smitstraat, want daar woonden de katholieken. Daar hebben we nog wel tegen gevoetbald, als Transvaalpleintje, maar niet als Joden, maar als socialisten.

ALI SUURHOFF-VOORZANGER Henri Polak is al vrij gauw buiten Amsterdam gaan wonen, ook door de natuur in Laren. En als we dan bij de hut van Mie in Laren waren, dan zei mijn man: 'Daar woont Henri Polak.' Dat voorbeeld drong heel diep door, vooral bij de Amsterdammers. Mijn ouders zijn naar Betondorp gegaan.

Veel mensen zeiden: 'Die familie Voorzanger is stapelgek om daar heen te gaan!' Dat was zó ver weg uit de stad. Er ging een bus van het Leidseplein naar de Oosterbegraafplaats en die noemden ze 'De kraaienknip', omdat er altijd begrafenismensen in zaten. Er was ook nog een liedje op:

> Op een duppie heen en weer
> In de kraaienknip
> In de kraaienknip!

De Gooise Tram was natuurlijk te duur. Dus je fietste of je liep. Ik heb nog een fiets op afbetaling gekocht!

Er woonden veel diamantbewerkers in Betondorp, ja, wie hebben er niet gewoond? Mijn vader en moeder gingen 's avonds kijken hoever het al uitbotte, dan liepen ze Betondorp door.

LODEWIJK ASSCHER Een hoop diamantbewerkers woonden hier in de buurt van de Tolstraat. Dat straatje hier, heet de Diamantstraat. Die huisjes waren vroeger van ons en daar woonde personeel, in die lage huisjes. Dit is de edelstenenbuurt, we hebben een Robijnstraat, een Smaragdstraat, een Saffierstraat. Er werkten hier voor de oorlog wel driehonderdzestig man, er waren twaalf overlevenden na de oorlog, hetgeen genoeg zegt.

ARON DE PAAUW   Het belangrijke van De Miranda was eigenlijk niet zozeer zijn werk als bestuurder van de ANDB, als wel dat hij zich zonder enige opleiding van diamantslijper heeft opgewerkt tot wethouder van Amsterdam, en dat hij zo voor Amsterdam een groot werk heeft verricht. Hij was wethouder van woningbouw en al die nieuwe blokken in de Stadionbuurt, al die woningbouwverenigingen, zijn allemaal onder zijn beleid tot stand gekomen. Hij heeft op dat punt enorm baanbrekend werk gedaan voor de gemeente Amsterdam. Men kwam zelfs uit het buitenland hier kijken, ik geloof uit Oostenrijk, om te zien hoe ze het hier hadden gedaan.

MOZES DE LEEUW   In een ghetto leef je grotendeels beschermd door elkaar. Toen wij verhuisden, gingen tegelijk met ons ook andere Joden verhuizen, die het wat beter ging. Maar daarom ging je als Jood toch niet in een buurt wonen waar geen andere Joden woonden.

We gingen naar de Churchilllaan, dat was toen nog nieuwbouw en die hele Churchilllaan was op een gegeven moment, vanaf de Waalstraat tot het Victoriaplein, een dure joodse laan. Daar zaten joodse doktoren, daar woonde de hele familie Plotske, daar woonden al mijn ooms, alle De Leeuwen dus; de hele familie Kuil, het werd weer een beschermde buurt. De vader van onze huisdokter had een vleeshouwerij in de Vrolikstraat, maar zijn zoon woonde daar.

De Joden waren financieel in vrij hoog aanzien natuurlijk, daardoor kwamen er ook goede winkels, slagerijen en vishandels en zo.

Joden en Christenen

Joden en Christenen leefden tot 1933 in Amsterdam vreedzaam naast, met, en door elkaar. Via werk, woonplaats, school, club, vakbond, politieke partij en tenslotte het gemengde huwelijk werden de onderlinge contacten veelvuldiger en intensiever. Dit wil echter niet zeggen, dat er aan weerszijden geen vooroordelen of zelfs vijandige gevoelens bestonden. Dat godsdienstige Joden en Christenen het gemengde huwelijk afwezen, spreekt welhaast vanzelf. Het sloot waardering op het menselijke vlak van elkaar bepaald niet uit. Maar ook bij niet religieuze Joden en Christenen bestond deze weerstand tegen het gemengde huwelijk nog wel degelijk.

De overgrote meerderheid van de Amsterdamse Joden, al of niet religieus, beschouwde zijn Nederlanderschap als een vanzelfsprekende zaak. Hun herkenbaarheid voor anderen en zichzelf stond een integratie in de Nederlandse maatschappij dan ook absoluut niet in de weg. In Amsterdam kwam assimilatie in de zin van het krampachtig wegmoffelen van als joods beschouwde omgangsvormen, zoals het gebruik van handen bij het spreken, betrekkelijk weinig voor. Wel waren nogal wat Joden overmatig trots op een niet-joods uiterlijk. Naarmate Joden meer ontwikkeling kregen, vielen als vanzelf verschillen in habitus met niet-Joden weg. Ook de zionisten onttrokken zich niet aan deze vorm van natuurlijke assimilatie. Zelfs het gemengde huwelijk kwam bij zionisten betrekkelijk veel voor.

Uiteraard schrokken de Joden wel van de opkomst van de NSB na 1933. Maar erg onrustbarend leek ook deze partij niet voor de Joden. Immers, vanaf het moment dat de NSB als partij officieel antisemitische propaganda ging voeren, liep het stemmenaantal bij verkiezingen beduidend achteruit.

Antisemitisme

HARTOG GOUBITZ   In de toenmalige Commelinstraat woonden wij boven een der eerste sjoeltjes in die buurt. Dat sjoeltje
was daar gevestigd voor die paar Joden die daar woonden. Maar
als die mensen naar sjoel gingen, dan vielen ze al op en dan werden ze vaak gemolesteerd. Toen beseften we des te meer dat we
Joden waren, door dat omringende antisemitisme.
Je werd uitgescholden voor 'Jood' als je langs de straat liep.
Als je als zeven- of achtjarige op school zat tussen allemaal
christenkinderen, dan viel je op, want je was een Jood. De mensen die daar woonden hadden nog nooit met Joden te maken gehad en de opvoeding van de kinderen was er ook naar. Want:
'De Joden hadden Jezus gekruisigd', dat idee was zó wijd ver-
breid, dat de Joden dus slechte mensen waren. De kinderen
hoorden dat van hun ouders.

BAREND BRIL   Je hebt vroeger knokpartijen gehad. De Foeliestraat–dat was het 'niet-joodse' gedeelte, hoewel er ook Joden
woonden–tegen de Valkenburgerstraat: Marken heette dat toen.
Elke dag vechtpartijen met grote latten. Dan stond de éne partij
vóór de brug, en de andere partij over de brug op Rapenburg,
dat was Jood tegen niet-Jood.
Maar als je me vraagt of het antisemieten waren, dan zeg ik
nee. Want diezelfde mensen hebben in '41, met die staking, toch
wel partij getrokken voor de Joden, diezelfde Kattenburgers en
Foeliestraters.

JOËL COSMAN   De joodse mensen vormden hier in Amsterdam ten opzichte van de overige bevolking een minderheidsgroep. Nou mag ik niet zeggen dat er discriminatie was, ze
vormden ongeveer dertien procent van de Amsterdamse bevolking, maar ze voelden zich toch min of meer als groep de mindere. En dat uitte zich dikwijls in het vechten met latten tegen
niet-joodse jongens.

Er waren in de Joden Houttuinen houthandels, en om een uur of vijf, zes, als die zaken gesloten waren, dan namen ze daar latten weg, en daar gingen ze dan mee vechten tegen de Foeliestraat of Kattenburg. Het kwam van beide kanten, dat vechten. De Foeliestraters en de Kattenburgers daagden dan die joodse jongens uit, en die joodse jongens namen dat niet, en dan kreeg je geregeld hele veldslagen. Niet dat er doden vielen, maar je had wel eens een gat in je kop, want het was wel menens.

In de Rapenburgerstraat was een joodse school, en daar gingen de joodse jongens om half vijf naar toe, ná de gewone school. Maar naast die joodse school was een katholieke school, en dat was water en vuur. Dus de joodse jongens die tussen vier en half vijf stonden te wachten tot de deur openging, die vingen al die jongetjes op die uit de katholieke school kwamen, en dat gaf regelmatig botsingen en vechtpartijen aan de lopende band. En de katholieke school heeft op het laatst de uren zó verzet, dat de school om half vier uitging in plaats van om vier uur.

GERRIT BRUGMANS   Ik ging op school in de Batavierstraat. Aan de andere kant van de school was de Oude Schans, en daar gingen we dan vechten tegen de 'kale neten'. Dat was een 'derde-klasschool', een school van rijken natuurlijk. En dan bewaarde je je stokken op de Oude Schans in een of andere kelder, en om twaalf uur dan was het oorlog, tegen de kale neten.

SIMON GOSSELAAR   Ik herinner me, dat er een paar Christenjongetjes met elkaar aan het vechten waren, zo tien, twaalf jaar oud, en dat de één tijdens de vechtpartij de ander uitschold voor 'vuile smerige roomse paap'. Dat begreep ik niet, hè, want voor mij was niet-joods allemaal hetzelfde, want je was Jood of je was niet-Jood.

JOOP EMMERIK   We spraken wel eens af met de jongens van school bijvoorbeeld: Op woensdagmiddag gaan we naar Muiderberg lopen, of naar Sloterdijk. Vanaf de Kerkstraat was dat heel ver, voor een jongen van acht of negen jaar oud. En dan sprongen we wel eens achter op zo'n paard en wagen. En het eerste wat dan werd gezegd, was: 'Vuile stinkjood, ga je van die wagen af, of ik sla je er af.' Acht, negen jaar was ik toen. En vaak 'Moos' en 'Sam' roepen, dat was niet van de lucht. Daardoor heb ik in m'n jeugd heel vaak gevochten, eerlijk waar, ik kon daar niet tegen, en zoveel konden er niet tegen, hè.

NATHAN STODEL   In de Amsterdamse Jodenhoek, als we speelden om de hoek van de Rooms-Katholieke Kerk, en er kwam een pastoor voorbij, dan zongen we:

Zeven spijkers, zeven krammen
Daar hebben we Jezus aan opgehangen!

Dat liedje dat zongen we doodgewoon midden op het Waterlooplein, op de hoek van de Lazarussteeg.
Er was ook een bijgeloof. Als er 's morgens joodse kooplieden op straat stonden en er kwam een nonnetje of een pastoor voorbij, dan riepen ze: 'Grijp ijzer!' en dan moesten ze een stuk ijzer vastpakken, want anders bracht zo'n pastoor of nonnetje ongeluk met je handel die dag.

EMMANUEL AALSVEL   Ik heb één ding meegemaakt, dat ik nooit meer zal vergeten. Ik was twaalf jaar, en ik zat met nog vijf of zes joodse jongens in de eerste klas van de HBS in de Linnaeusstraat. Er was een Duitse leraar, en die vroeg: 'Wie zijn joodse kinderen?' We hebben allemaal onze vingers opgestoken, en we zijn allemaal gezakt in het eerste jaar. Die man is later ook fascist geworden. Dat heeft diepe indruk op me gemaakt, het was de eerste keer dat ik zoiets meemaakte.
Mijn vader is met een paar andere niet-joodse ouders naar de burgemeester gegaan, en die man is toen van die school afgezet. Later, in de Duitse tijd, is hij directeur geworden van de vijfjarige HBS aan de Mauritskade.
Het was typisch voor Amsterdam in die tijd, dat je als ouders

over een antisemitische leraar kon gaan klagen bij de burgemeester. En specifiek Amsterdams was natuurlijk ook de staking in de oorlog, en dat ze hebben gezegd: 'Geef ons onze Joden terug.' Dat is echt Amsterdams geweest.

JO JUDA   Ik was op een nieuwe school gekomen, vlak bij het Oosterpark. Een echte volksbuurt, en daar kwam ik geloof ik in de tweede klas.

De jongens van de klas vroegen mij op een dag: 'Geloof jij in God?' Ik kende die naam nauwelijks, dus ik zei: 'Nee.' Even later rende die jongen weg, en hij kwam terug met een ander stel jongens, en toen vroeg hij mij dat weer. Maar ik zag dat al die jongens zo nieuwsgierig naar me keken en zo benieuwd waren naar m'n reactie, en ik dacht: 'Ik zal wel iets verkeerds hebben gezegd.' Toen vroeg hij dus: 'Geloof jij in God?' en ik zei: 'Ja.' Maar het merkwaardige was, dat ze daar geen genoegen mee namen. Die ene jongen zei: 'Leugenaar dat je bent!' en tegen de anderen zei hij: 'Hij gelooft niet in God.' Dat werd dus een vechtpartij van een stuk of zes, zeven jongens tegen mij, en daar kon ik natuurlijk niet veel tegen uitrichten. Het gebeurde in de pauze van het speelkwartiertje, we moesten weer naar binnen, ik bleef heel lang achter, en toen ben ik tenslotte maar naar binnen gegaan.

Maar vanaf dat moment was het gedonder. De jongens scholden me uit op de bekende manier: ze deden het joodse accent na, helemaal niet goed, vond ik, maar ja, heel spottend, en zo gingen ze met me om.

Ik denk dat die vraag veroorzaakt werd door mijn naam: Juda. Ik weet niet of die jongens katholiek of protestant waren, maar ze gingen 's zondags wel naar zondagsschool, ze kwamen uit confessionele kring.

De juffrouw van school had ontdekt dat ik kleurenblind was. Er waren twee borden, op één bord stonden sommetjes in lila, op het andere in blauw. En dat mens zei: 'Je moet die lila sommetjes invullen.' Ik liep maar heen en weer, omdat ik niet wist welk bord lila sommetjes had, in wanhoop omdat ik de kleur niet zag.

En de hele klas aan het joelen, natuurlijk. Die vonden het prachtig dat ik dat niet wist, en op een gegeven moment zei die juffrouw: 'Nou Moosie, ga jij maar op je plaats zitten.' Ik was eenvoudig ontworteld, en ik ging naar mijn plaats terug. Ik vond het naar om als vreemd aangekeken te worden. En dat gebeurde ook omdat ik die naam had, natuurlijk, die sprak boekdelen. En op een keer dat ik zag aankomen dat bij aardrijkskunde Palestina zou worden behandeld met de streek Juda erin, ben ik niet naar school gegaan. Want iedere keer als die naam genoemd zou worden, dan hadden de jongens me aangekeken.

Het merkwaardige was, dat toen ik een keer mijn viool meebracht naar school, toen sloeg de stemming totaal om. Om te beginnen had ik al gemerkt, dat de juffrouw niet muzikaal was. Ik zat alleen achter in een bank, en vlak bij mij in de buurt ging ze altijd haar zanglesje repeteren. Ik merkte dat ze vals zong en dat ze moeite had om in de maat te blijven. Ze sloeg de maat met een stemvork. Ze had alle middelen, maar het enige waar het op aan komt, haar eigen gevoel, dat had ze niet. Dat gaf me een geweldig gevoel van rechtvaardiging. Ik dacht: 'Dat is de straf die ze krijgt omdat ze me zo heeft gepest, met die jongens samen. Ze kan gewoonweg niet in de maat zingen, en ze zingt ook nog vals en met een bibberende stem.'

En toen op een keer had ze gehoord, dat ik viool speelde, en toen zei ze: 'Breng je viool maar mee naar school.' Dat heb ik gedaan, en dan moest ik die liedjes meespelen; dan had zij het gemakkelijk, natuurlijk. Vanaf dat moment was ik zo'n lieve jongen, toen was ze tot het andere uiterste overgegaan.

Ik ging een soort tournee maken door de hele school heen, want ik moest in alle klassen gaan spelen, van hoog tot laag, als een soort fenomeen, hè. En toen de school uitging, stonden diezelfde jongens die me eerst zo hadden gepest, om me heen en ze beschouwden me toen plotseling als iemand die bij hun hoorde. Dat voelde ik heel goed. Dat heeft me ontzettend verbaasd. Een paar jongens uit de andere klas vroegen of ze een stukje met me op mochten lopen en m'n viool dragen, en toen zei die ene jongen, die me het meest had gepest, en hij legde zijn hand op m'n schouder: 'Nee, want Juda is m'n beste vriend.' Toen was ik helemaal perplex.

Ik begreep het niet, noch het één, noch het ander. Maar ik kreeg wel een gevoel van de labiliteit van mensen, kinderen en omstandigheden. Er kon ieder moment iets gebeuren, en dat heb ik ook altijd bij me gehouden. Dat was aan de andere kant ook een stimulans om te proberen iets te bereiken, waardoor je dat minderwaardigheidsgevoel kan compenseren. Hard studeren, zodat je toch voor jezelf bewijst dat je iemand bent ten opzichte van de anderen, waarvan je het gevoel hebt dat ze je niet als volwaardig erkennen.

Je merkte ook wel bij mensen die het heel goed met je meenden, dat als je iets zei, dat er dan iets spottends in een hoek van een oog kwam, vanwege je joodse accent natuurlijk. Soms werd het ook nog even nagedaan, hè. Maar je was natuurlijk ontzettend gevoelig voor die dingen.

Achteraf geloof ik dat veel Joden, net als ik, ook vaak spoken zien ten aanzien van discriminatie. Vroeger was ik al kapot als iemand zei: 'Ik heb dat verkocht aan die voddenjood.' Nu zie ik dat het gewoon een term is, ze zouden net zo goed 'voddenman' hebben kunnen zeggen, maar in die kringen wordt er dus van 'voddenjood' gesproken.

Mensen die in een uitzonderingspositie worden gedrongen, beginnen labiel te worden, die gaan dingen voelen die er in werkelijkheid soms helemaal niet zijn.

JOOP VOET   Toen ik een jaar of zeven was, kreeg ik een bril. Ik vond het een beetje vreemd, maar toch ook wel iets om trots op te zijn. En ik ging dus de straat op, met m'n bril. En toen schreeuwden de jongens me na: 'Brillejood', en ik ging naar m'n moeder, en die vroeg: 'Hoe bevalt het op straat met je bril?' En ik zei dat ik alles nu veel beter kon zien, maar: 'De jongens noemen me nou 'Brillejoop', wat gek, hoe weten ze dat ik Joop heet?' Zo weinig was ik me ervan bewust, dat ik een Jood was.

Het gebeurde op school wel, dat we mopjes maakten over wat de letters van bepaalde woorden betekenden, zoals: SDAP-Soort

Dat Altijd Pruttelt. En toen zei ik: 'Op de Amsterdamse Taxi staat: BWT, dat betekent: Besjolem (= vredig, veilig) Weer Thuis.' En die leraar die snapte dat niet, en toen heb ik hem uitgelegd wat het betekende, en dat het een joodse uitdrukking was. Toen zei een andere joodse jongen uit de klas: 'Hoe kan je zoiets zeggen, wat heeft die goj daarmee te maken?'

BEN SIJES   Ik zal een jaar of dertien zijn geweest, toen ik een vriendinnetje had; we zaten in de tweede klas van de HBS. We wandelden veel en ik bracht haar naar huis. Zoals dat gaat, je loopt heen en weer en als om vier uur de school uitgaat, dan sta je elkaar om half vijf nóg gedag te zeggen.

Op zekere dag spraken we af op zondag naar Zandvoort te gaan. Je moest toen van tevoren kaartjes gaan halen aan het Centraal Station, omdat het op zondag zo'n ongelofelijke drukte was in de zomer. Zij is de kaartjes gaan halen en de zondag daarop zouden we dus vertrekken. Zaterdag, op de terugweg van het Centraal Station naar haar huis, is ze overreden door een auto. De volgende dag ging ik gewoon naar het station, maar ik zag haar niet. Ik bleef maar wachten en wachten, en er kwam niks, ik begreep er niets van. Toen ben ik naar haar huis gegaan en toen hoorde ik wat er gebeurd was. Een paar dagen later werd ze begraven op de Oosterbegraafplaats en de hele klas is er ook heengegaan, natuurlijk.

En toen ze allemaal weg waren, bleef ik nog na, heel verdrietig. Er was een familielid van haar die naar me toe kwam en vroeg: 'Wat doe je hier?' 'Het was zo'n goede vriendin en we zouden samen weggaan,' zei ik. Toen keek die vent mij aan: 'Ben jij een Jood?' en ik zei ja. 'Nou,' zei hij, 'op Joden zijn we hier niet gesteld, hoor, ga jij maar weg, je hebt hier niets te maken. Ga jij maar naar de Jodenbegraafplaats.'

Toen ben ik teruggelopen, terug naar de Jodenhoek, heel sjlemielig.

EDUARD CHARLES KEIZER   Ik had een broer die één jaar ouder was dan ik, en we liepen altijd samen naar school. Soms gingen we de Amstel af, en soms de Weesperstraat door. Ik was zo'n acht, negen jaar oud, en op een dag liep ik daar met m'n broertje–die was blond–en toen kwam er zo'n klein jongetje naar ons toe, die zegt tegen mijn broertje: 'Hee, moet jij met zo'n rot-jood lopen? Weet je dat de Joden Jezus hebben vermoord?' Dat kind was niet ouder dan zeven, acht jaar, dus dat werd er toen ook al in gepompt, de haat tegen de Joden. M'n broer heeft hem toen een oplawaai verkocht.

JEANETTE KEIZER-ALVAREZ VEGA   Ik herinner me dat ik vioolles kreeg van een neef van m'n moeder, die woonde in de buurt van het Burgerziekenhuis, en ik moest door het Oosterpark naar huis. Ik was een meisje met kortgeknipt haar, een zogenaamd pagekopje. Er komen twee jongens langs, en die riepen: 'Hee pagekop, vuile rotjodin.' Waarop ik me omdraai (ik was acht jaar oud) en zeg: 'Was Jezus ook zo'n rotjood?' Ik weet nog niet waar ik het zo gauw vandaan haalde, maar ze liepen toen wel gewoon door. Ik denk dat ze te stom waren om daar antwoord op te geven, want daar hadden ze zo gauw niet van terug.

Ik was niet gekwetst. Ik dacht: 'Je bent wel wijzer.' Ik vond het helemaal niet erg dat ik Jodin was. De ene was Jood en de andere katholiek. Er was in die tijd een enorme haat tussen protestanten en katholieken, en dat begreep ik ook niet. Ik had én liberaal-joodse én orthodoxe vriendinnen, én christenvriendinnen. Die kwamen bij ons thuis en werden behandeld net als ieder ander. En als ik bij een Christenmeisje thuiskwam, en ze aten worst of vlees of zo, dat ze me wilden geven, dan zei ik: 'Dat mag ik niet, want dat is niet kosjer.' Dan kreeg ik wat anders, daar was de kous dan mee af, dat was geen enkel probleem.

ELISABETH STODEL-VAN DE KAR   Wij woonden in de buurt van de Nieuwmarkt; daar had mijn vader zijn business. Het was eigenlijk de rand van de Jodenbuurt, maar het was joods. Het was een verlengstuk van de Jodenhoek.

Persoonlijk heb ik nooit 'risjes' meegemaakt. Ik herinner me wel, dat als ik wel eens bij mijn vader op de markt stond, niet zozeer om te helpen, maar na schooltijd of in de vakantie of zo, dat er dan een of andere kwestie was met een klant, dat die zich bijvoorbeeld bekocht voelde met de metrage, zeg maar van die lap die ze gekocht had en dat er dan wel eens ruzies waren en dat ze dan op een hevige manier voor Jood scholden. En vader was erg driftig, en als hij dan zijn gelijk kon aantonen wilde hij die vrouw te lijf en dan kwam er wel eens een agent van de politiepost van de Nieuwmarkt bij.

Dat heeft een enorme indruk op me gemaakt, vooral dat die vrouwen die op de markt kochten, direct 'Jood' scholden-en dat was niet alleen maar tegen m'n vader, want die markt bestond hoofdzakelijk uit joodse kooplieden-terwijl ze in werkelijkheid niet bekocht konden zijn. Want die kooplieden stonden daar dag in dag uit, die konden de mensen niet bedonderen, want ze hadden een geijkte maatstok, die werd ieder jaar of om de paar jaar geijkt. Ja ik verdedig ze nog altijd, hoor. Ik vond dat altijd vreselijk onrechtvaardig, ik heb nooit tegen onrechtvaardigheid gekund.

ROSA DE BRUIJN-COHEN   Ik was op een avondschool, ik was de enige Joodse, en toen praatten een paar meisjes met elkaar over: 'Ja, en die vuile vieze rotjood....' Ik wist niet waar het over ging, want ik viel er midden in. En ze zeiden: 'Ja, die man is daar achter die bomen gaan staan, en hij wilde naar ons toekomen, en...'
Ik zei: 'Wat wilde hij dan?'
'Ja, zo'n vuile viezerik, zo'n smerige Jood, enzo...'
Toen zei ik: 'Ik weet niet of jullie het weten, maar ik ben zelf Jodin. En wás die man nou zo smerig en vuil?' Toen bonden ze meteen in: 'O, maar mijn moeder kent toch zoveel joodse mensen...'
En toen kwam eigenlijk de tijd dat ik ging zoeken naar het positieve van het feit dat ik een Jodin was, toen ik vijftien, zestien was.

ABEL JACOB HERZBERG   Ik was op een volksschool in de Jacob van Campenstraat, die school waar nu de muziekbibliotheek gevestigd is. Toen ik daar in de klas kwam, toen zongen de jongens:

> Eén twee drie, en de Jood in de pot
> fijngestampt en de deksel d'r op
> maar toen die Jood op tafel kwam
> zaten d'r gebrajen korstjes an.

Toch wil dat niet zeggen, dat ik daarna niet heel veel niet-joodse vriendjes gehad heb. Maar dat had je meegemaakt en het bleef je bij.

Dan kom je op het gymnasium, hè. Daar had je toen een vereniging van gymnasiasten, DVS, Disciplina Vitae Scipio. Dat stond op de gevel, dat staat er nog, op de gevel van het Barlaeus Gymnasium op de Weteringschans. Die vereniging had als regel: geen proleten, geen meisjes, geen Joden toelaten.

KAREL JOSEF EDERSHEIM   Voor zover ik weet, is Nisita begonnen als 'jaarclub', met enkele Joden, en toen waren ze nog niet toegelaten als 'dispuut' (= door het corps erkende vereniging). De Joden hadden zo weinig 'waarde' op de studentenmarkt.

Kijk, dat corps was oorspronkelijk een sjieke beweging. In de loop der tijden kreeg je dat er relatief meer Joden uit de bevolking gingen studeren. In die disputen had je wat 'sjiekere' jongens, je had katholieke disputen, je had vrolijke disputen, zo had je in mijn tijd ODOLEH en VIVAT.

Naarmate je door méér dan één dispuut gevraagd was, was de 'groen' (= aankomende eerstejaars student) belangrijker. Een Jood had op de 'groenenmarkt' geen enkele waarde voor Hera, het katholieke dispuut.

Er waren relatief veel disputen die geen Joden opnamen. Alleen Bredero deed dat wel. Bijvoorbeeld, Unica noemde zichzelf een heel deftig dispuut. Toen is het gebeurd dat Offerhaus, de latere jurist, de prof, met een paar andere jongens 'gefleurd' werd (gevraagd door een dispuut). Posthumus Meijes was er ook bij, geloof ik, en Cohen, een heel keurige, geschikte jongen, geassimileerd, die later advocaat is geworden. Die jongens waren samen op het gymnasium geweest. En toen heeft Offerhaus gezegd: 'Wij zijn zó bevriend, wij komen alleen maar in Unica als je Cohen ook mee opneemt.' En ik weet zeker dat die jongen er na één, twee jaar uitgepest is.

En ik heb altijd gezegd: 'Je kunt het die mensen niet kwalijk nemen, dat ze die jongens niet opnemen, want in het dagelijks leven gaan ze ook niet om met een Jood.'

In het algemeen was er binnen een advocatengezin uitzonderlijk weinig contact tussen Joden en niet-Joden. Het is natuurlijk nu een beetje anders geworden, en op een gegeven moment wilde men dat onderscheid weg hebben. Toen kon er dan wel contact zijn, ook in de wetenschappelijke wereld, die was in de praktijk helemaal gelijkgesteld. Maar voor zover ik me kan herinneren – dat was natuurlijk persoonlijk – was het toch zó, dat men buiten de beroepen sterk joodse en niet-joodse gezinnen had. Totdat ze gemengd gehuwd zijn, en dat gaf ook weer aparte moeilijkheden.

Bij een dokter speelde dat probleem niet zo. Vroeger hadden ze allemaal hun eigen praktijk, ze werkten alleen. Maar advocaten hadden kantoren samen, en het was toch zéér uitzonderlijk dat joodse en niet-joodse advocaten samen een kantoor hadden.

Er werd in die kringen ook wel over 'proleten' gesproken, en daar werden díe advocaten dan wel eens mee bedoeld. En als de één tegen de ander was, dan zeiden ze ook wel eens: 'Die procedeert met Jodenstreken.' Maar ja, bij niet-Joden gebeurde dat ook wel, en dan heette dat een 'gewone chicaneur'. Je moet die dingen van meerdere kanten bekijken.

BAREND LUZA   Ik herinner me één voorval heel goed. Toen ik was afgestudeerd was ik nog niet in de praktijk gegaan; ik was terechtgekomen op het laboratorium van professor Saltet. Toen was er daar een collega, die zich wilde specialiseren in hetzelfde vak als ik. Dat was in de tijd dat de Duitse Mark zo verschrikkelijk kelderde. We hadden een paar belangrijke boeken nodig, en die kon ik in Duitsland goedkoop krijgen, doordat die Mark zo gedonderd was. Die boeken had die collega dus ingekeken, en hij zei: 'Die zou ik ook wel willen hebben, maar ik heb helemaal geen contacten in Duitsland, zou jij ze voor mij kunnen bestellen?' Dat heb ik gedaan en dat heeft een tijdje geduurd, voordat die boeken kwamen. Maar intussen is die Mark weer omhoog gegaan, waardoor die man iets meer moest betalen. En toen eiste hij van mij, dat ik hem dat verschil zou restitueren. En omdat ik dat natuurlijk weigerde, ben ik uitgescholden voor 'vuile smous'. Er is toen tumult geweest. Ik wou die collega te lijf, anderen hebben me tegengehouden, hè. Toen ben ik naar professor Saltet gegaan. Ik heb verteld wat er gebeurd was en ik zei hem dat ik een brief aan die collega had geschreven, maar dat ik die niet wilde wegsturen vóórdat hij hem gelezen had. Hij heeft die brief gelezen en hij zei dat hij het een hele goede brief vond. 'Het is juist, je hebt groot gelijk, maar ik raad je aan om die brief bij je te steken, eerst te gaan slapen, en hem morgenochtend nog eens te lezen. En als je hem dan nog wilt versturen, verstuur hem dan maar.' Ik heb hem nooit verstuurd.

Maar die arts had me toch ge'smousd'. Dergelijke dingen zijn wel méér gebeurd, ook in Nederland.

ARON DE PAAUW   In de Kalverstraat was een dancing. Daar gingen we wel eens dansen op vrijdagmiddag en op een gegeven moment werden we tegengehouden door de portier. Toen hebben we een gesprek aangevraagd met de directeur. Die heeft ons veel wijn geschonken, om ons maar zoet te houden, maar uiteindelijk kwam het er toch uit: 'Er zitten dames die niet gevraagd willen worden door Jodenjongens.'

Ik was toen zo'n twintig jaar oud. We waren maar jongetjes, en onze vaders waren ook geen notabelen, dus wat moest je doen? Je er bij neerleggen.

Bij Trianon, vlak bij dat gebouw van Hirsch, daar hebben ze ook Joden geweigerd in 1912. Er zijn veel protesten daar tegen geweest, van joodse advocaten die daar hun drankje bestelden, en later hebben ze de Joden weer wel toegelaten.

MAX EMMERIK   Op het Leidseplein had je voor de oorlog (de eerste) Trianon. Dat was een uitgaanscentrum voor gegoede middenstanders, die daar allemaal bij elkaar kwamen. Op een bepaald moment kwam daar een verbod voor Joden, met de lange neuzen. Dat was kort voor de oorlog '14-'18.

Ik heb dat persoonlijk meegemaakt en onze werkgever, Brammetje Asscher, die een van de notabelen van Amsterdam was, die is toen demonstratief daar naar binnen gegaan om te kijken of ze hem weigerden. En ze hebben hem niet geweigerd. Hij was voorzitter van de Kamer van Koophandel.

ARTHUR FRANKFURTHER   Vóór de oorlog kon je als nakomeling van Joden geen lid worden van de Grote Club in Amsterdam. Toen is er nog dat geval geweest met Mendes de Leon, die tot een aristocratische Portugees-joodse familie behoorde. Hij was arts en getrouwd met een niet-joods meisje, een dochter van Karel Veldman, bankiersfirma Vermeer & Co.

Die Mendes de Leon heeft zich laten voordragen als lid voor de Grote Club op verzoek van zijn schoonvader. Toen is dat een reuze rel geworden in Amsterdam. Iedereen is erheen gehold die lid was maar er nooit naar toe ging, om toch vooral allemaal 'ja' te stemmen voor zijn toelating. Maar het is mislukt: hij is gedeballoteerd (= niet toegelaten).

Zo kwam het dat later, toen de dochter van burgemeester De Vlucht trouwde met Nico Heijmans, de bankier Henk van Nierop naar die bruiloft was geweest. En toen ik hem vroeg hoe het was, zei hij: 'O, het was heel prettig, vooral daarná. Een deel van de gasten begaf zich voor een 'drink' naar de Grote Club, en een ander deel naar het Leesmuseum' (= nu Mak van Waay).

Dat was illustratief genoeg: die mensen werden gewoon niet toegelaten.

MOZES HEIMAN GANS   De burgemeesters van een heel stel

plaatsen in Noord-Nederland hadden zich verenigd tot een co-mité en die kwamen heel netjes naar de Joodse Invalide om te vragen wat ze het beste konden doen om de gevolgen te bestrij-den van een zware hagel, waarvan ze veel schade hadden gehad. In de eerste plaats: hoe kregen ze het geld bij elkaar? En ten tweede: hoe konden alle mensen ondergebracht worden, die geen onderdak meer hadden en voor wie het niet geschikt was om een nieuw huis te bouwen?

En toen die heren weggingen, zei een van die burgemeesters tegen mijn vader: 'Ik wou dat alle Joden zo waren als u.' Waarop mijn vader antwoordde: 'Ik ben blij dat niet alle Christenen zijn zoals u', en weigerde hem de hand.

Die man was stomverbaasd. Die man was toch gekomen naar de Joodse Invalide, hij was er dus zelf van overtuigd dat 'anti-semitisme' een heel groot scheldwoord was, maar toch was het een zeer ambivalente houding.

SALKO HERTZBERGER   Door mijn arts-zijn ben ik er altijd verbaasd over geweest hoe weinig in Nederland niet-Joden we-ten over het joodse leven. Een enkele wist dat de Joden op vrij-dagavond geen licht aandraaiden. Dat daar een niet-joodse buur-man voor moest komen, dat vonden ze een beetje vreemd, maar niemand verbaasde zich daarover. Dat was nou eenmaal zo. Van de joodse instellingen, de joodse begrippen, de joodse tradities hadden ze geen flauw idee. Ja, je kon zulke heerlijke matzes krij-gen bij De Haan. Dat moest je hebben met de Paasdagen, eerste en tweede Paasdag dan moest je matzes eten. En als je als Jood een niet-Jood op visite kreeg, dan zei hij: 'Vóórdat ik bij je weg-ga, moet ik toch wél een paar matzes van je meenemen.' Niet dat ze ze niet in de winkel konden krijgen, maar matzes kreeg je van je joodse vrienden en kennissen. Er was wel veel contact tussen Joden en niet-Joden, maar de basis van het joodse leven was totaal onbekend.

Als ik als arts een nieuwe patiënt binnenkreeg, me voorstelde en vroeg: 'Hoe bent u bij mij terecht gekomen?', dan zeiden ze: 'Ach, ik ben hier in de buurt komen wonen, en toen hebben we aan de mensen gevraagd of er hier in de buurt ook een joodse dokter is, want ik heb thuis altijd gehoord: voor je dokter en je apotheker moet je Joden hebben.' Het is ver van mij om dat antisemitisme te noemen, maar het is duidelijk een vorm van discriminatie.

Jüdische Selbsthass is een fenomeen dat uniek is. Het komt haast niet voor in een groep, dat men elkaar haat en afstand van elkaar neemt op grond van het feit dat je beiden wordt gediscrimineerd door iemand die geen sympathie voor je heeft. Het is een soort dédain voor het joodse traditionele leven. Men denkt dan: 'Doen die Joden er nou verstandig aan vóóraan in de cafés te zitten, moet dat nou? En moeten die vrouwen nou alle briljanten tonen die ze hebben, en moeten ze nou zo nodig proberen naar boven te timmeren? En is het nou nodig dat Joden overal in besturen zitten, en dat er vier joodse wethouders zijn?' Maar diezelfde mensen hadden dan een niet-joods dienstmeisje, en als ze dan 'en famille' aan tafel zaten en praatten over joodse zaken of zo, en het gojse dienstmeisje kwam dan binnen, dan spraken ze onmiddellijk over 'Mexicanen'. Het woord 'Joden' werd niet uitgesproken in de aanwezigheid van niet-Joden. Ze wilden in het openbaar niet worden gekenmerkt als Joden, ze vonden het een lelijk woord, er werd 'Israëlitisch' van gemaakt.

Het hele begrip 'Jodendom' was beladen, de sjoel heette toen ook: Israëlitisch kerkgenootschap. Nu heet het Joodse Gemeente. Jodendom was een religie, niet een afgescheiden volksgroep.

AARON VAZ DIAS   Er waren zaken, zoals C & A, waar nooit een Jood kon werken. Dat doet me denken aan het mopje van die joodse verkoper, die tóch aangenomen was in zo'n soort zaak. De pastoor kwam het te weten en die stapte naar de directie. De directie adviseerde de pastoor om zélf met die man te gaan praten. Later kwam de pastoor terug bij de directie, vermoeid en met een beklagenswaardige trek op zijn gezicht.

'En mijnheer pastoor, wat zijn uw bevindingen?' vroeg de directie.

'Die man moeten jullie houden, hij heeft me zojuist een tweepersoonsbed verkocht!'

Integratie en assimilatie

JOANNES JUDA GROEN Toen ik een jaar of drie, vier was moest ik natuurlijk zoals andere kinderen naar een bewaarschooltje, en mijn moeder stuurde mij naar een joods bewaarschooltje. Om de een of andere reden lukte dat niet. Ik vond het vies; ik ruik nu nog de lucht van braaksel; ik kon er niet wennen. Ik wou niet eten op het schooltje, ofschoon ik boterhammetjes meegekregen had en mijn moeder heeft me er maar weer afgehaald.

Ze zaten er een beetje mee want ze vonden het toch niet goed dat ik als enig kind - mijn broer is pas later geboren - alleen thuis was. Toen hebben ze blijkbaar nog eens goed gekeken of ze het konden betalen en toen hebben ze me gestuurd naar een 'Fröbelschool'. Het moet ongeveer in 1907 zijn geweest, op de Plantage Muidergracht. Het werd gedreven door ene juffrouw Zeilmans volgens moderne principes. De wat beter gesitueerde middenstands-Joden die in de Plantage woonden en ook wat niet-Joden, stuurden daar hun kinderen heen.

Op die juffrouw ben ik net zo verliefd geweest als op mijn moeder. Zij was geen Jodin. Ze nam mij mee naar de tuin en liet mij bloemen zien, vogels, goudvissen. Voor de eerste keer heb ik toen geleefd in twee milieus, twee culturele werelden. Thuis die arme maar warme joodse gezinssfeer, waar mijn vader sterk-socialistische theorieën verkondigde: stakingen maar geen alcohol; dus niet de geestelijke nadelen van een arm milieu. Maar hij interesseerde zich niet voor bloemen en planten en vogels of andere culturen, aardrijkskunde en zo. Zijn ideaal was de arbeidersbeweging en dat vulde zijn leven. Het was dus toch een klein milieu.

Maar van deze juffrouw leerde ik kijken naar andere dingen en dat heeft een diepe indruk op mij gemaakt. Al heel vroeg zwierf ik af en toe door de stad; dan was ik weg en konden mijn ouders mij niet vinden, toen was ik vijf, zes jaar. Dan was ik naar de Zeeburgerdijk of over het IJ of zo. Toen ik in de tweede of de derde klas zat hoorde ik over Floris de Vijfde en het Muiderslot en ik kuierde in mijn eentje naar het Muiderslot, maar tot mijn grote teleurstelling mocht ik er niet zonder geleide in want ik was te klein.

Het onderzoeken van andere werelden, de fantasie dat ik later misschien ontdekkingsreiziger zou worden, dat kwam beslist van die niet-joodse wereld, waar ik eerst bij de juffrouw van de bewaarschool en later door mijn niet-joodse onderwijzers van de lagere school kennis mee maakte.

BEN SIJES   In de joodse gezinnen waar ik heb verkeerd, heb ik de instelling gezien: 'We leven in rottige omstandigheden, we werken ons rot, we gaan onze kinderen een betere toekomst geven!' In dat opzicht onderscheidden de joodse proletariërs zich van de niet-joodse.

Misschien dat er bij de joodse proletariër nog iets anders meespeelde dan 'mijn kinderen beter dan ik'. Bij hen speelde ook nog mee: 'Als mijn kind, als Jood, advocaat of wat dan ook kan worden, dan is hij onafhankelijker, dus veiliger en dan hebben ze hem nodig.' Een joodse sinaasappelman, nou ja, die had geen bescherming van relaties of zo. Dat is in de oorlog wel gebleken. Menig joodse intellectueel had dat wél, van de niet-joodse omgeving waarin hij verkeerde. Maar laten we dat ook niet overdrijven.

De opvatting 'je moet als Jood gedekt zijn door kennis en onmisbaarheid' speelde geloof ik heel sterk mee.

Toen ik op de HBS kwam, was dat de eerste keer dat ik in gezelschap was van overwegend niet-Joden. En heel toevallig ging ik ook heel veel met niet-joodse vrienden om; die kwamen ook bij ons thuis. Aanvankelijk had mijn moeder daar wel een klein beetje bezwaren tegen, want dan moesten de kopjes extra gewassen worden. We zouden immers ook nooit melk- en vleesprodukten door elkaar eten van hetzelfde servies. Dat was niet kosjer, hè.

De jonge Joden trokken grotendeels uit de Jodenhoek weg, gingen op de fabrieken werken, gingen dus niet meer met de handkar op stap, zoals die oude kerels. Ze zochten hier en daar een baan, het aantal gemengde huwelijken nam toe, er was een maatschappelijke verandering op gang gekomen. Zo omstreeks 1930, toen kon je niet meer spreken van 'het Jodendom'. Dat was uit elkaar gespat onder andere door de opkomst van de socialistische beweging, als gevolg van de verbreiding van de kapitalistische produktiewijze in de stad Amsterdam. Steeds meer Joden gingen werken als metaalbewerker of in de confectie-industrie. Men trof ze ook al in de havens aan.

Al in het begin van deze eeuw waren er felle tegenstellingen tussen arme en rijke Joden. De rijken en de middenstanders stemden op de Vrijheidsbond, in mindere mate op de lijst De Hartog. In '36-'37 stemden ze op Colijn, tegen de NSB. Dat deden de joodse arbeiders niet, die stemden op de communistische partij of de SDAP, in de eerste plaats op de sociaal-democratie.

ROSINE VAN PRAAG   Mijn ouders waren niet orthodox, en zelfs mijn grootouders niet. Mijn vader was SDAP-er: hij was makelaar in diamant en hevig socialistisch voelend.

Het was niet belangrijk voor hem dat wij Joden waren. Hij was sociaal-democraat en Nederlander, en dan kwam er nog bij dat hij Jood was. Het feit dat het socialisme die mensen samenbond gold veel meer dan de onderlinge verschillen tussen katholieken, protestanten en Joden. Het beroep, de sociale gevoelens en de ontwikkeling van de arbeiders stond voorop. Dat Monne de Miranda wethouder was geworden, daar waren ze toen geweldig trots op.

LIESBETH VAN WEEZEL   Wij waren een totaal geassimileerd gezin. Het enige was dat er een busje op de schoorsteen stond van het JNF (= Joods Nationaal Fonds) of van de Joodse Invalide. En we kregen het krantje van Keren Hajesod (= Palestina Opbouwfonds). Mijn vader droeg daar min of meer tegen heug en meug aan bij.

De Miranda was vroeger diamantbewerker geweest. Hij

kwamen al snel in de gemeenteraad en later was hij wethouder, samen met Wibaut en Eedje (= Eduard) Polak. Maar hij was dan ook, zoals dat heette, 'een Jood met een kop erop'. Ik weet nog, dat een zoon van De Miranda met Kerstmis jarig was en dan was er een kerstboom en alle kinderen van vrienden en kennissen werden dan uitgenodigd. Dát kwam er bij ons niet, een kerstboom. Ik vond het machtig, hoor! Er hingen allemaal cadeautjes aan en het mooiste vond ik nog, dat je die mocht 'verkwanselen'. Ik kende het woord niet eens; ik moest het me laten uitleggen. Je mocht dus het éne cadeautje tegen het andere ruilen, als je er niet tevreden mee was, bijvoorbeeld een kralenkettinkje tegen een stuk zeep, of zo.

Mijn ouders waren wél zo ruimdenkend dat ik daarheen mocht, maar een kerstboom bij ons thuis, waar ik natuurlijk om zeurde, 'Nee, dat wil ik niet!' zei mijn vader. Hij wilde me ook niet naar de zondagsschool laten gaan. Dat was in het scholencomplex tegenover ons en al mijn vriendinnetjes gingen erheen. Ik begreep niet waarom ík niet mocht. Dat werd nooit goed uitgelegd en dat was voor mijn gevoel zeer onbevredigend.

Het socialisme wou het onderscheid tussen Joden en niet-Joden laten vervallen. Wij volgden die weg ook, mijn broer zelfs zeer consequent. Hij is communist geworden toen de OSP zich afsplitste van de SDAP in 1932. Tot z'n dood in Dachau toe is hij aanhanger geweest van het officiële communisme, van het Stalinisme.

Maar het nam allemaal niet weg, dat we toch belangstelling hadden voor de 'jiddisjkat'. Er kwamen ook gemengde huwelijken in onze familie voor en we waren bijna geheel van het Jodendom afgegroeid.

Maar er was tóch iets geks: als mijn vader 's zondags in een heel goed humeur was en hij in z'n overhemd met z'n mouwen opgestroopt aan tafel zat (dat was toen het toppunt van ongegeneerdheid!) dan begon hij psalmen in het Hebreeuws te zingen. Daar was ik als kind zó door gegrepen! Dat beroerde iets in mij dat ik niet begreep en dan liep ik de kamer uit. Dat kon ik niet aanhoren!

EDUARD VAN AMERONGEN   In de Plantage waren openbare scholen, géén joodse scholen, maar op sabbat werd er geen
onderwijs gegeven, omdat er een overwegend aantal joodse
leerlingen was. Daardoor voelde je je helemaal niet in de golah.
Dat is typerend voor het burger-Jodendom in de joodse wijken
van Amsterdam. En het feit dat ze Amsterdam 'Jeruzalem van
het Westen' hebben genoemd, gaf aan dat je je er volkomen vrij
voelde. Er waren ook nadelige kanten aan die grote vrijheid: er
was in zekere zin een assimilatie, zelfs voor de vrome Joden.
Een Jood die in Oost-Europa woonde en die tot een nationale
minderheid behoorde, ging zich verdiepen in de joodse geschiedenis, de joodse literatuur, de joodse waarden. Maar bij de Amsterdamse Jood was een zeer grote vervlakking. Het grootste
deel van al die burger-Joden die bij de liberale 'Vrijheidsbond,
waren, waren principieel tegen bijzondere scholen, dus ook tegen joodse scholen. Waarom zou een Jood bijzondere scholen
hebben? Je moest gelijkheid hebben.

BERNARD VAN TIJN   In 1922 kreeg ik regelmatig contact
met Jo Spier, een jonge mathematicus die net was begonnen te
studeren en die in de Transvaalbuurt woonde. Hij was de zoon
van een diamantbewerker die altijd in de SDAP en de ANDB had
gewerkt en tientallen jaren lid van de Bondsraad was geweest.
    De Transvaalbuurt was een 'rode' buurt met een nieuw-joodse
inslag, waarvan de bewoners zich zelf nauwelijks bewust waren.
Een groot deel was assimilant en als ze niet bij elkaar in de buurt
waren terechtgekomen, dan zou de effectieve assimilatie toen
waarschijnlijk al veel groter zijn geweest. Maar aangezien ze in
dat hele stratenstelsel woonden, trouwden ze ook onder elkaar.
De bewoners voelden de buurt niet als een ghetto, maar eigenlijk
had het er wél de eigenschappen van. Het was een vrijwillig gekozen ghetto, maar ook van dit ghettokarakter waren ze zich
niet bewust.
    Er waren een aantal gemengde huwelijken, ook in huize
Spier. De dochter is niet-joods getrouwd door de invloed van de
AJC. Dat was een elite-beweging, want hoewel de Joden daar

misschien méér waren vertegenwoordigd dan de anderen, met z'n allen waren ze toch niet groter dan twaalfduizend man. Toch hadden alle bewoners, zionist of niet, een gevoel van saamhorigheid. Er zaten bijvoorbeeld een tijdlang acht of negen Joden in de gemeenteraad, in de fracties van de Liberalen, Vrijzinnig Democraten, Communisten en vooral in de SDAP-fractie. Eén van de leden van deze laatste fractie zei eens handenwrijvend tegen mij: 'Weet je dat wij op het stadhuis 'minje' hebben?' Maar het vereiste aantal mensen om 'minje te maken' is tien, dus ik zei: 'Ik kom maar tot negen!' En er waren mensen bij die heel ver van het Jodendom afstonden, die alleen maar formeel Jood waren. En hij zei: 'De vrouw van Bonn (dat was een niet-Jodin) is geassimileerd, en vrouwen tellen we mee.' Die vrouw was geassimileerd aan het Jodendom en ze is later ook met haar man naar Israël gegaan.

SIMON EMMERING   De vader van mijn oom Boekman, de wethouder, was óók boekhandelaar, net als ik. Zijn zoon was een typische autodidact, net als mijn vader. Hij heeft hard gestudeerd en, voor zover ik mij herinner, het grootste gedeelte van zijn studie eerst afgemaakt voor hij trouwde. Jaren later, in 1939, promoveerde mijn oom Boekman op een proefschrift getiteld *Overheid en kunst in Nederland.* Oorspronkelijk was hij geloof ik letterzetter. Toen heeft hij examen gedaan voor postambtenaar, en via die baan is hij verder gaan studeren.

Wij vonden het toch wel een eer, dat er voor de Joden een mogelijkheid was om verder te komen en dat ze ook bewezen dat ze dat konden, zulke hoge posities innemen als mijn oom Boekman en De Miranda, vooral omdat mijn oom toch een joodsvoelend mens bleef; van De Miranda weet ik dat niet. Mijn oom was sociaal-democraat. Dat is het dilemma waarin Joden vaak leven volgens mij. Het 'je inleven' in de Nederlandse samenleving, leven als Nederlander, maar daarnaast ook Jood kunnen blijven! En déze man heeft dat altijd gedaan, de banden met het Jodendom zijn altijd blijven bestaan. Ondanks zijn hoge positie als wethouder van Amsterdam en ondanks zijn integratie

209

in die niet-joodse wereld, is hij toch altijd bewust een Jood gebleven. En dat moet volgens mij ook kúnnen, overal, niet alleen voor Joden, óók voor andere mensen.

LOE LAP   Ik herinner me, dat ik zeventien, achttien jaar oud was en dat er allerlei vriendjes bij ons over de vloer kwamen, en dat er wel eens een gesprek kwam over Joden en niet-Joden. En m'n vader zei toen: 'Iedereen is hier welkom, maar wie over dat onderwerp wil spreken doet me een plezier om hier weg te gaan, want ik ken geen Joden en ik ken geen niet-Joden.' Dat vond ik zo geweldig voor tóen. Dat ben ik ook nooit vergeten, want hij had me er mee geleerd dat het complete onzin is, en dat het tijd werd om er eindelijk van af te stappen. Trouwens, de socialistische beweging had veel invloed in de joodse gemeenschap. Dat was zeker een bevrijding voor die mensen. Ik kan me ook niet voorstellen hoe de Joden aan het 'image' van 'rijke Joden' gekomen zijn, want zeker de Joden van toen in Amsterdam, dat was procentsgewijs het armste volk van Amsterdam. Dat was niet omdat ze dom of achterlijk waren, maar gewoon omdat ze waren achtergebleven in de ontwikkeling.

Ik was in de Arbeiders Sportbond, ik zwom, in het Sportfondsenbad Oost. Onze afdeling heette de 'Watervrienden'. De jongens van die Sportbond reden ook met verkiezingsbordjes op hun fietsen: Kies lijst 1, bijvoorbeeld.

Voor mijn vader was Henri Polak de Jezus Christus. Die man wist het, en velen voelden dat zo. Henri Polak was de trots van de joodse mensen in Amsterdam.

GERRIT BRUGMANS   Mijn vrouw kwam uit de Joden Houttuinen. Haar vader werkte bij Kaas, in een oud-ijzerhandel op de Zwanenburgwal. Ze werkten hard, en ze hadden het tamelijk goed, ze verdienden wel drie gulden op een dag. Ikzelf heb gewerkt in een bakkerijtje in de Muiderstraat, dichtbij de Herengracht, De Groot. Daar verdiende ik twaalf gulden per week en een brood elke dag. Ik woonde in de Korte Koningstraat, dat kostte drie gulden in de week, dus dan had ik nog negen gulden per week zakgeld over. Toen was ik al getrouwd. De ouders van mijn vrouw waren niet vroom, maar wel traditioneel-joods. Het eten was zoveel mogelijk kosjer. Op sjabbes ging mijn schoonvader wel eens een enkele keer naar sjoel, en op de hoek van de Jodenbreestraat en het Markenpleintje had je een café, De Bisschop. Daar namen ze dan een paar borreltjes als ze uit sjoel kwamen, maar dan betaalden ze dat pas de volgende dag, dus niet op sjabbes. Dus die caféhouder schreef dat dan voor ze op.

Mijn vrouw werkte op de Achtergracht. En als je een knap meisje ziet dan zoek je natuurlijk Anschluss. Ze hebben altijd gedacht, dat ik een Jehoede was; ik heb m'n ponum mee, hè? En ik ging ook met allemaal Jidden om, daar. Er werkte een joodse jongen in de bakkerij samen met mij, en met zijn zusters was ik ook heel goed bevriend. Dus negen van de tien keer zou ik een joodse vrouw hebben ontmoet. En mijn vrouw werkte dus op de Achtergracht. En dat was vlakbij. Ik kwam haar dus tegen.

Ik had eerst verkering gehad met een dochter van Gerritsen, die op de Zeedijk een zoute-viswinkel had, en die een stal had aan de oude Vismarkt, op de Nieuwmarkt. En 's avonds ging ik dan uit, hè, met nog een paar jongens de Zeedijk op, dat was een uitgaansoord, met danshuizen. En Gerritsen was ook 's nachts om één uur open, en dan ging ik daar binnen zitten, en die dochter was dol op me. Die moeder accepteerde me wel, vanwege die dochter. Ik was achttien, negentien jaar. Maar toen ze later ging informeren naar me, en hoorde dat ik geen Jood was, toen heeft die vrouw me apart genomen en tegen me gezegd: 'Gerrit, je bent een beste jongen, en ik heb niks tegen je, maar ik wil nou eenmaal niet dat m'n dochter trouwt met een niet-Jood. Vóórdat jullie te 'eigen' met elkaar worden, wil ik dat liever voorkomen. Je moet niet kwaad op me zijn, maar dat willen we nu eenmaal niet.' Dus zo werd ik uitgerangeerd, hè? Maar als je achttien jaar bent dan doet dat nog niet zo'n pijn, het is maar Spielerei nog allemaal.

Ik bleef dus in die buurt werken, in de Lepelstraat en ik kreeg contact met mijn vrouw. Maar ik mocht niet bij haar thuis komen, natuurlijk, want haar ouders hadden van derden gehoord: 'Je dochter gaat met een goj.' Toen zei die moeder: 'Je bent mesjogge, ik heb die jongen gezien, dat is geen goj.'

Ja, ik heb nooit anders dan joodse vrienden gehad, en m'n lijf-gabber woonde ook in de Joden Houttuinen, bij de bakkerij. Mijn hele leven ben ik bevriend met hem gebleven, totdat hij stierf.

Maar langzamerhand begon de verkering met mijn vrouw serieus te worden. Door mijn moeder werd ze wel geaccepteerd, maar haar ouders, dat was iets verschrikkelijks, toen ze merkten, dat het niet uit ging. Ze heeft een leven gehad, dat zou je niemand wensen. Ze kreeg bijna geen eten, en dan nam ik haar mee naar ons huis om bij ons te komen eten. Haar ouders waren mensen met weinig verstand, maar ja, toch vasthouden aan de 'jiddisjkat'. Ze accepteerden het niet.

En dat was geen uitzondering. Vooral onder de ghetto-Joden was het verschrikkelijk, als een dochter met een goj trouwde, of een zoon met een sjikse. In niet-joodse milieus hadden ze dat ook liever niet in die jaren. Joden waren aardige mensen, maar je moest niet tè nauw met ze verbonden zijn.

JACOB SOETENDORP   Hoe groot het percentage Joden was dat met niet-joodse vrouwen huwde, is mij in mijn jeugd volkomen ontgaan, gewoon omdat daarover werd gezwegen. Ik had in mijn naaste familie niemand die gemengd was gehuwd, en áls dat in de traditioneel-joodse kringen gebeurde, dan werd dat altijd enigszins weggehouden.

Mijn moeder maakte wel bezwaar tegen de term 'sjikse', die toen wel gebezigd werd. Maar het idee dat ík ooit met een niet-joodse vrouw thuis zou komen, was ondenkbaar. Een neef van mij kwam aanzetten met een half-joodse vrouw, en daardoor kon zijn huwelijk niet direct bij de orthodox-joodse gemeente worden ingezegend. Dat was een hele soesah, daar werd eindeloos over gefluisterd.

Dus het feit dat mijn naaste familie dit eigenlijk in een waas van geheimzinnigheid hulde, geeft al aan, hoe in traditioneel-joodse kringen hierover werd gedacht.

Ik weet niet of alle Joden inderdaad 'sjiwwe zijn gaan zitten', als een zoon met een niet-joods meisje trouwde. Dat kán haast niet bij het aantal malen dat dat plaatsvond.

WILHELMINA MEIJER-BIET   Er mochten zoveel Christen-mensen bij ons thuis komen, vriendjes of vriendinnetjes, en ik mocht daar ook logeren, maar het idee van een gemengd huwelijk zou niet bij hun opkomen, want ze waren veel te bewust, zij het niet orthodox.

Ik herinner me dat er twee neven van mij met Christenmeisjes waren getrouwd; dat vond men in de familie niet prettig. Ze werden op zichzelf gewaardeerd omdat ze aardig waren, maar verder spraken ze er toch liever niet over. Het was toch nog altijd zoiets van: 'twee geloven op één kussen, daar komt de duivel tussen.' Dat klinkt dan niet joods, maar dat zat er wel in.

LOE LAP   Ik heb zelf een niet-joodse vrouw. Mijn ouders accepteerden het voor honderd procent, maar in mijn omgeving waren er mensen die het toch maar niets vonden. Mijn schoon-ouders, daar mocht ik twee jaar niet komen, die erkenden me niet. Mijn vrouw heeft het er moeilijk mee gehad, maar toen ze me kenden, die mensen, ná die twee jaar, toen zijn ze van me gaan houden als mijn eigen ouders. Ze waren van huis uit katho-liek, ze kwamen uit Tiel, ze wisten eigenlijk helemaal niet wat een Jood was. Men had daar ook verhalen, van pas op voor Jo-den, zus en zo. Joden waren voor hen vreemden, daar wilden ze hun dochter niet mee laten trouwen, zo lag dat.

Mijn ouders stonden er positief tegenover, gewoon zoals ze elk meisje hadden geaccepteerd. Maar dat was in de joodse milieus geen regel. Mijn vader was voor die tijd al zeer progres-sief van geest.

Zelfs betrekkelijk 'vrije' Joden vonden een niet-joods meisje voor hun zoon toch niet alles. Want het summum was natuurlijk in de sjoel te trouwen, in het wit de choppe krijgen. Net zoals het voor de katholieken het ideaal was, in het wit en vol ornaat in de kerk te trouwen.

NATHAN STODEL   Ik vertelde m'n moeder, dat ik met een meisje ging, en het eerste wat ze vroeg was: 'Is het een joods meisje'? Ik zei: 'Ja' en ze zei: 'Dat verwondert me.' Want ik ging met zoveel niet-Joden om, in de kringen van communisten, syndicalisten, vrije socialisten, kortom alles wat maar enigszins links van de sociaal-democratie stond. Daarom zeiden ze aan mijn vrouws kant ook: 'Die jongen deugt niet.' Maar mijn moeder was eigenlijk blij, want ik geloof dat ze het niet prettig had gevonden als het een niet-joods meisje was geweest.

ELISABETH STODEL-VAN DE KAR   Mijn vader zou het me zeer zwaar hebben aangerekend, als ik met een Christenjongen thuisgekomen was. Hoewel we in onze familie ook gemengd gehuwden hadden, en er in onze grote familie maar een paar mensen orthodox waren, vonden we een gemengd huwelijk altijd vreselijk. Die mensen waren het vijfde wiel aan de wagen in de familie.

MARIUS GUSTAAF LEVENBACH   Mijn moeder zat in joods maatschappelijk werk, daar speelde ze een vrij belangrijke rol, ze was onder andere voorzitster van een joodse vereniging voor kinderbescherming: Misgab Lajeled. In het bestuur daarvan zat rabbijn Sarlouis. De bestuursvergaderingen waren gewoonlijk bij ons thuis. Maar Sarlouis heeft geen voet meer in ons huis willen zetten, toen ik verloofd was met een niet-joods meisje. Dus toen moesten ze bij een van de anderen gaan vergaderen, en hij keek m'n moeder nauwelijks nog aan. Dat was rabbijn Sarlouis, nebbisj, hij is natuurlijk ook gedeporteerd, maar die was een steile!

Ik had een neef, die vond het maar niks dat ik met een 'gojete' ging trouwen. Op een keer kwamen we in onze verlovingstijd op visite bij zijn ouders. En hij maar stekelige opmerkingen maken, plagen door allerlei joodse uitdrukkingen te gebruiken. Maar mijn vrouw liet dat niet op zich zitten, die ging naar mijn moeder en zei: 'Leer mij wat van die joodse uitdrukkingen, dan kan ik hem eens te woord staan.' En de volgende verjaardag daar in huis, toen had ze een hele serie van die uitdrukkingen, en ze begon die met flair tegen hem terug te zeggen. Sindsdien aanbad hij haar.

ALEXANDER VAN WEEZEL   Toen we elkaar leerden kennen, zei ik tegen mijn vrouw: 'Ik ben Jood.' Mijn vrouw antwoordde toen: 'Dat maakt voor mij niet veel uit, dat betekent niets voor me.' Maar ik was niet specifiek Jood, omdat ik in m'n jeugd het *Communistisch manifest* had gelezen, en *Het kapitaal* van Marx. En daardoor heb ik leren inzien dat de wereld niet alleen maar uit Joden bestaat. Voor mij is niet de achtergrond, maar het mens-zijn belangrijk; mens-zijn in de ware zin des woords.

Mijn moeder heeft nooit enige tegenwerping gemaakt. Mijn schoonvader was bij de politiedienst, toen we verloofd waren. Maar toen ik op een dag zei: 'Op die en die dag willen we trouwen', toen zei hij: 'Daar geef ik geen toestemming voor.' En ik zei: 'Ik heb jouw toestemming niet nodig, die krijg ik wel van je baas.'

RUBEN GROEN   Als je gemengd gehuwd bent, zoals ik, dan verwatert het joodse geloof als zodanig meestal. Mijn ouders vonden het in het begin natuurlijk niet prettig. Dat vonden ze niet leuk in '35-'36, in die vol-joodse families. Ze zeiden wel eens tegen me: 'Ik begrijp jou niet. Zijn de joodse meisjes met vakantie?'

Maar ze waren zeer modern en liberaal van opvatting en ze hebben zich er al gauw bij neergelegd, en ze accepteerden het volkomen. Maar ja, de familieleden er omheen maakten wel eens opmerkingen, want men hing in die tijd zeer aan elkaar. Door de oorlog is dat misschien wat minder geworden, maar toen was dat heel sterk.

Wij waren zestien jaar toen wij met elkaar gingen, en in het begin voelde ik wel: er wás iets. Daardoor is het ook wel eens uit geweest tussen ons. Maar later ben ik altijd zó lief en hartelijk door die mensen ontvangen.

JOHANNA GROEN-LOUMAN   Je kon toen niet tot het joodse geloof overgaan, dan had ik geloof ik naar Duitsland gemoeten. Maar als het gekund had, dan had ik het gedaan. (N.B. Het kon wél, maar bij de Nederlands-Orthodoxe Gemeente vereiste dat een langdurige studie. Dit was niet het geval bij de Duitse, zogenaamde Reformgemeinde.)

RUBEN GROEN   Mijn vader was altijd socialistisch, en ik ben bij de AJC geweest. Het was bij ons SDAP vóór en SDAP ná.

SIMON GOSSELAAR   Wij hadden een groepje vrienden, dat waren meest AJC-ers, Jo Juda was er ook bij. Mijn vrouw was ook in de AJC. Ze werkte als winkelbediende, en bij haar op de zaak was een collega die vroeg of ze eens meeging, een weekend. Dat was in Blaricum. Jo Juda speelde dan viool en Jaap Nunes Vaz, een van de verzetslieden, journalist van het persbureau Vaz Dias, die kon prachtig gedichten voordragen. Hij was de enige die HBS had.

En daar maakte ik dus kennis met mijn vrouw. We fietsten er altijd op zaterdag heen vanuit Amsterdam, en op zondagavond weer terug. En langzamerhand werd het mijn meisje, en dat ze niet-joods was, dat werd heel gewoon opgevat, want er werd in die tijd enorm veel gemengd gehuwd.

Onze milieus waren wel ongeveer gelijk, het waren allemaal arbeiders, hè. Veel van onze vrienden waren gemengd gehuwd. En het grappige was, dat de niet-joodse partners geassimileerder waren aan de joodse, dan omgekeerd. Wat de hele sfeer betreft, de gein en zo.

TOOS GOSSELAAR-LA GROUW   Ik was verkoopster in een zaak waar ook joodse meisjes waren, en toen ze hoorden dat ik met een joodse jongen ging, steeg ik in hun achting. Vooral als ze dan merkten dat je een joodse mop of uitdrukking begreep.

Ik moest ook wennen aan het eten. Toen ik voor de eerste keer linzensoep zag, dacht ik: wat is dat voor modderwater? En die ruzies, zo gemoedelijk en dan weer een geintje eroverheen. En op vrijdagavond kippesoep, dat was bij ons nog niet eens altijd op zondag.

Uitgaansleven en ontspanning

Onder de producenten en consumenten van grote en kleine kunst trof men voor de oorlog veel Joden. Het is geen toeval dat omstreeks 1900 twee van de belangrijkste uitgaanscentra van Amsterdam, Rembrandt-plein-Amstelstraat en de Plantage onmiddellijk grensden aan de oude Jodenhoek. En ook het Paleis van Volksvlijt op het Frederiksplein lag in de onmiddellijke omgeving van de joodse woonwijken. Het is bekend dat zeer veel diamantbewerkers, als ze eenmaal wat verdienden, in hun vrije tijd graag naar toneel, cabaret, opera en concert gingen.

Wanneer in de twintiger jaren de bioscopen de theaters beginnen te verdringen, wordt een avondje uit in het bioscooppaleis van Abraham Tuschinski voor vele Joden een speciale attractie.

Een speciale joodse kunst was er in Amsterdam echter niet. Cabarets, waar men zich toelegde op het brengen van Jiddisje liedjes, of theaters waar men zich specialiseerde in toneelstukken met een joodse strekking, bestonden er in het vooroorlogse Amsterdam niet. Zelfs in het Tip Top Theater in de Jodenbreestraat werd nauwelijks aparte joodse kunst gebracht.

Hoe onjoods de smaak van het joodse publiek wel was, mag blijken uit de grote populariteit die Beethovens Vijfde Symfonie, Bachs Matthäus Passion, Bizets opera Carmen *en niet te vergeten de Wiener Sängerknaben bij Joden genoten.*

In de sport lagen de zaken iets anders. Er waren takken van sport, die bij uitstek door Joden werden beoefend, al of niet in joods clubverband, zoals het boksen en het turnen. Onder de Nederlandse boks- en turnkampioenen trof men dan ook talloze Amsterdamse Joden. Sommige turnclubs waren niet officieel Joods, maar hadden zoals de vereniging Kracht en Vlugheid wel een meerderheid van Joodse leden.

Theater en muziek

JO JUDA   Mijn grootvader was schoenmaker, die zat in zo'n klein pothuisje in de Jodenbuurt. Hij hield ontzettend veel van muziek, en hij was héél modern voor zijn tijd, want hij ging naar Wagner-opera's luisteren, daar was hij gek op. Hoe hij erin kwam, begrijp ik niet, want er was altijd te weinig geld. Ze hadden het ontzettend arm, net als andere families woonden ze met z'n allen op één kamertje ergens in de Jodenbuurt, maar hij ging naar de opera, hij ging naar Wagner en dat kende hij ook heel goed, vooral *Tannhäuser* en *Lohengrin*.

Men geloofde toen – zeker in de kringen van eenvoudige mensen, als mijn ouders waren – dat het socialisme zou komen, omdat Marx het had gezegd. En dan ging men wel eens fantaseren over die 'heilsstaat' die er dan zou zijn. En dan zei een oom van mij, oom Jaap: 'Dat wordt prachtig, want dan kunnen we altijd voor niets naar de opera!' Hij was ook een reuze operaliefhebber.

ARON DE PAAUW   Diamantslijpers waren een zeer levenslustig volkje, en een opera, dat was een feest! En in de pauze besprak men natuurlijk de zangers, men sprak niet van 'die of die', maar: 'Hoe vond je de tenor?' of 'Hoe vond je de sopraan?' En die kreeg dan kritiek of lof, dat was net als bij een voetbalwedstrijd; heerlijk!

Ik heb nooit meegemaakt dat slijpers met zwarte fabriekshanden naar de schouwburg gingen, maar ze gingen veel uit.

Er werd ook op de slijperij enorm veel gezongen. En als ze een paar maanden of een half jaar niet hadden gewerkt, dan zaten ze maar een paar uur op de fabriek, of ze zongen weer. En je had er mensen bij met hele goede stemmen. Ze werden natuurlijk ook altijd bekritiseerd, maar toch, men hoorde ze graag.

Er was hier in Amsterdam de Wagner-vereniging, die in '20 of '23 haar jubileum vierde. En toen heeft men een Frans operagezelschap uitgenodigd om de Carmen te komen zingen. De hele diamantslijperswereld stond op z'n kop, iedereen stond te dringen om een kaartje voor de Stadsschouwburg te krijgen. Het was wel duur, maar men verdiende toch, en men gaf wel heel vlug geld uit, zeker voor dit soort dingen. Ik kreeg ook een kaartje, voor helemaal bovenin, opzij. De helft van het toneel zag ik niet, maar ik hoorde zingen! Het Concertgebouworkest onder leiding van Pierre Monteux begeleidde het. Het was een goddelijke avond.

Nu kwam er bij Asscher altijd veel hoog bezoek, regerende vorsten of belangrijke mensen. En op een dag na die uitvoering komt de zangeres die Carmen zong, ook op de fabriek, en toen ze de zaal over ging bij ons om naar diamanten te kijken en zo, toen werd er geapplaudisseerd van diverse kanten. En Kleerekooper, die de 'Oproerige Krabbels' schreef in Het Volk, die heeft toen in een Krabbel geschreven dat ze had gezegd dat het voor haar een van de mooiste successen van haar loopbaan was geweest, dat men haar had herkend, en dat men haar zo'n applaus heeft gegeven op de slijperij.

Op de slijperij waren er trouwens mensen, die kenden opera's van het begin tot het eind, en dat werd dan ook na de voorstelling nagezongen.

KAREL POLAK   Mijn broer zong bij de opera. Hij had altijd kleine rollen, en als hij op het toneel stond, dan keek hij in de zaal om te zien waar de lege plaatsen waren. En dan stond ik in de pauze in de hal, van Carré of van het Paleis van Volksvlijt. Dan kwam hij naar me toe en zei: 'Karel, daar en daar is nog een plaats vrij.' En dan zag ik dus de halve opera. Het mocht me niets kosten, want ik kon het niet betalen.

Ik heb het Paleis van Volksvlijt nog van kop tot teen zien afbranden. Ik woonde in de Utrechtsedwarsstraat. Mijn broer kwam thuis om twaalf uur 's nachts en maakte me wakker: 'Sta op, sta op, het Paleis van Volksvlijt staat in brand.' Toen waren er nog maar heel kleine vlammetjes te zien. We zijn de hele nacht opgebleven en we hebben die grote koepel van het Paleis van Volksvlijt naar beneden zien duvelen met een geweldige slag, en het was ineens één versmolten stuk ijzer. Dat zal ik m'n leven niet meer vergeten. Maar ik heb in dat Paleis van Volksvlijt ontzettend veel gezien, zoals bijvoorbeeld de operette *De Koningin van Montmartre*, dat was iets fantastisch in die jaren.

AARON VAZ DIAS   Met Chanoekah, het joodse inwijdingsfeest, werden er door de joodse lerarenvereniging altijd grote feesten voor de kinderen georganiseerd. Er werden dan toneelstukken in drie bedrijven opgevoerd, waar ik altijd in meespeelde. Deze festiviteiten vonden plaats in de Plantage Schouwburg in de Franschelaan (nu Henri Polaklaan). Meestal werd aan het slot de 'Bruiloft van Kloris en Roosje' opgevoerd.

Nu had ik in de familie van mijn moeder een oom, die Sam heette, die trouwde met tante Roosje. Toen hebben we, met alleen familieleden, de 'Bruiloft van Sam en Roosje' opgevoerd. Compleet met kostuums en teksten geschreven op voorvallen uit hun leven.

SYLVAIN ALBERT POONS   In de Plantage was de Hollandsche Schouwburg, de Plantage Schouwburg, en nog vele andere schouwburgen: dat was een theaterbuurt. De Amstelstraat was ook een theaterbuurt, met Flora, het Grand Theater, het Centraal Theater (vroeger heette dat het Panopticum). Maar als het in de Amstelstraat vulliep, en het liep daar altijd vol, dan gingen de mensen verder, dan gingen ze naar de Plantage.

In het Rembrandttheater, wat nu het Caransahotel is, werd opera en operette gespeeld. Ze hadden een koor met prachtige stemmen, allemaal Jidden: Koster, Levison, Waterman, noem ze maar op. Op een avond werd er de opera *De Hugenoten* van Meyerbeer gespeeld en toen zat er op het schellinkje een diamantslijper met zijn vrouw. En die vrouw zegt: 'Bram, wat stelt het nou eigenlijk voor?' En toen zei Bram: 'Dat is de strijd tussen de katholieken en de protestanten.' Waarop dat vrouwtje zei: 'Bij m'n gezond, ik dacht, dat het allemaal Jidden waren.'

Voordat ik bij Heijermans was, speelde ik operette in Flora.

Toen kreeg ik het bericht, dat ik bij Heijermans op kantoor moest komen, en ik werd geëngageerd op proef.

Ik had een ontzaglijke verering voor die man, als jongen had ik ook altijd zijn boeken gelezen en ik had hem helemaal geïdealiseerd. Voor mij was het een man met een flambard op, een manteljas en lange haren en zo. Toen ik op zijn kantoor kwam, zag ik een klein dik mannetje met steile haartjes en uitpuilende ogen, ik schrok gewoon van hem.

Toen hebben we gespeeld *Een kostbaar leven*, dat was bewerkt door Heijermans en daar speelde ik toevallig een joodse rol in. Na veertien dagen moest ik op kantoor komen. Ik denk: 'Daar ga ik, het is mis.' Heijermans zat op me te wachten en zei: 'Meneer Poons, hebt u uw contract bij u?' Ik zeg: 'Ja meneer Heijermans.' 'Mag ik het even hebben?' Toen heeft hij die vijfenzeventig gulden van die maand proef doorgestreept en er een jaar van gemaakt, en het salaris opgetrokken tot honderd gulden per maand. Dat was voor mij mijn eerste grote artistieke overwinning.

Hij had toen twee troepen. Een in de Hollandsche Schouwburg, met de grootste artiesten, zoals Hubert La Roche, een beroemd Belgisch acteur, die naar Nederland was gevlucht. Wij speelden in het Grand Theater in de Amstelstraat.

Een bloeiperiode was het niet, want Heijermans zat tot over zijn oren in de schulden. Maar qua prestaties werd er meer van de artiesten geëist dan nu, het was meer van binnen uit gespeeld, en niet technisch.

De toneelspelers hebben toen ook eens gestaakt. Heijermans zat toen in Het Gouden Hoofd, op de hoek van de Bakkersstraat en het Rembrandtplein voor het raam kip te eten. En de stakende toneelspelers stonden voor de deur in ploegjes te kijken. Toen kwam Heijermans naar buiten na het eten en toen zeiden ze tegen hem: 'Meneer Heijermans, het is toch een schande, dat wij hier staan te staken en u...' Toen zei die: 'Ja, maar ik moet toch eten?'

HERMINE HEIJERMANS   Een zeer goede vriend van mijn

226

vader was Louis de Vries, de eigenaar van de Hollandse Schouwburg. En hij had gemeen met Querido, dat ze allebei mijn vader de waarheid konden zeggen, zonder een blad voor de mond te nemen als ze het niet met hem eens waren. Hij nam dat, van hen. Louis de Vries heeft ook gespeeld in *Schakels* en in *Ghetto*, dat was heel knap van hem.

Er was dan een zalig publiek. Alles hing boven over het schellinkje, dat waren de arbeiders, die stonden. En ze waren zo geëngageerd in wat er werd gespeeld. Ze hadden een instinct voor het verschil tussen de volksstukken, zoals *De twee wezen* en *Zwarte Griet*, dat ging dan in de Plantage Badlaan. Dat waren dan zogenaamde 'volksstukken', zoals *Het kind van de buurvrouw*, dat waren de sentimentele stukken, de smartlappen van die tijd, en de arbeider wist toen ook niet beter. Maar bij mijn vader begonnen ze te ontdekken, dat hij een reëel mens was, die geen sentimentaliteiten bracht maar gewoon de werkelijkheid. En daarom waren ze verzot op hem.

Het was het gemengde proletariaat, dat naar de schouwburg ging. Mijn vaders negatieve beschrijving van het joodse ghetto was bedoeld om de mensen uit dat ghetto wakker te maken, om de mensen die dat lazen, te leiden naar de socialistische verandering van de maatschappij. Als hij wijst op hun vuilheid, dan is het om te zeggen dat zo'n leven niet menselijk is.

'Dit richt jullie zelf te gronde, *zie* dat nou, kom in verzet tegen de toestanden waarin jullie leven!' En dat is inderdaad gelukt.

Mijn vader schreef zijn rollen 'op' de acteurs, hetzelfde zoals Molière dat deed. Hij zag in gedachten Esther de Boer zowel als Eva Bonheur, als Kniertje, als Engel in *Het zevende gebod*. Dat was psychologisch heel knap van hem, want zij was inderdaad een zeer veelzijdige figuur, heel charmant en anderzijds een kreng (ze had de bijnaam 'Het Scheermes') en sentimenteel; voor haar familie had ze alles over. Ze kwam uit een zeer joods milieu. Ze was een groot actrice van het intuïtieve soort, ze begreep elke bedoeling van vader, de deemoedige Knier, de felle Eva Bonheur en Engel, die hospita in *Het zevende gebod* die de student en zijn vriendinnetje het leven tot een hel maakt.

Het werk van mijn vader heeft zeer zeker invloed gehad. De scheepvaartinspectie zat bijvoorbeeld 'in de ijskast' in de Tweede Kamer, maar *Op hoop van zegen* heeft de zaak aan de gang gebracht. In het algemeen heeft zijn strijd tegen huichelachtigheid en burgerlijkheid hem een enorme aanhang gegeven onder mensen die zich gefrustreerd voelden door de maatschappij; mensen die vonden dat er iets verkeerd was.

Op een gegeven moment werd er beweerd dat er oorlog zou komen–de oorlog '14–'18–en toen zei mijn vader: 'We gaan bij Schiller zitten, zodat we op slag kunnen vluchten als we bezet worden.' Daar hebben we dus vier jaar gezeten. Onze meubels waren opgeslagen, en we stonden eigenlijk voortdurend op het punt te vertrekken.

Schiller was zó waanzinnig verzot op de échte kunstbroeders, dat hij mijn vader zeer grote kredieten gaf. Toen is de oorlog uitgebroken en mijn moeder is gaan hamsteren. Die heeft onder andere meel gekocht, en ging broden bakken, op die kamers, op het petroleumstel. Ik zal het nooit vergeten, dan kwam Schiller aankloppen en dan zei ze: 'Sssst!', want dan stond het brood te rijzen, en als hij met de deur zou slaan zou het brood inzakken. Dan kwam hij binnen, met z'n hand met gespreide vingers voor z'n ogen.

We vierden daar Kerstmis met enorme bomen, mijn moeder bakte en braadde. We hadden een enorme kennissenkring. Dus er kwamen allerlei mensen langs, onder andere ook de schrijvers van de stukken die door vader werden opgevoerd, zoals Adama van Scheltema, Van Bruggen en zelfs J. C. Schröder, die Barbarossa werd genoemd. Ook de actrices kwamen, zoals Julia Cuypers, die toen bij hem *l'Aiglon*, Het arendsjong, speelde.

Het Grand Theater was in het midden van de Amstelstraat, waar nu een bank staat. En na een première nam mijn vader altijd bijna het hele gezelschap mee, zoals Jan Musch en Mevrouw van der Horst. Frédéric Lamond, de beroemde pianist, kwam daar ook. Hij was tijdens de oorlog geïnterneerd omdat hij een Schot was.

HARTOG GOUBITZ Er was toen wat vooruitgang, de verdiensten werden wat beter, en de vakorganisaties vonden dat de arbeiders zich moesten ontwikkelen. Dat werkte op je in, hè. Dat maakte dat je buiten je alledaagse bestaan wat verheffende dingen ging doen.

Ik herinner me de eerste Beethovencyclus. Als het kon, ging ik wel eens naar het Concertgebouw. De volksconcerten kostten een prikje, hè. Die werden gesubsidieerd, en je kon voor een kwartje 's zondagsavonds een volksconcert bijwonen. Mijn allereerste concert heb ik gehoord aan het hek van het Concertgebouw. Vroeger was er een tuin bij, die later bebouwd is. Dat was ook zo bij het Paleis van Volksvlijt. Als je geen geld had om naar een concert te gaan en je wou toch muziek horen, dan ging je aan het hek staan, dan hoorde je het ook. Het kostte niets, en dan was je een zogenaamd 'hek-lid'.

JO JUDA Wij woonden in de Graaf Florisstraat, en Max Tak was onze bovenbuurman. Toen ik zo'n jaar of twee, drie was ging mijn moeder vaak met me wandelen met een wagentje. Op een keer kwamen we Max Tak tegen op de hoek van de Graaf Florisstraat en de Weesperzij, met een paar vrienden. En allemaal hadden ze vioolkisten bij zich, behalve één die een hele grote kist bij zich had; dat was natuurlijk een cellist. Ze waren op weg naar het huis van Max Tak; en mijn moeder draaide ook onmiddellijk om, en we gingen weer naar huis. Die mensen gingen kwartet spelen, en m'n moeder ging er naar zitten luisteren. Ze zat daar maar, en ik vond dat ze wel ontzettend lang speelden daarboven.

Op een gegeven moment komt mijn vader thuis, en gewoonlijk had mijn moeder om die tijd dan al de tafel gedekt en het eten gekookt. Maar nu had ze niks gedaan, ze had alleen maar zitten luisteren. Mijn vader komt thuis en zegt: 'Maar Leentje, moeten we niet eten?' Maar mijn moeder wees met haar wijsvinger naar boven. Toen hoorde hij het ook, en toen is hij ook maar gaan zitten luisteren, met z'n jas aan en z'n hoed op, totdat ze uitgespeeld waren. Dat herinner ik me nog heel goed.

Mijn ouders gingen naar Volksconcerten, als ze er geld voor hadden. Het kostte een kwartje, dus met z'n tweeën was dat twee kwartjes. Ze werden gegeven op zondagavond, en dan zat de zaal vol diamantslijpers. En maandagochtend werd er op de fabriek aan één stuk door gesproken over wat ze hadden gehoord. Mengelberg was enorm populair bij de diamantslijpers, en het summum was wel Beethoven van Mengelberg. Ik heb in mijn jeugd Mengelberg ook vereenzelvigd met Beethoven.

Ik herinner me dat ik bij een concert er niet in mocht, omdat de suppoost me te klein vond. 'Hoe oud is hij?' vroeg hij aan mijn vader, die zei: 'Hmhm, tien jaar.' Ik was acht, mijn vader kon niet zo goed liegen. En de suppoost zei: 'Ja, maar hij moet twaalf jaar oud zijn, mijnheer, dus ik mag hem er niet door laten.' Mijn vader zei dat we van zo ver waren gekomen en dat ik zo muzikaal was en zelf ook viool speelde, en dat het zo'n grote teleurstelling zou zijn. Toen mochten we er toch nog door.

Op een gegeven moment speelde iemand, een violist die vlak bij Mengelberg zat, die speelde even alleen, en mijn vader fluisterde: 'Dat is Louis Zimmermann.' Die naam had ik thuis al heel vaak gehoord, dus toen keek ik met nog grotere ogen naar die Louis Zimmermann. En ik vond het natuurlijk prachtig. Toen ze klaar waren, stond Louis Zimmermann op, en Mengelberg gaf hem een hand, waarop Zimmermann begon te buigen. voor het publiek. Het hield maar niet op, hij keek daarbij zo stralend, alsof hij iets heel moois had cadeau gekregen. Dat dacht ik toen.

Hubermann heb ik ook gehoord. Dat moet in de oorlog '14-'18 zijn geweest of vlak daarna, in de Hollandse Schouwburg, daar werden veel concerten gegeven. De hele pauze door liepen we vrienden van mijn vader tegen het lijf. Ze waren allemaal buiten zichzelf van enthousiasme. Hubermann is later ook één van mijn favorieten geworden.

HUBERTUS PETRUS HAUSER   Ik ben katholiek, en de Mozes en Aäron was dus onze parochie. We hadden daar een vaste plaats met ons naambordje er op, zoals dat vroeger was.

Op een keer zongen de Wiener Sängerknaben daar. Toen bleek dat praktisch geen één katholiek in de kerk terecht kon, want het zat er vol met Joden, die naar de Wiener Sängerknaben kwamen luisteren; en ze hadden allemaal een plaats genomen van een gulden. Dat was heel vreemd, het was eigenlijk een foutje van de pastoor. Die plaatsen in de kerk waren voor een bepaald deel per jaar verhuurd aan vaste klanten, zoals wij. En de rest werd dan los verhuurd. Maar hij had zoveel kaartjes verkocht, dat de vaste klanten er niet meer in konden.

En de Joden waren gek op de Wiener Sängerknaben, dat was ook wel iets geweldigs, dat die kwamen zingen in het hartje van de Jodenbuurt, en dan voor een gulden, wat wil je nog mooier? Als je naar het Concertgebouw wilde, moest je drie of vier gulden betalen.

EDUARD VAN AMERONGEN Er was een jaarlijkse opvoering van de *Matthäus Passion* door Mengelberg. Die vond dan plaats op zondagmiddag en het volksconcert was op zaterdagavond.

Nu waren er een heleboel vrome Joden die zeer in de muziek geïnteresseerd waren, en die gingen er dan naar toe op zaterdagavond. Maar de uitvoering begon om half acht; dan was de sabbat nog niet afgelopen en dan waren ze nog gebonden aan de sabbat-wetten. Dan liepen ze naar de dichtstbijzijnde synagoge bij het Concertgebouw, in de Jacob Obrechtstraat. Dan gingen ze daar 'havdalah' maken, dus de uitgang van de sabbat vieren, en daarna mochten ze alles doen. Maar meestal waren ze te laat voor de openingsscène met het openingskoor. Dus vlak na het openingskoor gingen de deuren open en dan kwamen ze naar binnen.

Voorop liep de conrector van het joods seminarium, Dr. de Jongh en daarbij liepen de seminaristen, voorzangers, hele vrome mensen met baarden. Dat waren zo'n tien tot twintig mensen; het was heel interessant om dat te zien, die optocht van vrome Joden bij de *Matthäus Passion* op zaterdagavond. Dat was uniek op de wereld en typisch voor het Amsterdamse Jodendom.

MEIJER MOSSEL   Ik ben geloof ik een keer naar de *Matthäus Passion* gegaan, omdat het hele seminarium ging. Ik zag daar onze conrector zitten met de hele partituur voor zich. Het heeft ook wel eens kwaad bloed gezet, want de streng-orthodoxe jongens vonden dat je daar helemaal niet naar toe mocht gaan als Jood, omdat het een antisemitische tekst was. Ik was nog jong, en ik vond het alleen maar erg knap van mijn conrector, die ik kende als rabbijn en als doctor in de klassieke letteren, dat hij zo van de partituur de *Matthäus Passion* noot voor noot kon volgen.

SALKO HERTZBERGER   Ik heb kennis genomen van de tekst van de *Matthäus Passion*, en al in het begin komen er verkapte antisemitische uitlatingen in voor, typisch in de sfeer van een afstand scheppen tussen de joodse en de niet-joodse groep. Ik heb toen ook gezien hoe uiterst dubieus het is dat een Jood, die uit positief-joodse gevoelens leeft, deze muziek in het openbaar liet voordragen. Ik vond dat een vreselijke zaak, en veel andere studiegenoten en leeftijdgenoten met mij.

Dat was in mijn gymnasiumtijd, '36-'37. We gingen toen een zeer radicale zionistische politiek voeren. Wij vonden dat een vorm van assimilatie, van integratie, vooral bij de vrome Joden. Maar in feite brachten ze dat helemaal niet zo positief naar voren.

Theo van Raalte had voor de zionistische studentenorganisatie ter gelegenheid van het Chanoekafeest een 'Nationale Hymne voor de joodse Nederlanders' ontworpen. Dat ging zo:

Wij joodse Nederlanders van elke rang of stand
Wij willen het beste geven voor volk en vaderland
Wij joodse Nederlanders zijn tot in ons gebeent
Door Touroh en traditie met Nederland vereend
Met Nederland vereend.

Daar zit een zekere scherts in, het is een rijk lied. En dit soort joodse Nederlanders ging ook naar de *Matthäus Passion* luisteren, liefst nog met een keppeltje op, hoor! Ze geneerden zich niet dat ze Joden waren. Maar voor de rest stonden ze lijnrecht tegenover datgene, wat de zionistische joodse jeugd naar voren bracht. Dus de zionistische studenten waren er zeer tegen gekant.

DAVID RICARDO   Dat ik naar de *Matthäus Passion* ging, was tot daar aan toe. Maar dat de vrouw van de opperrabbijn er ook heen ging, dat werpt misschien een ander licht op de zaak. Mijn moeder ging, ik ging met mijn vrouw. Het jaar vóórdat we naar Israël gingen heb ik hem nog gehoord met Pasen, in de kerk van Naarden.

Het is de muziek en de rest interesseert geen mens. Ik heb in Israël een vriend gehad, dat was een dokter, een heel groot geleerde en een zeer vrome man, Premsela, Meyer Premsela. Hij heeft op de Herengracht gewoond; die ging er ook elk jaar naar toe. En professor Leo Seligmann uit Jeruzalem, die nu nog heel vroom is, die ging ook elk jaar naar de *Matthäus Passion*. Daar had niemand iets tegen; dus dat onderstreept wel de buitengewoon liberale opvattingen van de Amsterdamse vrome Joden. Mijn vader zei altijd: 'Ik wil er ook wel naar toe, maar voor een vrome Jood is het verboden, vrouwen te horen zingen.'

Het hoort eigenlijk bij een goede opvoeding, een stukje *Matthäus Passion*.

De lichte muze

RUBEN GROEN   Mijn vader en mijn beide grootvaders waren diamantbewerkers. Ik was een heel muzikaal kind en toen ik vijf jaar was bracht een van mijn familieleden een viool voor me mee. Toen ik zeven jaar oud was kreeg ik ook les en ik begon heel aardig op dat apparaat te spelen. Toen ik negen was zei de melkboer, die elke dag bij ons aan de deur kwam en die wist dat ik viool speelde, tegen mijn vader: 'Waarom gaat die jongen niet op het harmoniecorps?' Dus ik naar het harmoniecorps. Dat studeerde op de dokmaatschappij aan de Meeuwenlaan, elke vrijdagavond in de kantine. Ik ging er heen met de melkboer, die trombone speelde. Ik geloof dat ik toen de enige Jood was die in het corps speelde.

Toen moest ik klarinet leren spelen, en ik kreeg les van een van de leden van het corps, die woonde aan de andere kant van het Noordhollands Kanaal. Daar ging ik trouw heen met mijn klarinet, die ik in bruikleen had van het corps, en ik had ook nog mijn vioollessen. Toen ik veertien was, was ik al eerste solo-klarinettist.

Maar het meest trok me het amusementsbedrijf aan, en daar ben ik tenslotte zelf ook in doorgegaan. Van het geld dat ik verdiende gaf ik mijn moeder kostgeld en de rest spaarde ik natuurlijk om te kunnen trouwen. En ik heb toen ook een altsaxofoon gekocht. Toen was ik zestien, en toen hebben we een band opgericht. Dat was met Jonas van den Berg, die een kruidenierswinkel had in de Korte Houtstraat. Hij speelde viool. Dan was er een drummer, dat was Leendert Porcelein. En nog een trompettist, Sal Bremer, die bij mij in de buurt woonde; hij zat op het conservatorium.

Ik was dus diamantbewerker, en het gebeurde vaak op de diamantslijperijen, dat mensen er nog dingen naast deden. Ik werkte bij de firma Lamon, en boven ons zat de firma Goudvis, en de bekende Lex Goudsmit werkte daar als diamantbewerker.

En ook Meyer Hamel, die later revueschrijver is geworden. Later heb ik ook gespeeld in de Marigny, dat was op het Rembrandtplein, en daar speelden twee orkesten. Later heette het 'De Nieuwe Karseboom'. Toen kocht mijn vader mijn eerste lange broek voor me, dat was een smoking, want toen werd ik bij Marigny geëngageerd in een zigeunerorkest. Dat gebeurde toen ik op de muziekbeurs kwam, in De Kroon op het Rembrandtplein. Alle musici en artiesten verzamelden zich daar om snabbels (= kleine baantjes tussen door) op te doen. Met het biljarten kwam je dikwijls aan een snabbel. Iedereen kende iedereen. Er kwamen daar veel joodse artiesten: het muziekbedrijf bestond toen ook voor zestig procent uit Joden.

JOOP EMMERIK   In mijn tijd, in 1926-'28, had je amusementsverenigingen, daar ging je dansen. Je had Handwerkers Vriendenkring, het bovenzaaltje in de Roetersstraat. Beneden was een grote zaal, daar zijn we vaak naar een bal geweest op zaterdagavond. Daar kon je drie, vier keer een consumptie nemen voor één gulden.
Concordia was daar, waar nu het Weesperpleinziekenhuis is. Vóórdat het de Joodse Invalide was, was het Concordia, tegenover de Diamantbeurs. Dat verhuurden ze voor feesten en partijen.
Het orkest daar bestond altijd uit Joden. Ab Witteboon speelde daar ook als pianist. Vroeger speelde hij ook bij het AVRO-dansorkest. Daar werd gewone moderne muziek gespeeld, zoals Charleston, en Blackbottom.

GERRIT BRUGMANS   Wat hebben we niet genoten in de Tip Top! Daar zaten de mensen te eten van een onsje kesause mangelen dat ze waren gaan halen in de Steeg. En onder de film zaten ze die dan te eten. Dat kostte vier centen, zo'n ons mangelen, en ik stond ze dan op de hoek van de Steeg op te eten, met vrienden, onder een lantarenpaal.

BAREND KROONENBERG   Het Tip Top Theater is geopend

in 1914. Het liep meteen al heel goed. Altijd uitverkocht, doordat er in die buurt weinig vertier was. Na enige maanden brak de eerste wereldoorlog uit. Dat was een hele terugslag, maar naarmate de oorlog duurde, begon het langzaam weer te lopen.

Enige jaren later werd het Theater Tuschinski geopend, wat natuurlijk geweldig was; vooral het interieur was iets bijzonders. De gegoede mensen gingen toen naar Tuschinski en men zei dan ook altijd als men in Tuschinski geweest was, dat men 'echt uit' was geweest. Mijn vader vond het interieur van Tuschinski ook zó mooi, dat hij de Tip Top in dezelfde stijl heeft laten veranderen. Daarna liep het weer als vanouds.

Over de brug van de Amstel had je de Flora en het Centraal Theater en nog meerdere attracties. Maar aan de kant van het Waterlooplein was geen uitgaanscentrum. Er was wel een klein bioscoopje op Rapenburg, één in de Weesperstraat, de Oosterbioscoop; en dan de Rubensbioscoop op het Waterlooplein en naast ons de Rembrandtbioscoop, maar die moest verdwijnen vanwege de concurrentie van de Tip Top. Die draaide twee programma's, mét variété.

Als men een middag vrij was, ging men een paar vrienden vragen of ze zin hadden om mee naar het Tip Top Theater te gaan. In die tijd kostte het een kwartje entree, dat kon er nét vanaf, en daarvoor was je de hele middag geborgen.

Er traden heel veel bekende artiesten op bij ons, onder andere Lou Bandy, Willy Derby, Kees Pruys, Stella Fonteyn, Bigoni en Isalberti en niet te vergeten 'de kleine Caruso', de nog steeds actief zijnde artiest Bob Scholte, waarmee we een geweldig succes hebben gehad en met wie we maandenlang volle zalen trokken. Isalberti was een heel beroemde tenor en een van de bekendste operazangers ter wereld. Zij traden allemaal bij ons op!

Op een dag hoorde mijn vader in Italië in de Scala in Milaan een zanger, Bigoni, genaamd. Mijn vader vond hem zó mooi zingen, dat hij naar hem toe is gegaan en hem gevraagd heeft in Nederland te komen optreden. Hij stemde toe en gaf mijn vader voor 29 februari, anderhalf jaar later, een contract. Mijn vader was dat contract al weer helemaal vergeten en hij engageerde voor die 29 februari de grote zanger Isalberti. Tot zijn grote schrik kwam Bigoni zijn contract na en kwam zich melden, twee dagen tevoren. 'Wat nu?' dacht mijn vader, want dat ging een heleboel geld kosten. Toen kreeg hij het idee om de bariton Isalberti en de tenor Bigoni samen te laten zingen, operaduetten. Maandenlang heeft hij hiermee uitverkochte zalen gehad!

In een week draaiden wij een joodse film getiteld *Jiddel met een fiddel*, een Poolse film. In die week zat er een vrouw in de zaal die voor het eerst naar de bioscoop ging. Zij was Poolse, ze hoorde Pools praten op het filmdoek en in de pauze kwam ze naar me toe en vroeg: 'Mijnheer Kroonenberg, zou u mij een plezier willen doen?' Ik zeg: 'En dat is?' 'Ik wil zo graag even met ze sjmoezen!' Waarop ik zeg: 'Met wie dan?' Ze zegt: 'Met die mensen die ik net op het filmdoek heb gezien!' Ik kon het haar niet uit het hoofd praten. Ze dacht dat het mensen waren die op het toneel stonden, hier begreep ze niets van.

Natuurlijk hadden we ook een tijd met stomme films en daarbij een explicateur. Deze stond te spreken bij de beelden op het doek. Op een keer in zo'n film pakte de gravin de graaf om zijn hals, en de explicateur zegt: 'De gravin fluisterde de graaf in zijn oor...' en toen hoorden we toevallig tegelijkertijd voor de deur van het theater roepen: 'Ik heb zoete maagdeperen!' Of iemand gaf op het doek een kusje en dan hoorde je roepen: 'Ze benne lekker!'

Er klopte ook wel eens iemand aan de deur en dan werd er naar binnen geroepen: 'Moeder, de aardappelen koken!' Soms ook werd er aan de portier, mijnheer Hes, gevraagd: 'Mijnheer Hes, zou u zo vriendelijk willen zijn even m'n man te roepen, want ik heb een dringende boodschap.' Dan ging de portier naar binnen en liep met een zaklantaarn langs de rijen. Hij kende iedereen, en als hij hem dan zag zitten, zei hij: 'Mijnheer, wilt u even naar buiten komen?' En dan zei de vrouw bijvoorbeeld, (dat heb ik meegemaakt!): 'David, er is van de fabriek een boodschap gekomen, dat er weer werk is. Je moet vanmiddag direct beginnen!' Die man was namelijk diamantslijper. En toen zijn ze vanuit de bioscoop meteen weer aan het werk gegaan. Er waren ook wel eens tijden dat er niets te verdienen was. In de crisistijd, 1929-'30, toen waren er heel veel werklozen en toen heeft mijn vader ochtendvoorstellingen voor ze georganiseerd. Dan moesten ze een bonnetje inleveren van een pakje margarine en daarop mochten ze dan naar binnen.

LOE LAP   Sylvain Poons trad ook op in Tip Top, evenals Heintje Davids; maar ook groteren, zoals Bouwmeester. Als er film werd vertoond was er ook een half uurtje cabaret. Dat was overal in Nederland. In Cinema Royal trad ook alles op: Kees Pruis, Willy Derby.

Bij de Tip Top werden over de Bühne wel veel Jiddisje woorden gegooid ten gerieve van het publiek, want ze vonden het prachtig als ze dan even hun eigen taaltje hoorden. De meesten deden dat, maar het was óók zo, dat alles wat artiest was net zoveel Jiddisj sprak als de Joden, het was een artiesten-taaltje dat ook bij Schiller werd gehanteerd.

HIJMAN SCHOLTE   De dirigent van het joodse koor waar ik zong was mijnheer Koopman. Hij had een drogisterij in de Nieuwe Kerkstraat.

Op een dag vroeg hij mij of ik op een feestavond van een vereniging een paar joodse liederen wou zingen, want ik kende alleen maar joodse liederen. Toen was daar op die avond ook een joodse dansmeester, Jules Monas, die mij hoorde zingen, en hij is de volgende dag naar Bram Godschalk gegaan, een bekende impresario in Amsterdam. Hij zei: 'Ome Bram, ik heb gisteravond een jongetje horen zingen met een prachtstem, daar is geld mee te verdienen. Hij zingt in de sjoel in de Rapenburgerstraat.'

Die man is naar me komen luisteren in de sjoel en toen is hij naar mijn vader gegaan om hem over te halen om mij op toneel te laten zingen. Ik dankte de goeie god dat dat gebeurde, want ik wilde niet meer sjoel-zingen, ik wou opera-zanger worden, het 'grote toneel' op. Mijn vader wilde er eerst niets van weten, want hij had graag gezien dat zijn zoon chazan zou worden. Maar ik heb gebid en gesmeekt en tenslotte is hij gezwicht.

Ik kwam als jongetje van veertien jaar in de operette *Der Rastelbinder* van Franz Léhar, in Carré. Ik kreeg een prachtige kritiek, waarin stond: 'De directie van het operettegezelschap Nap de la Mar heeft een anonieme veertienjarige zanger bloemen en succes bezorgd. Hij heeft een prachtige stem en we denken dat het een toekomstige Caruso is.'

Fien de la Mar, de dochter van Nap, heeft in diezelfde operette haar debuut gemaakt, samen met mij. Zij moest mijn verloofde spelen. Zij was zestien, ik veertien en op de repetitie zei ze ineens tegen haar vader, tegen Nap: 'Pa, moet ik met dat kleine jongetje zingen?' En haar vader zei toen: 'Ja, jij moet met dat kleine jongetje zingen, en als je nou net zo mooi zingt als dat kleine jongetje, dan ben ik best tevreden over je, Fien!' Dat was mijn kennismaking met Fien de la Mar.

Daarna werd ik geëngageerd door Jozef Kroonenberg, de directeur van het Tip Top Theater. Die heeft geprofiteerd van die 'Caruso-kritiek', en hij heeft toen op elk affiche gezet: 'Optreden van de kleine Caruso'. Vanaf die tijd heb ik de bijnaam 'de kleine Caruso' gekregen.

Ik trad tweemaal op, 's middags een kwartiertje en 's avonds een kwartiertje. Dat kon niet langer, want dat was in de pauze tussen twee hoofdfilms in. Er traden daar in die tijd heel veel grote artiesten op, en elke week was er een ander. Maar dat trok natuurlijk veel publiek, dat ik een jongetje uit hun eigen buurt was. Want vijftig meter verder stond mijn geboortehuis, op de Houtkopersburgwal. Van de honderd mensen zaten er wel negentig jiddisje mensen in de zaal. Ik zong populaire liedjes.

Nap de la Mar had ook een revuegezelschap, naast het operettegezelschap waar ik mee opgetreden had. Ik heb toen ook meegedaan met de revue *Had-je-me-maar*, dat was geïnspireerd op die bekende straatfiguur uit die tijd. Toen hadden ze een liedje, dat ging zo:

> *Had-je-me-maar, met een knakie er bij,*
> *Had-je-me-maar, met een lokkie opzij...*'

Daar trad Louis Davids ook in op, die was toen op z'n hoogtepunt, en Fien de la Mar en Emmy Arboes.

Ik heb later allemaal liedjes van Max Tak gezongen. In 1934 zong ik al 'Amsterdam, er is toch niks wat ook maar effe an je tippen kan' voor de radio en op de plaat. En 'Onder de bomen van het plein' en 'Vriendinnetje', dat hij samen met Alex de Haas maakte.

SYLVAIN ALBERT POONS   Ik speelde een pindamannetje in een revue in het Grand Theater, samen met Henriëtte Davids. In de zaal zat toen Jaap Spijer, die later *De Jantjes* zou gaan regisseren, en die zei: 'Die twee moet ik hebben voor de film.'

Het filmvak is 'gebracht' als vak door emigranten uit Duitsland. Dat waren meestal joodse regisseurs. Dat was in 1934, dat ze hier kwamen, en ze werden meestal meteen door de verschillende ondernemers of bioscoopdirecteuren geëngageerd, om regie te doen. Vóór die tijd werden er ook wel films gemaakt maar de hausse kwam eigenlijk pas toen ze uit Duitsland gingen vluchten. Sommigen gingen naar Amerika en anderen zijn hier blijven hangen.

Spijer was van oorsprong een Nederlander, maar hij werkte als regisseur steeds in Berlijn, en hij is toen dus ook hier gaan werken. Maar dé pionier was Alex Benno. Die is alle bioscoopdirecteuren afgegaan om geld in te zamelen voor *De Jantjes*. Hij had wel vijftigduizend gulden bij elkaar, dat was veel geld, maar midden tijdens de opnamen bleek het niet genoeg te zijn. Het was dus de eerste sprekende film. Niemand wou het hebben. Toen kwam de filmproducer Barnstein, die de film ging maken. Hij heeft al die bioscoopdirecteuren hun geld teruggegeven, en hij is het zelf gaan doen. Hij heeft er een kwart miljoen aan verdiend.

WILHELMINA MEIJER-BIET   Het Nelson-cabaret is al heel vlug naar Nederland gekomen, want ze hadden in Duitsland een politiek cabaret. Ik heb ze pas meegemaakt in 1939 toen ze één keer in de veertien dagen een nieuw programma brachten. Er zaten ook veel niet-Joden in het Nelson-cabaret, zoals Harold Horsten.

De mensen van de emigratie-afdeling werden af en toe uitgenodigd om gratis een voorstelling bij te wonen in Gaité, dat was boven Tuschinski. Ze hebben ook eens een hele avond voor het vluchtelingencomité georganiseerd. Ze waren ongelooflijk spiritueel. Hun liedjes waren van alle tijden.

Rudolf Nelson was de directeur. Zijn zoon, Herbert Nelson speelde mee, dan was er Fritz Schadel, Dora Paulsen, Harold Horsten. Er was ook nog een ander Duits cabaret, dat was met Franz Engel en Ehrlich. Dat was niet zo scherp als de Nelsons. Toen het verboden was voor Joden om naar het theater te gaan, kon je daar nog wel naar toe. Ze speelden in de Hollandse Schouwburg, Heintje Davids heeft daar ook nog aan meegedaan.

Maar de Nelsons hadden veel meer 'esprit'. Er was bijvoorbeeld een liedje van Harold Horsten, in het Duits, over het dichterbij komen van laarzen, dat ging je door merg en been. Ze waren niet zo politiek als de 'Pfeffermühle' van Erika Mann, maar ze stelden aan de kaak.

In de zomermaanden was er geen emplooi voor de Nelsons, en dan werden ze weer ondersteund bij het vluchtelingencomité, dan moesten ze elke week hun geld komen halen. En dan dacht ik: 'Dit mag mij nooit gebeuren', want ik wist dat ik nooit zou willen emigreren, nooit zou durven of willen vluchten.

Ik herinner me dat ze een liedje hadden, dat zongen ze met opgestroopte mouwen: 'Lieber Teller waschen in Amerika, als Angst haben in Deutschland', en dan dacht ik: 'nee, dat nooit!' Waarschijnlijk was het hoogmoed.

Sport

JOËL COSMAN   Er was hier een boksvereniging opgericht,
De Jonge Bokser, die was voortgesproten uit de worstel- en
krachtsportvereniging KDO, en dat was een specifiek joodse vereniging. Ik werd lid van De Jonge Bokser en we trainden in een
ruimte achter een café op Rapenburg. Na de eerste wereldoorlog
kwam hier naar Nederland een bokser die 'Battling Sikkie'
heette. Hij bokste een wedstrijd in het Concertgebouw, geloof
ik, kreeg kennis aan een Hollands meisje en is hier blijven hangen. Hem wisten we toen over te halen om hier les te geven aan
de jongens van De Jonge Bokser.

Toen liep de bokssport achteruit, voornamelijk omdat in Amsterdam een boksverbod gold. Er mochten geen openbare wedstrijden plaatsvinden en dat is juist je propaganda, hè? Daar krijg
je je ledenwinst op. Maar burgemeester De Vlugt was er streng
op tegen. In De Jonge Bokser zelf kwam toen ook een scheu-
rinkie, en toen ben ik eruit gegaan, heb een eigen club opgericht, Olympia; dat was in 1928.

Het eerste jaar had ik in Olympia twee goede leerlingen en die
werden datzelfde jaar ook kampioen van Nederland, Appie de
Vries en Bennie Bril. Toen Bennie Bril kampioen van Nederland werd, was hij nog géén zestien jaar, maar de Nederlandse
Boksbond wist niet beter of hij was zestien. Hij mocht deelne-
men aan de Olympische Spelen hier in Amsterdam als vlieggewicht.

En tijdens zijn eerste wedstrijd won hij in de eerste ronde op
knock-out. Dat was ook meteen zijn zestiende verjaardag.

In die tijd werd de bokssport voornamelijk beoefend door
arme jongens. Er was geen vertier, televisie was er niet, bioscoop was vaak nog niet op te brengen en de contributie van onze club was tamelijk laag, tien cent per week. Ze vonden het fijn
om drie keer per week te kunnen trainen, dat was hun expansie-
mogelijkheid. Ze kwamen natuurlijk voor een groot deel uit

echte proletariërsgezinnen, mensen die het vooral 's winters erg slecht hadden.

Voordat ze een wedstrijd moesten boksen, zocht ik vaak een beetje bemiddelde mensen op, waar de jongens dan een paar dagen voor de wedstrijd konden komen eten om een beetje op krachten te komen. Want de bokssport was zó populair geworden onder de Joden, dat winkeliers en mensen die het tamelijk goed hadden, ons steunden en ook vaak kleren gaven voor de jongens.

De jongens van mijn club deden niet aan politiek. Voor hen was het sporten de uitlaat om uit de dagelijkse sleur te komen. Als ze dan sportprestaties konden verrichten, dan hadden ze een kans om in dat zonnetje te komen, waar ze anders niet in kwamen, want ze leefden altijd in de schaduw.

Bokssport is niet, zoals de meesten denken, een rauwe sport van elkaar over en weer klappen geven, maar het is een verdedigingssport, waarbij je moet zorgen dat je zo min mogelijk klappen krijgt. En dat bereik je door technische beheersing, het méégaan met zo'n klap, het 'voetenwerk', het goed reageren. Bij boksen is de techniek erg belangrijk omdat je op zo'n kleine afstand van elkaar staat, zodat een stoot flitsend aankomt en je op hetzelfde moment moet reageren om hem te ontwijken of op te vangen.

Dat grote reactievermogen is de joodse mensen eigen, deels door de Talmud-studie, waardoor ze vindingrijk moeten zijn en waardoor ze leren de puntjes op de i te zetten, deels door de strijd om het bestaan. De bokssport ligt ze ook door het gevoel dat ze niet voor honderd procent als Hollander werden beschouwd. Hun nasale manier van spreken werd wel eens zó benadrukt om je te laten horen dat je toch een 'Joodje' bent, dat je toch als een uitzonderingsmensje wordt beschouwd.

We hebben één jaar alle kampioenen van Nederland gehad, in alle gewichtsklassen. In het vlieggewicht Folie Brander, in bantamgewicht Nathan Cohen, in vedergewicht Japie Casseres, lichtgewicht Appie de Vries, weltergewicht Bennie Bril, middengewicht Sam Roeg, in het zwaargewicht Barber.

Op een dag kwam de voorzitter van de Maccabi van Berlijn, Herr Glaser bij ons om te vragen of wij daar een bezoek wilden brengen, want de Duitse Joden hadden niet meer de gelegenheid om openlijk aan wedstrijden deel te nemen. Toen zijn we naar Berlijn gegaan. We hebben gebokst in de Gaststätte Friedrichsheim. De Duitse Joden mochten niet in de bus zitten, wij wel. De Duitse Joden werden door de Hitlerjugend expres van het trottoir afgeduwd, en wij konden er gewoon lopen. Toen zag je het al, hè, die terreur ten opzichte van de Joden, we vonden dat verschrikkelijk.

Toen kregen we bezoek van de voorzitter van de Nederlandse Maccabi-Bond en die vroeg ons of we deel wilden nemen aan de Joodse Olympische Spelen, de Maccabia in Tel Aviv; dat was de tweede Maccabia in 1935. Appie de Vries en Bennie Bril gingen er heen, en die werden allebei Maccabia-kampioen. Dat was een enorme prestatie, want er namen veel landen aan deel.

Toen we terugkwamen in Nederland, werden we in Roosendaal al in de trein opgevangen en bij Rotterdam was de halve trein al vol supporters. In Amsterdam werden we echt onthaald. We moesten naar de eersteklas wachtkamer en ik kreeg een grote krans om m'n nek. Beneden op straat stonden twee diligences en twee muziekkorpsen van de bereden politie, en zo gingen we de Jodenhoek door. Iedereen had rood-wit-blauwe vlaggen uitgehangen. Later gingen we naar Krasnapolski. Het was een avond om nooit te vergeten.

SAL WAAS   Veel kampioenturners(-sters) waren joods. In december werden er 'Steen-wedstrijden' gehouden in de Turnhal in de Marnixstraat. Ik herinner mij de namen van M. Biet, E. Fortuin, Isr. Wijnschenk, Melkman, W. Zwaaf, mej. E. de Levie en A. Polak.

Mijn oudste broer was turner en voor mijn bar-mitzwah heeft hij mij het lidmaatschap van zijn gymnastiekvereniging gegeven. Dat was de Arbeiders en Arbeidsters Gymnastiek Vereniging, waarin overwegend joodse leden zaten, maar er waren ook niet-Joden bij, dat was helemaal geen bezwaar.

Later is de naam veranderd in Gymnastiekvereniging Bato. Toen ik achttien jaar werd ben ik bestuurder geworden van die vereniging, en dat ben ik ongeveer veertig jaar gebleven.

Er was ook een joodse vereniging Spartacus, de leden daarvan waren niet georganiseerd in een vakbond. Wij vonden dat niet juist, als arbeider moet je lid zijn van een bond, en bij ons was dat natuurlijk de ANDB.

Dan had je nog de vereniging Kracht en Vlugheid, waar Rosien van Praag lid van was. Dat waren meer de beter gesitueerden. Die verenigingen zijn allemaal opgericht tussen 1906 en 1910. Joodse mensen voelden veel voor sport. Er was ook nog een vereniging van joodse gymnastiekonderwijzers· Plato.

ROSINE VAN PRAAG   Het turnen was een specifiek joodse volkssport. De 'betere' Joden deden niet zozeer aan turnen, de meeste turners waren eenvoudige mensen, diamantbewerkers en zo. Aan het eind van het jaar werd de zogenaamde 'Steen-wedstrijd' gehouden. De naam van de winnaar werd dan gegraveerd in een wandplaquette in de turnhal in de Marnixstraat. Die 'steen' met talrijke namen van joodse winnaars en winnaressen is er nog altijd.

Oorspronkelijk was het alleen een wedstrijd voor mannen, later was er ook een Steen-wedstrijd voor vrouwen. Het turnen was iets wat de Joden buitengewoon lag, en internationaal hadden ze ook heel wat in de melk te brokkelen. Ik herinner me een turnploeg dames die naar de Olympische Spelen in Londen werd afgevaardigd, en daar waren heel wat joodse meisjes bij.

Turnen is altijd de sport voor de kleine man geweest, met een lage contributie, zodat de grote massa kon meedoen. De turnverenigingen in Nederland tellen dan ook veel actieve leden. Het is een 'doe-sport', geen kijk-sport, zoals bijvoorbeeld voetballen, waar meer mensen naar kijken dan er zelf de sport bedrijven. Bij turnen is dat omgekeerd.

Er was ook een joodse roeivereniging Poseidon, want Joden kwamen niet in 'de Hoop' of 'Willem III'. Ze werden er meestal uit geweerd. Dat was natuurlijk iets heel geks, maar ik geloof

dat er in de 'betere' kringen meer antisemitisme was dan onder
het volk.

Immigratie

In de periode tussen 1870 en 1940 vestigden zich vrij veel Joden uit de Nederlandse provincie in Amsterdam. De mate waarin zij integreerden in het Amsterdams joodse milieu, hing sterk af van de mate waarin zij vóór hun komst naar Amsterdam zich aan hun niet-joodse omgeving hadden geassimileerd. De meer geassimileerden distantieerden zich innerlijk vaak enigszins van de Amsterdamse Joden. Zij gingen geheel of gedeeltelijk op in de niet-joodse omgeving en vormden daardoor geen aparte groep.

Anders was het gesteld met de immigranten uit Oost-Europa en de Duitstalige landen. In het tsaristische Rusland en na 1918 in de staat Polen vormden de Joden een nationale minderheid met een eigen taal, het Jiddisj. Onder deze Joden trof men orthodox religieuzen net zo goed als revolutionaire socialisten en zelfs anarchisten zonder enig geloof in God. Bij de kleine groepen Oostjoden, die zich vanaf omstreeks 1900 in Amsterdam vestigden, waren al deze verschillende opvattingen vertegenwoordigd. De wat hooghartige houding van vele Nederlandse Joden tegenover deze Oostjoden en hun liefde voor de eigen nationale cultuur, drong hen enigszins in het isolement. Zij bleven tot 1940 een aparte, zij het niet van Nederlandse Joden en Christenen gescheiden groep vormen.

Over het algemeen waren de Oostjoden die zich in Amsterdam vestigden afkomstig uit zeer arme families. Dit in tegenstelling tot de omstreeks tienduizend Duitse en Oostenrijkse Joden, die na 1933 naar Amsterdam vluchtten. De Duitse emigranten behoorden voornamelijk tot de gegoede middenstand. Onder hen bevond zich een opvallend groot aantal kunstenaars en intellectuelen. Hun cultuur was in hoofdzaak Duits. Zij voelden zich in het ietwat provinciale Nederland eerder ontheemd als Duitser dan als Jood.

De Duitse emigranten vestigden zich voornamelijk in Amsterdam-Zuid. Echte conglomeraties van Duitse Joden trof men aan op het Merwedeplein achter de zogenaamde Wolkenkrabber en in de Beethovenstraat. Tramlijn 24 die door deze laatste straat reed, werd dan ook wel eens Berlin-express genoemd.

Oostjoodse immigranten

ROSA DE BRUIJN-COHEN   In de Weesperstraat was het doorgangshuis voor de Russische emigranten, die waren gevlucht voor de pogroms.

Het was heel vreemd, maar bij ons thuis werd er niet zoveel over gesproken waar wij bij waren. Onze tuin grensde aan de tuin van het huis waar die mensen allemaal zaten. Ik zie het nog zó voor me, maar we zagen nooit kinderen of volwassenen in die tuin. Die mensen werden na zo'n lange reis, als ze vervuild waren aangekomen, daar opgevangen en klaargemaakt voor de reis overzee.

DAVID MINDLIN   Mijn ouders kwamen uit Rusland, uit de Oekraïne. Mijn vader deserteerde uit het leger in 1905, naar aanleiding van de Russisch-Japanse oorlog, en ook omdat er toen in die omgeving al veel pogroms waren.

Er werd veel over gesproken, in het Jiddisj, dat er veel pogroms waren, en dat er veel mensen weggingen, naar Engeland en Amerika via Rotterdam, en ook naar Nederland.

Mijn vader was kleermaker, zoals de meeste buitenlanders. Je had er ook wel schoenmakers bij. Hij is hierheen gekomen in 1906. Ze waren eerst in het doorgangshuis, dat was op de hoek van de Weesperstraat en de Nieuwe Herengracht. Alle buitenlanders die geen slaapplaats hadden kwamen daar terecht.

Mijn ouders zochten en vonden een woning in de Manegestraat, dat bekend staat als het 'Russenstraatje'. De Manegestraat was vroeger een open terrein, waar de paarden van theater Carré werden gestald.

Onder die vele vluchtelingen was een vroeger bekende violist, Alexander Schmuller, hij was eerste violist van het Concertgebouworkest. Hij kwam ook vaak bij mijn vader, toen ik klein was, omdat hij uit dezelfde stad kwam waar mijn ouders woonden, vlak bij Kiev. (N.B.: Schmuller kwam niet als vluchteling, maar kreeg een aanstelling als hoofdleraar aan het Amsterdamse Conservatorium.)

We spraken thuis altijd Jiddisj, hoewel mijn ouders altijd geprobeerd hebben Hollands met ons te praten. Ze hebben altijd dat Russische Oostjiddisj accent gehouden.

Ik ben geboren in de Manegestraat. Mijn ouders bleven meestal thuis; er was altijd visite. Er kwamen altijd enorm veel buitenlanders, allemaal Russische en Poolse Joden. Er werden dag en nacht gesprekken gevoerd, over de revolutie, en dat het allemaal beter zou worden: dat was hun droomwereld. En alles in het Jiddisj.

Mijn ouders waren absoluut niet vroom, en ze gingen ook niet naar sjoel. Ze waren eigenlijk links georiënteerd. Ze hadden het moeilijk, ze waren heel arm. Ik kan me nog duidelijk herinneren dat we altijd klompen droegen, dat we van school werden gevoed, en dat alles op afbetaling moest worden gekocht. Wij werden – begrijpelijk – klein gehouden. Mijn ouders waren angstige mensen, we werden opgevoed tot angst, dat zat ín ze. Je mocht niet zwemmen, dan kon je verdrinken; je mocht vooral niet voetballen, dat was gevaarlijk, vreselijk!

Er waren ook enorm veel vluchtelingen die absoluut niet angstig waren, die juist ontzettend veel lef hadden. Ik denk aan Broches, een bekende sigarettenfabrikant van voor de oorlog, en ik denk aan de cartonnagefabriek bij mij in de Govert Flinckstraat, waar ik nu woon, dat was ook een Russische familie. Die mensen waren actief, er waren enorm veel mensen die zich hier een positie hebben opgebouwd.

De Manegestraat was een bekende straat, waar het altijd vol zat met Russische en Poolse emigranten. Dat is heel logisch, als Turken of Marokkanen hierheen komen, dan zoeken ze elkaar ook altijd op. Er was niet veel contact met de andere mensen uit de buurt. Er bestond een geweldige haat tussen de Hollandse Joden van het straatje en de buitenlanders. De Hollandse kinderen gooiden altijd de ruiten in. We werden altijd nageroepen; het leven werd ons onmogelijk gemaakt. Dan riepen ze: 'Vuile stinkrussen, ga naar je land terug.' Ik herinner me dat ik een jaar of zeven was en we speelden op de Nieuwe Prinsengracht, waar veel schuiten lagen. Ik ben in het water gevallen, en er was een man die me heeft gered, en toen ik aan de wal was en hij zag dat ik dan zogenaamd een 'Rus' was, zei hij: 'Als ik had geweten dat je een Rus was, had ik je laten verzuipen.' Dat was gewoon iemand uit de Jodenbuurt. Er was dus absoluut geen solidariteit. We bleven als kinderen bij elkaar, omdat de Hollandse kinderen niet met ons wilden spelen. Onze klompen werden altijd in elkaar gehengst, de kleren werden je van je lijf gescheurd. Maar later, toen we wat ouder werden, zo'n achttien, negentien jaar, werden we bevriend met die jongens.

Naast ons woonde een familie met acht, negen kinderen, die waren ontzettend arm. Ik weet nog dat ze met Kwatta-repen naar het Olympisch Stadion gingen om die daar aan het publiek te verkopen. Toen hebben ze aan mij gevraagd of ik óók mee wilde om die repen te verkopen. En zo slopen we daar naar binnen en dan verkochten we die repen. Toen waren we ook goed bevriend met elkaar en die vriendschap is gebleven. Dat waren Hollandse Joden, die ons eerst vreselijk hadden uitgescholden. Ze legden ook wel eens stiekem een zware steen op de trap, voor de deur van Russische mensen en dan trokken ze onderaan de trap aan een touw. Die mensen dachten dan, door dat vreselijke gekraak, dat hun kinderen van de trap vielen. Allemaal van dat soort pesterijen! Dat zit in veel mensen, je hebt het nu nog steeds.

Ik heb er natuurlijk ook prettige herinneringen aan! Vrijdagmiddag na vieren kwam er altijd een harmonikaspeler de Jodenbuurten opvrolijken met muziek. Dan speelden ze volksliedjes en dramatische liedjes en er werd bij gezongen door een bekende straatzanger, Buiki genaamd omdat hij een dikke buik had. Er kwamen ook veel orgels bij ons in de straat.

Bij ons thuis werden altijd jiddisje liederen gezongen. Er bestond hier ook een jiddisje vereniging Sha-Anski die feesten organiseerde, waar allemaal jiddisje mensen kwamen. Er werden daar altijd vrijheidsliederen gezongen.

Er waren prachtige melodieën bij die oostjiddisje muziek. Dat waren allemaal wat men tegenwoordig 'smartlappen' noemt. Ik herinner me één lied heel goed, dat ging over een familie die vreselijk arm was. De moeder, de vader en de kinderen, allemaal moesten ze mee helpen met kleren naaien, ze moesten bij olielampen werken, het was allemaal treurig. En dan worden er altijd weemoedige liederen gezongen.

BEN SIJES   Wij woonden in de Nieuwe Kerkstraat, tussen de Weesperstraat en de Amstel. Dat was de proletarische Nieuwe Kerkstraat, een arme buurt. M'n grootouders woonden in het andere gedeelte van de Nieuwe Kerkstraat, tussen Weesperstraat en Roetersstraat. Daar woonden over het algemeen mensen die er wat beter aan toe waren.

En een zijstraatje daarvan was de Manegestraat, daar woonden een aantal Russische en Poolse Joden, ook arme mensen. Daar waren ook twee sjoeltjes, ik geloof een Russisch en een Pools sjoeltje. Wij mochten niet omgaan met die jongetjes maar ik ging er wel mee om. Eén van hen heette Herschel.

Ja, je mocht er niet mee omgaan, omdat die Poolse Joden andere gewoonten en manieren hadden. Ze dansten ook in hun sjoeltjes. Nou, en dat was niks voor die stijve, overwegend Portugese Joden uit de Nieuwe Kerkstraat tussen Weesperstraat en Roetersstraat. Ze keken minzaam neer op de mensen uit de Manegestraat.

ABEL JACOB HERZBERG   De Amsterdamse Joden waren 'gesettled'. Ze waren inwoners, en de Russische Joden waren vreemdelingen. Die spraken Jiddisj, en dat spraken zíj weer niet. Er heeft zelfs een zekere afkeer bestaan in bepaalde kringen tegenover Russische Joden.

De Russische Joden waren écht Joden, dat waren ánderen, die accentueerden dat. Terwijl de Hollandse Joden assimileerden, kwamen de Russische Joden het Jodendom weer accentueren en daarmee ook het probleem dat onbewust nog leefde.

De Amsterdamse Joden lieten het Jodendom niet los, maar ze hingen er ook niet aan. De opperrabbijn van Amsterdam was een overtuigde anti-zionist. Ze waren toch bijna allemaal tegen het zionisme! De Joden zouden wel naar Israël terugkeren, maar alleen door de Messias! Met andere woorden: 'Alsjeblieft niet, laten we alsjeblieft heel rustig hier blijven, we hebben het hier best!' Voor de Nederlandse Joden bestond geen politiek probleem, hoogstens een sociaal probleem.

En dan komen daar ineens Russische Joden, en díe demonstreren het joodse vraagstuk. Nou, dan krijg je de stuipen op je lijf.

SALKO HERTZBERGER   Toen die grote hoeveelheid emigranten uit Oost-Europa naar Amerika ging, toen kwam er ook een heel stel via Holland. De Hollandse Joden waren buitengewoon beducht voor het vergroten van het aantal Joden door de emigranten. Die moesten ze zo gauw mogelijk kwijt. Er is namelijk een 'wet' van het minimum: er is een bepaald aantal Joden dat wordt geaccepteerd door een niet-joodse omgeving. Als dat aantal te groot wordt, ontstaat er antisemitisme.

Dus die mensen die daar uit Oost-Europa kwamen, slachtoffers van pogroms in onder andere Tchernowitz, waar zich vreselijke dingen hadden afgespeeld, die werden ontvangen in een huis in de Weesperstraat dat heette Hachnosas Ourechiem (= Steun aan Gasten). Daar kregen ze te eten, er waren slaapzalen waar ze konden slapen. Dan kregen ze een handgeldje, en er werd geïnformeerd wanneer de volgende boot naar Amerika ging, en daar werden ze zo snel mogelijk op geplaatst.

BAREND DRUKARCH   Ik ben geboren in de Valkenburgerstraat. Mijn ouders waren hierheen gekomen in 1914 vanuit België. Ze kwamen oorspronkelijk uit Oost-Europa. Toen in 1914 in België de oorlog uitbrak, zijn ze met de vluchtelingenstroom mee naar Nederland gekomen, en toen zijn ze hier blijven wonen.

Er waren een groot aantal mensen uit Oost-Europa in België terechtgekomen met het vooropgezette doel om door te reizen naar Engeland of Amerika. En gedwongen door de oorlog zagen ze dat ze dat plan moesten verhaasten. Maar toen ze hier waren zagen ze geen mogelijkheid meer om weg te komen, en toen zijn ze maar gebleven.

Mijn vader was geboren in Kazanov, mijn moeder in Sodkob, beide in het toenmalige Rusland. Ze spraken liever niet over de vervolgingen. Het was voor hun genoeg dat ze het leed zelf hadden gedragen, ze wilden dat ons kinderen besparen. Ze praatten niet met heimwee over Rusland. Ze hadden er natuurlijk wel een stuk van met zich mee gedragen, want daar ontkom je niet aan. In Antwerpen was dat niet zo moeilijk geweest, omdat daar op dat moment het Oosteuropese element zeer groot was, de Oostjood was daar geen buitenbeentje.

Maar in Amsterdam was het wel een vreemde zaak, en daarom ontstaan er ook twee aparte Oosteuropese sjoeltjes, in de Nieuwe Kerkstraat en in de Swammerdamstraat: die hadden hun eigen diensten.

MAX REISEL   Door de huiselijke gezangen aan tafel op vrijdagavond, was het leven bij ons thuis op Oost-Europa georiënteerd. Mijn ouders spraken onderling Russisch of Jiddisj, maar de kinderen pasten zich niet aan, zij spraken zeer bewust alleen Nederlands. Zij wilden dat de ouders zich juist aan hun zouden aanpassen. Zo was er eigenlijk een afstand ten opzichte van de cultuur die de ouders hadden meegebracht en wilden onderhouden, en die de kinderen niet wilden aanvaarden. Russisch begrepen we niet en Jiddisj vonden we een lelijk dialect van het Duits, doorspekt met Hebreeuwse woorden. Maar juist omdat we Duits leerden op school, constateerden we het verschil. We waren té zeer aangepast om deze afwijking van het-op-school-geleerde te kunnen waarderen.

JOANNES JUDA GROEN   Ik ben veranderd door een paar invloeden. De eerste invloed ging uit van een medestudent, Kantorowicz, een joodse jongen die in Polen was geboren, en die, doordat de situatie in de eerste wereldoorlog zijn familie uit elkaar had gerukt, hier terecht was gekomen. Hij zei een keer tegen mij:

'Jij spreekt als een echte Nederlandse Jood. Jij denkt alleen maar over de bevrijding van de arbeidersklasse, want je hebt nooit discriminatie als Jood ondervonden. Maar jij moest eens, zoals ik, in Polen zijn opgegroeid. Nú nog, als ik naar Polen ga om mijn ouders te bezoeken, en ik vraag aan een politie-agent naar de weg, heb ik de kans dat hij me geen antwoord geeft, of dat hij tegen me zegt: 'Voor Joden heb ik geen tijd.' En als ik zie hoe mijn familie moet leven. Als mijn broer, die een zaak heeft, vindt dat hij te hoog in de belastingen is aangeslagen, dan gaat hij naar de belastinginspecteur. Daar krijgt hij te horen dat de inspecteur voor Joden niet te spreken is. Dan moet hij de secretaresse opnieuw naar binnen sturen met een bankbiljet van zoveel zloty, en dan pas is hij bereid om een Jood aan te horen. Ik kan niet meer ademen in dat Polen, omdat ik een Jood ben, en pas hier in Nederland merk ik dat Joden mensen zijn. Dus jouw ideeën dat de bevrijding van de Joden zal komen als het socialisme verwezenlijkt wordt, dat is alleen van toepassing op Nederland. Jullie hebben helemaal geen haast met die bevrijding, de Joden hebben het hier heel goed.

Maar daar zijn mensen die wachten, die worden onderdrukt. Voor hun is dat het belangrijkste. En weet je, dat als Joden in Polen lid willen worden van de socialistische partij, dat ze dat niet kunnen worden? Ze moeten een eigen socialistische partij oprichten.'

Dat bleek allemaal juist te zijn. Dat was in 1921 of 1922. Het heeft diepe indruk op mij gemaakt.

SAL WAAS Naar Nederland kwamen veel Oostjoden uit Rusland, Polen en Roemenië, die moesten steeds vluchten voor de pogroms.

Die mensen hadden een heel typische manier van leven. Als daar een jongen geboren was, werd het kind niet aangegeven; dat gebeurde dan bijvoorbeeld pas na twee jaar. En voordat hij in dienst moest, stuurden ze die jongen dan naar het buitenland. Hij was dan twee jaar jonger en dus nog niet dienstplichtig.

Ze droegen de naam van hun moeder, want ze waren alleen joods getrouwd, dat wil zeggen hadden alleen de 'choepah' gehad en geen burgerlijke huwelijksvoltrekking. Zo ken ik nú nog mensen die de naam van hun moeder dragen!

MOZES HEIMAN GANS   Ik herinner me uit mijn jeugd dat er een schip in Nederland was aangekomen met illegale vluchtelingen en die waren van boord gegaan. De politie zocht die mensen; er waren ook kinderen bij. Toen heeft er een stel bij ons thuis in onze bedden geslapen, en wij sliepen toen zogenaamd als invaliden in het gebouw. Toen de politie kwam, dachten ze: 'Ha, daar heb je een paar van die vluchtelingen.' En toen ze ons aanspraken, gaven we natuurlijk gewoon in het Nederlands antwoord, en het was in orde. Maar die vluchtelingen lagen dus bij ons thuis.

We hadden toen wel flink wat moeite met de politie, die was op dat moment bepaald nog niet makkelijk. Er was bijvoorbeeld een gezin, dat oorspronkelijk uit Polen kwam. Die mensen gaven als hun naam Neumann op, maar in hun paspoort stond Muller. Dus waren het bedriegers! Ze waren in Polen niet getrouwd voor de Burgerlijke stand, Neumann was de naam van de man, en Muller de naam van de vrouw. Officieel heette zij dus nog Muller, maar ze noemden zich Neumann. Het was een verschrikkelijk probleem; we zijn er een avond en een nacht mee bezig geweest om de politie duidelijk te maken, dat die mensen te goeder trouw waren.

Duitse Joden na 1933

WERNER CAHN   Ik heb in München gestudeerd. Politiek was ik links georiënteerd, zonder lid van een partij te zijn. In '33 woonde ik in Berlijn. Ik was bevriend met Lion Feuchtwanger, heb ook voor hem gewerkt, onder meer heb ik het materiaal verzameld voor zijn boek *Der jüdische Krieg*. Toen Hitler kwam, dacht ik: 'Ik ga een maand of twee weg, Zuid-Frankrijk is heel mooi, daar is zon en na een paar maanden is die 'zwendel' hier afgelopen!' De eeuwige vergissing van alle emigranten! 1 april 1933 was aangekondigd als de dag van de 'Jodenboycot'. Ik verdween op 31 maart naar Zuid-Frankrijk. Daar zat al Feuchtwanger en ook onder meer Thomas Mann, Heinrich Mann, Wilhelm Herzog, die indertijd hét Duitse boek heeft geschreven over de Dreyfus-affaire. Daar heb ik tot 1934 gezeten. Op een goede dag komt daar Landshoff aan, die via Nico Rost met Querido in Amsterdam in contact was gekomen, om een uitgeverij voor emigranten-auteurs op te richten.

Boeken van vele schrijvers waren indertijd al in Duitsland in beslag genomen, die mochten niet meer worden verkocht en de uitgevers zaten met voorraden die ze niet meer kwijt konden raken. De nazi's hebben deze voorraden gedeeltelijk naar het buitenland verkocht, om deviezen te verkrijgen. Ik herinner me een boek dat in Duitsland was gedrukt en in plano-vellen hierheen aan Querido werd verkocht en hier is gebonden. Dat bracht deviezen in het Duitse laadje!

Toen de 'zwendel' na een paar maanden niet afgelopen was, heb ik in Zuid-Frankrijk in een hotel kelner gespeeld en was een tijdje sportleraar. Ik maakte me wel zorgen, waar ik op den duur het geld vandaan moest halen om te leven. Toen kwam dus Landshoff en zegt tegen mij: 'Jou kan ik gebruiken!'

In juni 1934 ben ik naar Amsterdam gekomen. Die hele Duitse uitgeverij bestond toen uit Landshoff, zijn secretaresse en mij. De secretaresse was óók een emigrante, op dezelfde dag weggegaan als ik. Ze had een Christenvriend en dat was toen al gevaarlijk, dat was 'rassenschande'. Zij is mijn vrouw geworden.

De eerste nacht in Amsterdam heb ik in een hotelletje aan de Warmoesstraat doorgebracht; dat kostte twee-vijftig inclusief ontbijt, waar ik de hele dag op kon leven. Dat vond ik sensationeel, en ook die hele entourage, dat smalle straatje, dat hotel met die merkwaardige Nederlandse trappen, dat was voor mij iets nieuws. Hoe kan men zulke trappen bouwen, hè? Dat uitzicht op dat leuke huisje, waar nu Handelsbelangen zijn ondergebracht! Dat hotel heette Eden-hotel, het is nu verdwenen.

Joseph Roth heeft er ook een tijdje gewoond. Die heb ik een paar keer meegemaakt, ik moest bij hem telkens delen van een manuscript halen. Hij was een bijzonder charmante prater. Het was echt een genot naar die man te luisteren, behalve dan dat hij altijd heel vroeg met sterke drank begon. 's Zaterdagsmorgens kwam ik wel eens, en als ik dan 's middags op de uitgeverij terugkwam, had ik het gevoel dat ik 'zat' was. Hij begon het ontbijt met een fles sterke drank en ik moest meedoen.

Op de uitgeverij was ik een manusje van alles: corrector, correspondent, officieel lector. Maar er viel niet zoveel te 'lectoreren'. Het fonds van Querido Verlag bestond in hoofdzaak uit boeken van bekende schrijvers, zoals Feuchtwanger, Heinrich Mann enzovoorts.

Er zaten hier natuurlijk ook nog anderen die uit Duitsland waren gevlucht en die hier literair bezig waren. Mijn oude vriend Fritz Heymann, die een zeer merkwaardig boek heeft geschreven over joodse avonturiers: Der Chevalier von Geldern. Dat boek is nu in Duitsland weer in fotoprint verschenen. Dan Erich Kuttner die een boek schreef over het zogenaamde 'hongerjaar' 1566 in Nederland. Het werd uitgegeven door toedoen van Jan Romein, die zeer onder de indruk was. Konrad Merz, die nu nog als fysiotherapeut in Nederland woont. Later kwam Klaus Mann, een vriend van Landshoff, als redacteur van Sammlung, een literair tijdschrift van Querido, dat hier twee jaargangen heeft beleefd.

Nederland was een relatief gunstig land voor Duitse emigranten. De tolerantie in Nederland tegenover de Joden is iets, wat bij wijze van spreken elke Jood op de hele wereld weet. En ook dat de Joden hier een rol hebben gespeeld in de cultuur, vooral in Amsterdam, van de Portugese gemeente, enz. Dus dit was het land waar een Jood kon leven. En Amsterdam en Nederland; het was zo dichtbij, er was geen visumdwang zoals voor Frankrijk en veel Scandinavische landen. En ook de (ongegronde) mening, dat de taal makkelijk te leren zou zijn, is voor emigranten bijzonder aantrekkelijk.

De emigranten vormden een tamelijk gesloten kring. Met Nederlanders had men in het algemeen weinig contact. Wij waren natuurlijk nogal vreemde figuren. Wij dronken bijvoorbeeld niet 's morgens om elf uur koffie! Ik heb mij nooit met geweld aan die dingen aangepast; zodra je waar ook over de grens komt, zijn er andere zeden en andere gebruiken. Wij hadden ja ook een beetje het gevoel dat we in Nederland in een land kwamen waar je nog in het jaar 1912 leefde. Het was hier gezapiger, burgerlijker. Men had hier nog niets meegemaakt, geen inflatie, geen revolutie, geen oorlog. Dat was allemaal hierlangs gegaan! Natuurlijk voelde men zich hier een balling, maar men had de indruk dat het levenspatroon van de mensen zo ouderwets was. Dat idee van 'Het lijkt hier wel 1912' is na de tweede wereldoorlog volledig verdwenen. Voor de oorlog heerste hier ook echt een regentenmentaliteit, zoals zo'n man als Querido in zijn zaak de 'pasja' was! Enerzijds was alles veel democratischer dan in Duitsland, maar anderzijds ook van: 'Wij jongens onder elkaar, we regelen dat wel even.'

Toen ik in Nederland kwam, heb ik geprobeerd in dezelfde buurt te komen als de andere emigranten. Dat was de Beethovenbuurt, daar woonden de meeste emigranten op kamers of hadden een woning gevonden. De Beethovenstraat werd voor de grap de 'Brede Jodenstraat' genoemd, en lijn 24 de 'Berlijnexpres'. Die buurt kwam tegemoet aan de manier waarop die mensen in Duitsland hadden gewoond, tamelijk nieuw, een tikkeltje elegant; van de Berlijnse Kurfürstendamm naar de Beethovenstraat was niet zo'n enorme stap. Het was ook een kwestie van 'standing'. Amsterdam-Zuid, het Merwedeplein, was voor de oorlog tamelijk joods en hier wonen nóg veel emigranten, naar verhouding.

Ik kan niet zeggen dat we het gevoel hadden terecht te komen in een cultuur van een lager niveau, absoluut niet! Ik wist ook te veel van de Nederlandse geschiedenis af om dat gevoel te hebben. Maar je had hier natuurlijk óók die 'bei uns'-mensen, die bij elke gelegenheid zeiden, als bijvoorbeeld de loodgieter binnenkwam met een brandende sigaret: 'Bei uns war das unmöglich.'

Er waren beroepen die economisch zeer interessant waren voor Nederland. Die paar boeken die Querido naar het buitenland verkocht, waren niet zo interessant, maar de hele Berlijnse confectie kwam hier naar toe. Nederland heeft voor de oorlog bij wijze van spreken voor het eerst in de economische geschiedenis, confectie-export gehad van grote economische betekenis; dat waren allemaal Duitsers hier. Vooral de damesconfectie, dat was haast een zuiver Duitse emigranten-zaak in Nederland.

En dan zaten hier natuurlijk ook van die rijke mensen, waar wij ons ontzettend aan ergerden, zoals die bankier Mannheim, die natuurlijk zonder moeilijkheden Nederlander werd. Dat was voor ons vóór de oorlog onmogelijk, met een kleine betrekking waar we maar een beetje geld mee verdienden.

Ik ben geboren in 1903. De eerste wereldoorlog heb ik nog zeer bewust meegemaakt; niet alleen omdat mijn vader als brave joodse soldaat is gesneuveld, maar ik was ook politiek zeer geïnteresseerd. Ik kende hier anti-fascistische groeperingen, maar er aan meedoen, daar was ik veel te bang voor. Het was namelijk voor emigranten verboden, hier iets politieks te doen. Dat hield het gevaar in, dat je meteen over de grens kon worden gezet. Wij waren ja geen Nederlanders; ik ben pas na de oorlog genaturaliseerd. Het was al een beetje verdacht in zo'n anti-fascistische uitgeverij te werken. Dat is ons wel eens aan het verstand gebracht door de vreemdelingenpolitie hier.

Er waren verschillende redenen waarom de emigranten hier niet zo'n grote rol konden spelen. Ten eerste de angst, iets politieks te doen, wat dus streng verboden was. Ten tweede was het gevecht voor het bestaan voor vele emigranten bijzonder hard. De meeste waren burgers, zakenlui. Natuurlijk waren er ook academici bij, die het bijzonder moeilijk hadden. Wat moet een jurist hier doen, wat moest ik hier doen? Ik had misschien van alle emigranten de enige betrekking voor een germanist! Totdat ik op een goede dag kruidenier moest worden.

In 1938, met de zogenaamde 'Kristallnacht' in Duitsland, toen is zelfs zo'n conservatieve regent als Colijn de straat opgegaan met de collectebus. Zoiets gebeurde hier met groot enthousiasme en met een zekere moed tegenover de Duitsers. Aan de andere kant was het zeer gevaarlijk om als emigrant hier iets tégen Hitler te zeggen. Die journalist Lippmann heeft hier ontzettende moeilijkheden gehad.

Toen ik hier kwam, had ik geen werkvergunning nodig; dat gold alleen voor bepaalde beroepen. In een Duitse uitgeverij te werken als Duitse lector, dat was een beroep dat eigenlijk alleen door een Duitser kon worden uitgeoefend, die literair op de hoogte was. In 1935 is algemeen voor emigranten, ongeacht hun beroep, een werkvergunning geïntroduceerd; die moest elk half jaar opnieuw aangevraagd worden. Dat deed de uitgeverij voor mij, en toen werd die vergunning in 1936 niet verlengd. Zoals men mij bij de vreemdelingenpolitie vertelde, was dat een soort wraak van de Nederlandse regering tegen de Duitsers. De Duitsers hadden namelijk talrijke Nederlanders die in Duitsland werkten–vooral in het Ruhrgebied waren er heel veel Nederlandse mijnwerkers–onder de loep genomen, of ze politiek 'betrouwbaar' waren of niet. En die Duitsers hebben toen ongeveer vierduizend werkvergunningen voor Nederlanders geschrapt, die mensen moesten terug. En toen heeft men hier gezegd: 'Wat die Duitsers kunnen, kunnen wíj ook, wij hebben óók zoveel Duitsers hier!' Dus heeft men hier vierduizend werkvergunningen voor mensen met een Duits paspoort geschrapt; en ik zit vooraan in het alfabet. Of dit verhaal waar is, weet ik niet, maar het is mij door de vreemdelingenpolitie verteld. Het is mogelijk; er zijn de gekste dingen gebeurd.

Voor de vreemdelingenpolitie moest ik een inkomen kunnen

aantonen. Ik had wél een verblijfsvergunning; dat is iets anders dan een werkvergunning. Later kregen we ook een vreemdelingenpas omdat we onze nationaliteit hadden verloren, maar in het begin had ik een Duits paspoort. Om dus tegen de vreemdelingendienst te kunnen zeggen dat ik hier een bezigheid had, heb ik een kruidenierszaak inclusief klanten overgenomen van een andere emigrant, die naar Amerika ging. Daar heb ik indertijd honderdvijftig gulden voor betaald. Dat was een groot bedrag, anderhalf maandsalaris voor mij; ik verdiende honderd gulden per maand bij Querido.

Toen ik dan kruidenier was geworden en mijn klanten bezocht vooral in emigrantenkringen, kwam ik ook op het Merwedeplein om mijn spulletjes af te leveren. En daar ontmoette ik 'Herr Rechtsanwalt So und So', die verkocht worst! En op een goede dag loop ik de trap op, zo'n typische stenen stoep, en daar komt mij een man tegemoet, hij klakt met zijn hakken en stelt zich voor: 'So und So, kand. fil.' Dat is dus: kandidaat in de filologie. Dat was ook míjn studie geweest en die man kende me. Hij liep met brood te venten.

Zeer veel mensen kwamen hier illegaal over de grens en leefden hier illegaal. Ze hadden vaak geen goede of helemaal geen papieren. Zo waren er bijvoorbeeld joodse emigranten uit Hongarije, die in Duitsland hadden gewoond zonder behoorlijke papieren en die zó over de grens gegaan zijn. Ik ken het geval van een zekere Braun, die naar Tsjechoslowakije ging. Daar werd hij gepakt door de politie omdat hij geen papieren had. Ze moesten hem kwijt en zetten hem bij nacht en ontij over de grens naar Oostenrijk, dat indertijd nog vrij was. De Oostenrijkers zetten hem over de grens naar Zwitserland. Op dezelfde wijze kwam hij via Frankrijk naar Nederland. Die man wist niet wat hij moest doen. Het gevaar was dat ze hem hier ook weer over de grens zouden zetten. Dat hebben ze ook gedaan, maar ze zijn zo menselijk geweest om hem naar België te brengen. Daar is hij wéér gepakt en weer hierheen teruggestuurd. Die man kwam terecht in een kringetje van mensen waar ik ook bij hoorde. We hadden zo'n soort illegale 'Joodse Raad'. We zijn voor hem op stap gegaan om vijfendertig gulden bij elkaar te brengen, wat toentertijd een vermogen voor ons was. Dan kon hij naar Engeland; er was een boot die tussen Antwerpen en Engeland voer, waarvan de kapitein voor vijfendertig gulden mensen illegaal meenam. In Engeland was je zéker, daar werd je niet over de grens gezet, maar je kwam een maand of twee in de gevangenis en dan kon je blijven.

Indertijd had ik een onderstuk gehuurd voor mijn kruidenierswaren in de Jan Steenstraat, tegenover de melkfabriek. Daar kwamen een paar mensen samen, waaronder Fritz Heymann. De een of ander wist dat wij wegen kenden om iemand te helpen. Door mijn beroep als kruidenier kwam ik bij talrijke emigranten. Natuurlijk had ik in hoofdzaak joodse emigranten als klant. Ik had zo'n soort uitbreng-zaak: ik kwam de bestellingen opnemen en leverde dan af vanuit mijn magazijn in de Jan Steenstraat. Wij konden mensen helpen, omdat ik de gelegenheid had, hier en daar bij emigranten te zeggen: 'Luister eens, ik heb geld nodig!' Er was bijvoorbeeld in de toenmalige Euterpestraat (nu: Gerrit van der Veenstraat), achter de Rijksverzekeringsbank, een pension waar ik vaak heb gegeten. Daar woonden emigranten met geld, bankiers en zo. Daar kwam ik dan en dan zei ik: 'Geld op tafel, we moeten iemand helpen!' En zo is die Braun ook op een goeie dag via Antwerpen naar Engeland gekomen.

Braun was geen uitzonderingsgeval. Men wilde die mensen kwijt, ze waren zo lastig. Wij waren immers administratief 'duur'! Hoeveel ambtenaren zaten er niet op het stadhuis bij de vreemdelingenpolitie? Daar moesten we elk half jaar of elke drie maanden verschijnen. Dus iemand, die hier niet zo gezien was, graag weg! De vreemdelingenpolitie hier in Amsterdam was in het algemeen bijzonder meegaand en sympathiseerde met de emigranten. Maar om bepaalde dingen konden ze niet heen en er zat natuurlijk ook een of andere 'verkeerde' figuur, zoals later gebleken is. In het geval Braun was het ook zo dat hij gevaar liep, omdat de vreemdelingenpolitie wist waar hij illegaal woonde, en ze gaven ons een waarschuwing: 'Zorg ervoor dat die man morgenochtend niet thuis is!'

Mijn moeder kwam in 1938 hierheen. Zij was hertrouwd na de dood van mijn vader met een zogenaamde 'Ariër' en toen de nazi's kwamen, vond die 'Ariër' het beter om zich van haar te laten scheiden. Mijn vrouw en ik hadden hier dus de zorg voor drie mensen: mijn moeder en mijn schoonouders. Voor hen hadden wij garantie gegeven bij de vreemdelingenpolitie. Ook dat was een reden, om altijd te kunnen zeggen tegenover de vreemdelingenpolitie, dat mijn vrouw en ik genoeg verdienden om voor die mensen te zorgen. We hebben voor de oorlog ons inkomen ook vaak hoger opgegeven dan het in werkelijkheid was, om te kunnen bewijzen dat wij onze ouders konden steunen.

Nu was het natuurlijk ook zo, dat we meer uit konden geven dan we officieel verdienden, door verkoop van de dingen die onze ouders hadden meegebracht. Er waren mensen die er hun beroep van maakten, geld van emigranten over de grens te brengen. Ik weet een geval van een man die invalide was uit de eerste wereldoorlog. Hij had een houten been en leefde er goed van. Hij bracht geld van emigranten over de grens. En wel had hij een goed gecamoufleerd vak in zijn houten been!

MARIUS GUSTAAF LEVENBACH   In Duitsland was professor Sinzheimer de grote man van het arbeidsrecht vóór de eerste wereldoorlog en in de jaren van de republiek van Weimar. Hij heeft in de grondwetgevende vergadering van Weimar gezeten en de paragrafen over de mensenrechten gemaakt samen met z'n vriend Radbruch. Hij was ook nog hoogleraar in Frankfurt en Polizeipräsident van Frankfurt in '33.

Professor George van den Bergh kende hem goed van sociaaldemocratische bijeenkomsten. Hij heeft hem in '33, toen hij ontslagen werd als hoogleraar en als Polizeipräsident, hier naartoe gehaald, om een paar weken te logeren, om even bij te komen.

Ik ben meegeweest om hem af te halen. Ik herinner me nog, dat we in een taxi naar het huis van George van den Bergh gingen, Sinzheimer met zijn vrouw en Van den Bergh en ik. En wij vroegen: 'Hoe is het?' en hij zei: 'Sssst...' en wees naar de chauffeur, want die vertrouwde hij niet. Dat kwam in ons hoofd niet op in 1933, dat je niet vrijuit over politiek en over Hitler kon praten in een taxi, omdat de chauffeur je anders misschien zou verraden.

Een half jaar later hebben we Sinzheimer hier voorgoed naartoe gehaald.

WILHELMINA MEIJER-BIET   Over het algemeen vonden de Hollandse Joden de Duitse Joden niet zo aardig, omdat men volgens ons te veel het Duitse element kon herkennen. Er was nog altijd bij hun een zekere trots op Duitsland en een zeker neerkijken op Nederland. Wij maakten bijvoorbeeld het grapje: 'Bei uns in Berlin scheint die Sonne viel schöner.' Men sprak in de tijd, dat er meer vluchtelingen kwamen over de 'Wenn man nicht'-Juden en de 'Bufet'-Juden. De 'Wenn man nicht'-Juden waren de Duitse Joden, die niet de moeite namen om Nederlands te leren spreken. Dat namen wij hun kwalijk. Ze woonden ergens op een kamertje of op een kleinere etage in een minder goede buurt en ze zeiden altijd: 'Wenn man nicht damals aus Berlin hätte fliehen müssen, dann hätten wir unsere Möbel noch.' De 'Bufet'-Juden waren die Duitse Joden, die ook in een klein kamertje zaten en allemaal armoedige dingen om zich heen hadden en die zeiden: 'Zu Hause hatten wir ein grosser Bufet, aber das konnten wir nicht mitnehmen.'

Ik heb die mensen, die ik ontmoette bij het vluchtelingencomité en die voor mij begrippen waren op cultureel gebied, zien versloffen. Ze hielden zich nog altijd aan iets vast, wat ze nog het idee van een zekere luxe gaf. Ze aten bijvoorbeeld heel weinig, omdat ze niet genoeg geld hadden. Maar als je bij het vluchtelingencomité werkte, dan kwam je uit boven die zeven gulden steun, dan kreeg je voor je werk ook nog een zeker bedrag betaald, en dat werd weer hoger, als je ook nog familieleden te ondersteunen had. Die mensen aten bijvoorbeeld altijd brood zonder iets erop, maar met heel dik boter, want dik boter was voor hun een symbool van luxe.

Een vriendinnetje van mij, dat in de oorlog illegaal werk heeft gedaan, hoorde bij de eerste groep van mensen die als vluchtelingen de Nederlandse nationaliteit kregen op verzetsgronden. Zij is hier gekomen in '37 of '38 en haar zuster in '33. Ik wist hoe moeilijk ze met geld konden rondkomen, maar mijn vriendin at dan minder vlees, maar ging in een taxi zitten, want een taxi was luxe. Zulke kleine dingen kon ik met mijn zuinige aard niet doen. Ik liep liever mijn schoenen scheef, wat oneconomisch was, dan in de tram te zitten. Maar het feit, dat zij zich zó aan dergelijke dingen moesten vasthouden, dat gaf mij eigenlijk het idee, dat ze van alles verlaten waren.

Ik herinner me, dat minister Goseling gezegd heeft dat iedereen, die illegaal de grens over kwam, teruggestuurd zou worden, tenzij hij in werkelijk levensgevaar verkeerde, als hij teruggestuurd werd. De vluchtelingenstroom uit Duitsland begon namelijk zulke enorme proporties aan te nemen, dat Nederland het eigenlijk niet meer kon verwerken. Dat waren niet alleen de Joden, want je had ook het katholieke comité en het protestantse comité. En die mensen die gevlucht waren uit de concentratiekampen zijn óók de grens overgezet, want volgens de minister was een concentratiekamp geen levensgevaar. Daar is enorm veel om te doen geweest.

EDUARD CHARLES KEIZER   De meeste Duitsers mochten hier het land niet in, die kwamen in Westerbork. Dat was eigenlijk oorspronkelijk een opvangcentrum voor de Duitse Joden. Daar blijkt wel weer, dat er in Nederland helemaal niet zo'n pro-joodse stemming heerste. Men was bang, dat als de Duitse Joden hier zouden komen, ze concurrentie zouden betekenen. De regering heeft ze helemaal niet in Nederland willen toelaten en tenslotte heeft Professor David Cohen er onder andere voor gezorgd dat dat opvangcentrum in Westerbork er kwam.

Later heb ik verschillende Duits-joodse families leren kennen, die zich hier in Amsterdam vestigden. Daar waren ook vrome Joden bij. Onze slagerij had eigenlijk al die vermogende Duitse Joden, bankiers en zo, als klant. Die mensen werden wél in Nederland toegelaten, omdat ze enorme geldbedragen binnenbrachten en over belangrijke relaties beschikten. Deze mensen hebben ons eigenlijk nooit iets verteld. Ze vonden het misschien verstandiger om maar nergens over te praten.

ARTHUR FRANKFURTHER Kort voor de oorlog was hier een algemeen comité met als voorzitter Abraham Asscher. Er werd een landbouwkolonie in de Wieringermeer gesticht. Daar werden Duitse jongelui opgeleid voor landbouw en diverse ambachten ter verdere emigratie naar Palestina. Die mensen zochten natuurlijk geld. De Nederlandse regering heeft voor het binnenlaten van de emigranten alleen de eis gesteld, dat een organisatie zou garanderen dat die mensen niet ten laste zouden komen van de Nederlandse staat, wat niet verbazingwekkend was, want er was toen werkloosheid hier.

Ik was erg bevriend met de kring van het AMVJ op het Leidsebosje. Ik hield ook voordrachten voor de leden en dat heb ik ook eens gedaan over de Duits-joodse emigranten. Toen zeiden ze: 'U zegt wel dat we ze moeten helpen, en dat vinden wij ook, maar mijn broer heeft een kapperszaak in de Jordaan en als er nu in dezelfde straat een Duitse kapperszaak komt, die veel mooier is, dan lopen zijn klanten weg!'

Toen zei ik: 'Ja, maar dat moet je zó zien: ten eerste krijg je een soort elite hier, het zijn geen dagloners. En als zo'n man daar een kapperszaak begint, dan wordt hij meteen ook klant van de kruidenier en de kleermaker enzovoorts. Wij Nederlanders weten toch wel uit onze eigen geschiedenis, dat het binnenlaten van goede, intelligente buitenlanders de maatschappij bevrucht, hoewel het in het begin lijkt alsof het concurrentie is. De Portugese en Spaanse Joden bijvoorbeeld hebben een geweldige invloed gehad in Nederland. Kijk maar naar de Koninklijke Bibliotheek in Den Haag en dat huis van de Suasso's op het Korte Voorhout, dat huis wat de koningin nu gebruikt; en alle familieportretten in het Stedelijk Museum, dat ze ook hebben geschonken aan de stad. In mijn jeugd heette het ook het Suassomuseum.'

Na die voordracht die ik dus voor die jongens hield, dat waren kantoorbediendes en zo, waren ze zo enthousiast, dat ze 's avonds naar mijn huis kwamen om me te vragen, er nog meer over te vertellen, zodat ze het aan hun vrienden konden uitleggen.

Iemand, die ook veel heeft bijgedragen tot de hulp aan joodse vluchtelingen was de heer Königs, van de bankiersfirma Rhodius Königs Handelmij. Dat was een Duitse firma in Amsterdam, die gelieerd was met Delbrück Schickler in Berlijn en Delbrück van der Heydt in Keulen. Dat waren niet-joodse aristocratische Duitse bankiersfirma's. En die Königs, de grote man van de Rembrandt-collectie, die trok zich nergens wat van aan. Hij ondersteunde hier de joodse vluchtelingen en ging toch naar Duitsland voor zaken.

Hij heeft ook een huis gehuurd in de binnenstad, dat hij heeft laten inrichten als club voor die mensen. Ik ben nog bij de opening geweest, en Königs was daar zelf ook aanwezig.

MOZES HEIMAN GANS   De Joodse Invalide was het eerste gebouw, waar in 1933 tafels gedekt stonden om vluchtelingen te ontvangen, en er werden in de loop der jaren heel wat vluchtelingen opgenomen. Ze werden als personeel te werk gesteld, maar ook mensen die naar het tegenwoordige Israël wilden gaan, die een vak moesten leren, leerden dat in de Joodse Invalide. Dat was de zogenaamde hachsjarah.

Ik werd in 1933 door mijn ouders naar het station gestuurd met een band om mijn arm, waarop een grote 'mageen david' stond, om vluchtelingen te ontvangen. Dat was het Weesperpoortstation. Onder leiding van iemand die we chef de réception noemden. We moesten die mensen dan onderbrengen, want een vluchtelingencomité was er toen nog niet, maar we wisten dat het misliep in Duitsland en we dachten, dat er wel mensen zouden vluchten.

We keken heel erg op tegen de vluchtelingen, ze waren cultureel toch veel meer dan wij, opgevoed met Goethe, Schiller en Heine. Ze citeerden dat uit hun hoofd, daar waren wij maar boeren bij.

Wij beseften niet, dat zoiets ooit in Nederland zou kunnen gebeuren, dat was toch uitgesloten? Waar moesten de Nederlandse Joden dan naar toe? Die paar rijke Joden konden wel weg, maar het grootste gedeelte was ontstellend arm, dus die konden niet naar Amerika gaan.

Mijn vader had op een gegeven moment heel nauw contact met mr. Visser, de latere president van de Hoge Raad, over het vluchtelingenprobleem. En mr. Visser introduceerde hem weer bij de minister om persoonlijk verlof te krijgen om bepaalde mensen binnen te laten. En op de dag, dat mijn vader plotseling overleed, toen was hij net bij de minister geweest, toen heb ik hem nog gesproken over de telefoon. Dat was vlak na de Kristallnacht in Duitsland en hij had toen voor een grote groep mensen toegang tot Nederland gekregen.

Zionisme

Het zionisme heeft voor de oorlog onder de Nederlandse Joden nooit een massale aanhang gekregen. Vooral het joodse proletariaat in Amsterdam bleef over het algemeen weinig ontvankelijk voor de boodschap van het zionisme.

De zionisten gingen van het standpunt uit, dat Joden alleen in een eigen nationale staat vrije, niet aan discriminatie en vervolging blootgestelde mensen konden worden. Voor de vrijwording of emancipatie van de Joden was volgens hen de totstandkoming van een eigen staat, waar de Joden geen minderheidsgroep zouden vormen, een onontbeerlijke voorwaarde.

De Amsterdamse socialistische Joden hechtten over het algemeen weinig geloof aan deze stelling. Zij hadden de tastbare verbetering aanschouwd in de sociale, economische en politieke situatie van het joodse proletariaat. De Joden hoefden voor hen niet door middel van een joodse staat te worden geëmancipeerd. Hadden niet hun Henri Polak en hun Monne de Miranda via de Nederlandse SDAP en de Nederlandse vakbeweging de levensomstandigheden van het Amsterdams-joodse proletariaat aanzienlijk verbeterd?

Tot 1933 bleef het zionisme in Nederland en in Amsterdam vrijwel uitsluitend aantrekkingskracht uitoefenen op Joden behorend tot de middenklasse. Daarna kwam ook hier een socialistisch-zionistische organisatie tot stand, de Poalei Zion (Arbeiders van Zion). In de Nederlandse Zionisten Bond (NZB) gingen Poalei Zion-aanhangers voor 1940 een steeds voornamere rol spelen, zodat deze zijn burgerlijk karakter grotendeels verloor.

Dit alles neemt niet weg dat ook na 1933 de overgrote meerderheid der joodse arbeiders in Amsterdam onverschillig bleef staan tegenover de zionistische ideologie.

Algemeen

ISAAC KISCH   Ik was zeer actief zionist, en zo was ik ook opgevoed. Mijn vader en ik hadden een sterk bewustzijn van het internationale Jodenprobleem. Ik ben ermee geboren en ik heb
het ook uit mezelf zo gevonden. De Joden waren overal achter-
uitgezet, de eeuwen door vervolgd, verdreven en uitgemoord
zoals bijvoorbeeld bij de pogroms in Rusland. Sommige Joden
dachten er niet over na, anderen dachten dat, naarmate de democratie zou voortschrijden, het probleem zich zelf zou oplossen,
als de Joden zich assimileerden aan hun omgeving door doop en
gemengd huwelijk.

Er waren gebeurtenissen die mede mijn zionisme hebben bepaald, bijvoorbeeld dat mijn vader tijdens de Dreyfus-affaire veel
in Frankrijk reisde en mij er veel over heeft verteld. Dat onder-
streepte de gedachte, dat het antisemitisme ook kon losbreken
in een gemeenschap die de democratische beginselen is toege-
daan.

In mijn studententijd ben ik voorzitter geweest van de zionistische studentenvereniging. Daar was ik ook spreker, ik hield
voordrachten op vergaderingen, maakte propaganda en wat
niet al.

Ik had het bewustzijn dat de Joden als minderheid altijd in een
slechte positie waren, omdat ze geen eigen land hadden. Dat was
al twintig eeuwen zo, bijna overal op de wereld, behalve in een
enkel gezegend land als Nederland. Maar dat was een uitzondering. Er was een sterk antisemitisme in Duitsland, Frankrijk,
Oostenrijk, wat zich elk ogenblik kon toespitsen in fellere vormen, zoals in Rusland. De oplossing was dus een eigen land, en
daar moest je voor 'sjouwen', heel kort gezegd.

MIRJAM DE LEEUW-GERZON   Toen in 1917 in het Concertgebouw werd gesproken naar aanleiding van de Balfour-decla-
ratie, was dat een groot moment in het leven van de Joden, en na

277

afloop zeiden we–samen met Abel Herzberg: 'Nu gaan we naar de Jodenbuurt en we gaan daar spreken, misschien begrijpen ze nú, dat het de moeite waard is om hier op den duur weg te gaan!' Dat deden we, met Abel Herzberg voorop. Geen enkele reactie, hoewel hij heel goed sprak. We stonden op straat, op een kar, ik ook. Maar dat er geen reactie was, dat was eigenlijk vanzelf-sprekend. Ze konden dat niet opeens begrijpen, en ze hebben het nooit begrepen.

Het Hollandse Jodendom was een apart iets in een land waar ze al een paar eeuwen rustig hadden gewoond, helemaal geassi-mileerd. Ze hadden geen gevoel meer voor de joodse tragiek.

In de twintiger jaren was de zionistische bond klein, er waren maar weinig zionistische studenten, en de meeste Joden die tot het proletariaat behoorden, wisten er niets van af, en dat was het grootste deel van het Amsterdamse Jodendom. Die waren socia-listisch, ook door de AJC, en ze hadden het al zo moeilijk om hun brood te verdienen. De zionistische bond was voor een groot deel een intellectuele groep. Ze waren zionist met hun verstand, niet met hun gevoel, zoals de Oosteuropese zionisten. De Hollandse zionisten vonden het vaak heel erg als hun kinde-ren naar Palestina gingen, kinderen tussen de zestien en negen-tien jaar. De zionistische bond in Holland was wel gericht op Palestina, dat was wel goed, maar zíj woonden zelf nu eenmaal in Holland. Dan vroeg ik ze: 'Wanneer gaan jullie nu naar Palestina?' en dan zeiden ze: 'Naar Palestina? Dat is voor de Russische Joden en de Poolse Joden, die het daar niet kunnen uithouden, maar wíj gaan toch niet naar Palestina?'

MAX REISEL   Mijn vader was mizrachist. Mizrachi is een syn-these van het zionisme en traditioneel Jodendom. Dat was no-dig, omdat het zionisme zich neutraal had opgesteld tegenover het religieus Jood-zijn. Hun leuze was: 'Religion ist Privat-sache.' De reactie daarop kwam van een intern-zionistische groep, de Mizrachi, die zei: 'Het religieuze is geen privé-aange-legenheid, het is een typisch kenmerk van de joodse gemeen-schap, die als zodanig een taak in de wereld heeft.'

Ook dit mizrachistische roepingsbesef heeft bijgedragen tot het specifieke karakter van het chazanoet van wijlen mijn vader.

MEIJER MOSSEL   Als Meyer de Hond zijn anti-zionisme van de kansel verkondigde, dan waren er wel eens mensen in de sjoel, die met hun handen op de bank sloegen om daarmee hun ongenoegen te kennen te geven. Dan zei hij: 'Jacob leefde in Egypte, hij lééfde in Egypte. Palestina is goed voor ná je dood.' Waarschijnlijk was hij anti-zionist, omdat hij zag dat de zionisten niet orthodox waren, wat hij graag had gewild. De meeste orthodoxe milieus waren tegen het zionisme, omdat ze ervan uitgingen dat de verlossing pas zou komen als God daartoe het tijdstip zou bepalen, en Hij de 'Masjieach' zou sturen.

DAVID RICARDO   Wij woonden op de Nieuwe Prinsengracht, en daar hadden we aan de voorkant twee enorme vensters met brede vensterbanken. Toen ik een jaar of drie, vier was lag ik altijd op m'n knieën voor die vensterbanken en keek naar buiten, hoe de lange platte schuiten met zand van de Amsterdamse Ballast Maatschappij door een klein stoombootje door de gracht werden getrokken. Mijn ouders hadden me waarschijnlijk verteld: 'Als je groot bent komt de Masjieach, dan gaan alle Joden naar Palestina en dan word jij boer.'

Die arme mensen hebben zich helemaal niet gerealiseerd wat ze bij dat kleine kind teweeg hadden gebracht. Want als ze weg waren, dan hoorde ik alleen nog maar: 'Als je groot bent, komt de Masjieach, als je groot bent ga je naar Palestina', en dan dacht ik: 'Dan wacht ik tot de schuit van Koning David voorbijkomt en dan ga ik daarmee, want ik heet ook David.'

Toen ik van de lagere school kwam en naar de HBS moest, zei zoonlief: 'Nee, ik word een werkman, want ik ga naar Palestina.' Die ouwelui is de schrik om het hart geslagen en ze hebben al hun overredingskracht aangewend om zoonlief tot andere gedachten te brengen, maar het hielp niet veel. Ik ben nog één jaar op de HBS geweest, daar kwam niets van terecht.

Mijn vader was rabbijn, mijn oom was leraar wiskunde, werklieden waren er in de hele familie niet.

Toen ik voor een oriënterend bezoek in 1931 in Palestina kwam, heb ik gezien dat werkman worden inderdaad het enige middel was. Dus ik ging terug naar Amsterdam en begon naar werk te zoeken. Maar het was toen 1932, er was een enorme crisis en er was nergens werk te vinden.

Toen herinnerde ik me van de school van de Maatschappij voor de Werkende Stand, dat er een firma Jonker was, waar mijn collega's ook hadden gewerkt. Toen ben ik naar Jonker gegaan en ik heb gezegd dat ik er wilde werken als volontair. 'Geen werk!' zei de jongen met wie ik sprak. Maar ik was een paar jaar handelsvertegenwoordiger geweest, ik had machines verkocht, en ik heb mijn verkoopkunsten aangewend. Net zo lang dat loketje open en dicht laten gaan, tot er plotseling met een zéér sappige vloek een deur openging en er een kerel voor me kwam staan, die zei: 'Godverdomme, wat is dat hier?!' Toen zei ik: 'Neemt u mij niet kwalijk. Ik ben een Jood en ik wil naar Palestina gaan; ik wil hier graag als volontair werken, want ik moet leren voordat ik naar Palestina ga.' Toen wilden ze me graag helpen. Ik ben er geweest tot juni 1933, tot mijn trouwen.

Vóór de Balfour-declaration was mijn vader lid van de JTO (Jewish Territorial Organisation). Ná de Balfour-declaration werd de JTO opgelost en is mijn vader overgegaan naar de Mizrachie. Toen hebben ze hem daar meteen president van gemaakt. Dat is hij gebleven tot zijn dood.

Op zijn honderdste verjaardag (juli 1972) heb ik het initiatief genomen tot planting van een park op zijn naam. Bij de planting heb ik ook enige woorden gesproken. Ik heb gezegd, dat de oorzaak van mijn aanwezigheid in Israël mijn vader is geweest. Want hij heeft me als het ware eruit geduwd om de familie te kunnen redden. Want doordat ik in Israël ben gekomen, heb ik de familie gered, want voor de rest is daar niets meer van over.

Mijn vader heeft heel wat te lijden gehad onder het feit dat hij zionist was, ze hebben hem verfoeid! Er waren zelfs opperrabbijnen in Amsterdam die leraren ontslagen hebben van de joodse scholen, omdat ze de moed hadden gratis les te geven voor de mizrachistische jeugdvereniging.

ABEL JACOB HERZBERG   De eerste avond dat ik opgenomen was in de Nederlandse zionistische studentenorganisatie,
ontmoette ik Jacob Israël de Haan. Het was in een heel klein zaal-
tje op het Rembrandtplein. De Haan was net in Rusland geweest waar hij gevangenissen had bezocht en omdat ik er ook net
vandaan kwam en al had ik dan andere dingen gezien dan hij,
we hebben onmiddellijk met elkaar gesproken. Ik was erheen
gegaan om het ghetto te bekijken.

Ik kende hem niet. Hij was juist uit de SDAP gegaan, omdat
P. L. Tak hem in *Het Volk* had aangevallen over zijn homo-
seksuele roman *Pijpelijntjes*. Toen heeft hij zijn troost gezocht bij
de zionisten. Hij was een groot dichter, maar een man zonder
tehuis. In de eerste plaats was hij homoseksueel, dat was in die tijd
totaal onaanvaardbaar, en in de tweede plaats was het een patho-
logische figuur. Hij heeft eens tegen mij gezegd: 'Ik moet alles
vernietigen wat ik liefheb.' Ik ben vaak bij hem thuis geweest, bij
hem en zijn vrouw en op een keer hadden ze zo'n servies van
zwaar aardewerk, dat was toen in de mode. De rand van de kopjes was wat afgebrokkeld, en hij zei tegen zijn vrouw: 'Kijk
eens, Johanna, de kopjes brokkelen af, net als ik.'

Hij heeft mij ook eens meegenomen naar Frederik van Eeden,
met wie hij zeer bevriend was. Dat vond ik natuurlijk prachtig,
want Van Eeden was toen een groot man.

Hij heeft hier nooit zijn draai kunnen vinden, nooit erkenning
gevonden. Hij had een heel mooi proefschrift geschreven over de
rechtskundige significa. Zijn uitgangspunt was: beter recht door
betere taal. Dankzij hem spreken we nu bijvoorbeeld over 'toe-
rekenings*vat*baarheid' in plaats van 'toerekenbaarheid' waar men
vroeger over sprak. Hij zat toen in een kring van mensen die
zich bezighielden met de significa, samen met de wiskundige
Brouwer, Van Eeden en professor Mannoury.

Maar ook op sociaal-politiek gebied kon hij zijn plaats niet
vinden. Hij was dus eerst socialist, toen werd hij zionist, dat was
ook niet goed. Toen sloot hij zich aan bij de vrome zionisten,
de Mizrachie, maar die wilden hem evenmin. Toen is hij naar
Israël gegaan, volgens mij niet zozeer uit zionistische overtui-

ging, maar eenvoudig omdat hij het hier niet meer uithield. In Israël is hij bij de hele vromen terechtgekomen, bij de anti-zionisten, en daar heeft hij met Arabieren aangepapt. Toen is hij doodgeschoten, men weet niet door wie, maar men vermoedt dat het iemand uit joodse kring was en dat hij daar beschouwd werd als een verrader. En als hij níet door Joden was doodgeschoten, dan zou hij een jaar later wel door de Arabieren doodgeschoten zijn.

JACOB SOETENDORP   Al in mijn seminariumtijd, toen ik mij losmaakte van rabbijn De Hond, ben ik in contact gekomen met een bepaalde vorm van zionistische organisatie. Het eerste contact lag gewoon bij ons thuis. Mijn moeder, die erg veel had gelezen, vertelde veel verhalen over het joodse land. Mijn vader, die jong gestorven is, had in zijn gebedenboek boomblaadjes van het Heilige Land, en hij zei altijd: 'Eens zullen jullie daar zelf heengaan.'

Op het seminarium waren er hoe langer hoe meer jongens die in contact kwamen met de zionistische jeugdvereniging. Aanvankelijk was de zionistische beweging in Nederland van burgerlijke aard, en die hebben het nauwelijks gebracht tot een jeugdvereniging, maar later kwam er een orthodoxe groep, Zichron Jakov, genoemd naar Jacob Reines, een orthodox-zionistische leider, die wel een jeugdvereniging oprichtte.

Binnen die groep begon op een gegeven moment een religieuze revolutie. Zij wilden zich afkeren van de 'asjkenasische' uitspraak van het Hebreeuws, die zij beschouwden als een 'ballingschapsuitspraak' en die gebruikt werd in de officiële hoogduitse synagoge. In plaats daarvan begon men de 'sefardische' uitspraak van het Hebreeuws te volgen, die werd gebruikt door de zionisten in Palestina, en in de Portugese synagoges.

Maar zij die dat wilden doen in een officiële hoogduitse synagoge, werden beschouwd als ketters van het ergste soort. Dus we hadden zo langzamerhand onze eigen sjoeldienst, in het latere gebouw van de schaakbond in de Plantage Fransche Laan, de tegenwoordige Henri Polaklaan.

Binnen de orthodoxie vormde de Zichron-Jakovgroep een zeer bewuste elite, en werd door uitstekende mensen geleid, zoals de Pinkhofs en de rabbijnenfamilie Tal. Je had ook echt het gevoel dat je met iets bezig was. En geleidelijk aan zag ik ook dat er daarnaast nog andere zionistische groeperingen waren, waarmee je contact kon zoeken. Maar aanvankelijk bleef dat helemaal beperkt tot de eigen groep.

BEN SAJET   In 1906 was er in Casino, het gebouw van de diamanthandelaren bij de Blauwbrug een debatvergadering gehouden tussen Mendels en A.B. Kleerekoper, die zich 'ABK' noemde.

Mendels was Jood, kamerlid, een vooraanstaand sociaaldemocraat, een bezielend spreker en een uitmuntend propagandist. Hij was dus socialist. Kleerekoper was in die tijd vurig zionist, schreef veel gedichten, en was dus geen socialist.

Mendels verdedigde het kosmopolitisme vanuit het socialistische standpunt. Kleerekoper vond dat Joden in de eerste plaats zionist moesten zijn, en dat het socialisme op de tweede plaats moest komen.

Het merkwaardige van de geschiedenis is dat Kleerekoper kort daarna lid van de SDAP werd, kamerlid, raadslid, statenlid, en een van de beste sprekers van de SDAP. Hij heeft zich uitdrukkelijk losgemaakt van de NZB. En Mendels is later, zoals velen van ons, toch zeer ver gegaan met denken in zionistische richting!

JOANNES JUDA GROEN   Ik ben toen in 1923 of '24, in de tijd van mijn kandidaatsexamen, lid geworden van de NZSO, de Nederlandse Zionistische Studenten Organisatie. Toch was ik daar altijd 'de rooie'. Ik herinner me dat ze me er een keer bijna uitgegooid hebben. Dat was in 1925, dus lang voordat er sprake was van een joodse staat, maar wij zagen dat wel in de toekomst. Toen zei ik dat de joodse staat natuurlijk ook open moest staan voor allerlei culturen, en dat ik het bijvoorbeeld vanzelfsprekend zou vinden dat daar de *Matthäus Passion* zou worden uitgevoerd, waar ik toen geregeld naar ging luisteren.

LIESBETH VAN WEEZEL   Het feit dat de zionistische beweging zo uitsluitend werd geleid door intellectuelen verklaart misschien dat het zo weinig aansloeg bij de joodse arbeiders. De leiding en het gros van de leden waren welgestelde middenstanders en intellectuelen, hoogleraren en advocaten vooral. Die mensen spraken een taal die de joodse arbeider niet verstond. Henri Polak sprak een taal die wél aansloeg.

BERNARD VAN TIJN   Ik heb Sam de Wolff in '21 of '22 leren kennen. Hij was sinds 1897-'98 lid van de SDAP en zionist vanaf 1903, geloof ik. Maar in 1907-'08 is hij uit de zionistenbond gegaan, omdat er een motie werd aangenomen, dat Joden die met niet-joodse vrouwen waren getrouwd, geen functies mochten bekleden. Dat is natuurlijk een vorm van chauvinisme, die we altijd hebben afgewezen. Hij zei toen: 'Ofschoon ik kosjer ben getrouwd, ben ik er toch uitgegaan.'

Vele socialisten stelden trouwens, dat er eigenlijk geen nationale problemen waren. Wéér anderen zeiden: 'Ook al zijn er nationale problemen, je kunt een groep, die zózeer tussen de anderen leeft en in zó hoge mate is geïntegreerd, niet meer als een 'natie' beschouwen. Je moet het proces van assimilatie, van gelijkschakeling niet tegengaan!' En wij hebben geen bijzonder lot, geen bijzondere cultuur, geen bijzondere samenhang. Dat zag je in de verschillende huizen, bijvoorbeeld het huis van Spier, die anti-zionist was terwijl zijn broer juist heftig zionist was, vooral later, in de jaren '30.

Het argument tégen het zionisme: 'Wij zijn Nederlanders', werd vaak niet gehoord waar je het wél zou verwachten. Als je nagaat hoe Henri Polak er zijn leven lang tegenover heeft gestaan, dan zie je bij hem iets van de zionist, soms uitgesproken, soms niet. In de jaren '20 was hij ook onmiddellijk gewonnen voor een lidmaatschap in het curatorium van Keren Hajesod, het Palestina Opbouwfonds. Hij heeft zich nooit aangesloten bij de zionistenbond maar sprak soms als zionist. In ieder geval altijd als Jood.

JAN DE RONDE   Wijnkoop was literair en filosofisch ontwikkeld in de marxistische ideologie. Dat was voor hem het belangrijkst: niet het Jood-zijn.

Ik heb een keer een vergadering meegemaakt met Wijnkoop en Abel Herzberg, de zionist, in Handwerkers Vriendenkring. Wij waren toen 'proletarische vrijdenkers'; we zagen de strijd tegen de kerk niet als doel, maar als middel tegen het kapitalisme. Wij traden op als een soort 'filiaal' van de 'goddelozen' in Rusland. Toen kwamen de zionisten met Herzberg veel actiever naar voren. Wijnkoop van zijn kant stond op het standpunt dat de enige mogelijkheid tot oplossing van het joodse probleem assimilatie was. 'Wij zijn Nederlanders in de allereerste plaats en pas daarna Jood, Christen of Katholiek. De assimilatie is een voorwaarde tot verbetering van het hele proletariaat.' Dat was het standpunt van Wijnkoop en van de marxisten.

De voorzitter was Doorenbos. Die man was zo zenuwachtig dat hij een stuk van zijn glas water afbeet. Wijnkoop was zeer zakelijk en gedegen en hij wist er erg veel van. De vergadering verliep heel rumoerig en erna waren er duizenden mensen in de Roetersstraat, zodat de tram er niet door kon. Toen heeft de Communistische Partij besloten om niet meer zulke vergaderingen voor de vrijdenkers te beleggen. Men vond dat dat de tegenstelling tussen Joden en Christenen alleen maar vergrootte, terwijl we daar juist afwilden!

Socialistisch zionisme

ROSA DE BRUIJN-COHEN   Tot het bewust Jood-zijn, en ook het zionist-zijn, ben ik helemaal uit mijzelf gekomen, toen ik gewoon een keer een krant van de Poalei Zion las. Dat was een joods-socialistische groepering, en die gaven een krant uit, *Koemi Ori*. Ik was toen een jaar of twintig.

Er stond in dat er ook een jeugdafdeling was en de naam van drs. S. Kleerekoper stond erbij. Die heb ik opgebeld en gezegd dat ik geïnteresseerd was en waar zij hun bijeenkomsten hielden. Dat bleek iedere zaterdagavond om acht uur te zijn in een huis in de Retiefstraat, dat ze hadden ingericht als lokaal. Ik ben er naar toe gegaan, en er waren niet meer dan misschien vijftien jonge mensen. Wat me direct heeft aangesproken was dat het hier om twee dingen ging: én het Jood-zijn, én het socialisme.

In de jeugdvereniging spraken we veel over mensen die voor het toenmalige Palestina zeer actief waren: Alozorov, Gordon, en we lazen de *Auto-Emanzipation* van Leo Pinsker; dat was heel belangrijk, dat we ons zelf moesten vrijmaken.

Emil Premsela was de man voor de praktische uitvoering, als men naar Palestina wilde gaan. En ik ben naar hem toegegaan, omdat ik het ook wilde, maar voor mijn ouders was het iets onvoorstelbaars. Toen heeft hij zich een avond vrijgemaakt om met mijn ouders te praten, die het helemaal niet leuk vonden. Ik was eenentwintig jaar. Maar Premsela heeft ze zover gekregen dat ik gekeurd mocht worden. En tot het geluk van mijn ouders ben ik toen afgekeurd. De lichamelijke eisen waren te hoog, en de Duitse vluchtelingen zaten op dat moment méér in nood, en die moesten dus eerder aan zo'n certificaat zien te komen dan ik in het vrije Nederland. Voor mij was het geen punt, waarom zou ik uit Nederland wegmoeten? Algemeen was de opvatting dat er voor de Joden in Nederland geen gevaar dreigde.

SALKO HERTZBERGER   Ik was in die tijd helemaal niet joods

georiënteerd. Ik kom uit een gezin dat zeer geassimileerd was, een rijk joods gezin, dat wel, zoals dat toen gebruikelijk was, aan joodse organisaties deelnam, maar zich verder niet druk maakte over nationaliteit of religie. Dát heb ik van Sam de Wolff geleerd.

Ik heb hem leren kennen door zijn zoon Leo, die helaas in Bergen-Belsen is omgekomen. Op veertien-, vijftienjarige leeftijd, als andere kinderen het liefst aan sport en amusement doen, waren wij doldrieste socialisten en we bestudeerden – nebbisj – *Das Kapital* en werken van Lassalle en Rosa Luxemburg. Dat ging zo door tot in de hogere klassen. Toen kwamen die toestanden in Duitsland sterker naar voren, en Sam de Wolff, die marxist was maar ook grote zionistische ambities had, kwam tot ons spreken.

Op vrijdagavond kwamen wij, joodse gymnasiasten, kinderen uit geassimileerde gezinnen, bij Sam de Wolff. Dan bespraken we eerst een stuk uit de Talmud of de Misjnah of een stuk Thora, en daarna spraken we over het socialisme. Hij was helemaal niet religieus georiënteerd, maar meer geïnteresseerd in de joodse cultuur van de oudste tijden; daar wist hij machtig veel van.

En toen de toestand van de Joden zich ernstiger ging ontwikkelen hebben we ons gewend tot een groep van de J S S, de Jeugdbond voor Socialistische Studie, die ook een troetelkind van Sam de Wolff was. Taco Kuyper bemoeide zich daar ook mee. Toen zijn we bij elkaar gekomen en toen bleek dat de anderen zich meer een Sam de Wolff-groep voelden, hebben wij de Poalei Zion-groep opgericht, die al in alle landen bestond. Dat was in 1934–'35, en de voorzitter was Jacob van Blitz, de man van het socialistische gemeenteraadslid mevrouw Van Blitz-Bonn.

De oprichting was in het gebouw van de Diamantbewerkersbond aan de Plantage Fransche Laan. In het begin hadden we een volle zaal, maar het waren allemaal debaters, tegenstanders. Zij waren bang, dat als joodse socialisten een aparte groep als Joden gingen vormen, dat dat antisemitisme zou kweken. Ze wilden coûte que coûte assimilatie, omdat ze gevaar vreesden voor hun

Nederlanderschap. Maar wij zeiden dat het niet lag aan het doen of laten van de Joden. De antisemieten hebben toch nooit een bepaalde ideologie gehad? Zij stellen vast dat de Joden uitzuigers en kapitalisten zijn, dat ze vlooien hebben en vieze lichamen, dat ze op de voorste rij in het café zitten en dat ze zich zo heimelijk achter alles verschuilen, en dat ze het communisme hebben uitgevonden. Ze zeggen dat de Joden zo reactionair zijn. Het komt precies uit de hoek waar je het vandaan wilt halen.

BAREND LUZA   Sam de Wolff behoorde tot een familie die ik kende en toen ik eenmaal arts was zijn heel veel leden van die familie patiënten van mij geweest. Ik heb dikwijls met hem zitten praten, en ik moet zeggen dat datgene wat ik van de theorie van het marxisme weet, ik aan hem te danken heb. We spraken ook veel over het zionisme, maar toch vooral over de band die het Jodendom wel of niet met het marxisme had; daar wist hij veel van.

Hij had in zijn kamer een kastje waar hoofdzakelijk boeken van en over Marx in stonden. Daar had hij een groen gordijntje voor. En als hij dan een boek eruit wilde nemen – dat heb ik hem dus een keer zien doen – dan ging hij vóór dat kastje staan, zette z'n keppeltje op z'n hoofd, sprak de 'broche' uit, deed z'n keppeltje weer in z'n zak, nam het boek eruit en liet mij het zien. Met dezelfde handeling keerde het boek weer op zijn plaats in de kast terug.

BEN POLAK   Ik kwam uit een niet-zionistisch gezin: mijn vader was rabbijn in Nijmegen. Ik ben er wel van overtuigd, dat hij, zelfs in de twintiger jaren, SDAP stemde. Mijn hele verdere familie is zionistisch.

Ik ben later grootgeworden in de zionistische jeugdorganisatie en daarna in de NZSO, de Nederlandse Zionistische Studenten Organisatie. Toen ik daar kwam was er al een hele linkse oppositie die zich ideologisch baseerde op het boek van Heller *Der Untergang des Judentums*. Juist bij de zionisten speelden de socialisten een hele grote rol en hun kritiek op de zionisten was nu juist, dat ze het principieel verkeerd zagen.

Nu moest je, als je een jaar aspirant-lid van de NZSO was ge-weest, een inaugurele rede houden. Mijn rede had als thema en conclusie, dat het doel van de zionistische wereldorganisatie nooit in samenwerking met het Engelse imperialisme zou wor-den bereikt. Dat speelde in 1933, en daarom ben ik niet aangeno-men als lid. Maar de conclusie van mijn redevoering is in 1948 bevestigd!

Doordat ik niet werd aangenomen, werd ik daarmee automa-tisch niet alleen buiten de zionistische, maar ook buiten de so-ciaal-democratische sfeer geplaatst.

LIESBETH VAN WEEZEL   Toen in 1933 Hitler aan de macht kwam, nam Sam de Wolff samen met z'n vriend Jakob van Blitz het initiatief om de Poalei Zion op te richten, een vereni-ging van zionistische arbeiders. Dat is ook altijd een heel kleine beweging gebleven. Zij wilden een stoottroep zijn in de zionis-tische beweging, en ze was vooral anti-fascistisch zeer actief.

Sam de Wolff zei altijd, dat was zijn adagium: 'Willen we werkelijk internationaal kunnen denken, dan moet ieder eerst z'n eigen nationaliteit gevonden hebben.' Daar werd in socialis-tische kringen heel anders over gedacht, maar ik weet dat bij-voorbeeld wethouder Boekman precies dezelfde opvatting had.

BERNARD VAN TIJN   Ik was langzamerhand vervreemd van de Nederlandse Zionisten Bond. Ik was in 1918 lid geworden, was lid van de Bondsraad in 1919 en toen raakte ik er langzamer-hand een beetje van los. Ik bemoeide me met veel andere dingen, vooral met de SDAP in mijn studententijd, later met de socialis-tische studentenvereniging, toen die opkwam. Ik ben een paar keer gaan kijken bij de zionistische studentenorganisatie, maar ik ben er weggelopen omdat het me te burgerlijk was. De manier waarop ze de joodse problematiek aanpakten, de dingen waar-over ze praatten, dat was een wereld waar ik niet bij hoorde. Ik ben pas weer actief geworden toen ik in Berlijn een échte Poalei Zion vond. Die vroegere ervaring met het Nederlandse zionisme is voor mij ook een sleutel geweest tot de verklaring van wat er hier is gebeurd na 1940.

In de jaren '20 had je hier die joods-socialistische verenigingen die niet tot een echte zionistische organisatievorm konden komen. Dat kwam omdat ze in de socialistische beweging niet altijd gewaardeerd werden en omdat ze toch iets onaangenaams voelden in de zionistische beweging zoals die hier was, zo burgerlijk. Dat heeft hier geduurd tot 1933.

In 1929 was ik in Berlijn bij de Poalei Zion in het bestuur en wat zich in 1933 afspeelde hoorde ik alleen uit de verte, want toen zat ik in Nederlands-Indië. Toen kwamen de Nederlandse socialisten bij honderden tot het zionisme. Er kwam een socialistische groepering in de Nederlandse Zionisten Bond en in de jaren tussen 1933 en 1940 was die groep op weg daarin de meerderheid te verwerven.

En toen er zo'n groep was, voelden de anderen zich daar meteen thuis. En ook daar heeft Sam de Wolff belangrijk werk gedaan, want toen ik hier in '36, '37 die vergaderingen en joodse feestdagen meemaakte, toen gaf Sam de Wolff de sfeer mee aan. Daar was hij weer de rebbe. De joodse feestdagen werden feestjes; het accent kwam ergens anders te liggen. Bijvoorbeeld zo'n Chanoekah-feest, een nationaal bevrijdingsfeest, dat was belangrijk! En de Seideravond, de uittocht uit Egypte. Daarbij kwam dan Toe Bisjwat (de 15de van de maand Bisjwat) ook een feest, maar dat was honderden en honderden jaren nergens meer gevierd. In het zionisme was er méér aandacht voor gekomen en in de Poalei Zion werd het een echt feest. Ik zie dat in 1937 nóg voor me. Het is het feest van het ontluiken van de bomen; hier valt dat in januari-februari en in het toenmalige Palestina begint er dan weer roering te komen in de natuur. De verbondenheid met het land kwam terug! In de zionistische beweging kregen Seideravond en Chanoekah veel meer reliëf.

Ik heb wel eens gezegd: 'De socialistische ongelovige Amsterdamse Joden hadden twee 'rabonim', Henri Polak en Sam de Wolff; de één voor hun 'kerkelijke' organisatie en de andere voor de leer.' Ze gingen naar Sam luisteren, zoals je naar een 'chewre' (hier: godsdienstschool) ging. Bij het ontbreken van een godsdienstige rebbe hadden ze deze man als 'rebbe'. Sam is vaak ondergewaardeerd bij de socialistische beweging, maar bij een deel van déze Joden is hij juist overgewaardeerd op allerlei gebied. Hij sprak over dit en dat, híj sprak, de rebbe sprak! De eerste speech die ik van hem heb gehoord, dat was in 1922, ging over Heine, en daar kwam de Thora in voor. Dat heeft hij nooit kunnen laten.

Ik zou kunnen zeggen dat in de jaren tussen '33 en '40 zich hier een echte socialistisch-zionistische beweging heeft ontwikkeld met een sterk proletarische inslag, wat bijna nergens was, behalve in Oost-Europa natuurlijk, want daar waren veel joodse proletariërs, voor een deel paupers. Die beweging heeft ook ná de oorlog, voorzover ze overgebleven waren, een tijdlang de leiders geleverd van de zionistische beweging. Kleerekoper, Jaap van Amerongen, die al tientallen jaren in Israël woont en nu Jaäkov Arnon heet, zijn beide voorzitters geweest van de NZB, in successie. We hebben altijd een vrij sterke positie gehad. Melk-man, die bij die beweging is gekomen, heeft jaren in het Bonds-bestuur gezeten.

Oorlog

Uit deze getuigenissen blijkt nog eens duidelijk, dat de sinds generaties in vrede levende Nederlanders, Joden en niet-Joden, niet konden geloven in de omvang van de nazi-misdaden ten aanzien van Joden.

Dit begrijpelijke gebrek aan voorstellingsvermogen kan mede de omvang verklaren van de ramp, die zich tijdens de tweede wereldoorlog voltrok over de Nederlandse Joden. Het percentage door de Duitsers vermoorde Joden was in geen enkel Westeuropees land zo hoog als in Nederland.

De jaren voor 1940

LEEN RIMINI   Je nam de NSB voor de oorlog niet serieus. Bij de eerste mars van de NSB-ers heb ik me náár gelachen. Ik stond in de winkel en ik zag die troep voorbij trekken. Je ziet wel eens kinderen met van die papieren mutsen, met een speld omdat ze te groot zijn, zó zagen die lui er nu ook uit. Maar in de winkel bij mij staat een fotograaf, Zegers, heel bekend, en die zegt tegen mij: 'Wat een troep als je dat zootje schuim ziet lopen!' En ik zeg: 'Nou, u heeft daar het goede woord gezegd.' Laat hij nu zo fout zijn als de pé in de oorlog! En na de oorlog zie ik hem lopen, hij wist niet hoe gauw hij de benen moest nemen. Ik had hem toch niets gedaan?

MOZES HEIMAN GANS   Onze jeugdvereniging heeft nog een zanghulde gebracht aan de koninklijke familie. Dat was in 1937, toen Juliana en Bernhard na hun huwelijk Amsterdam bezochten. En het is een waanzinnig grootse hulde geworden, omdat de Amsterdamse Joden toen eigenlijk uiting konden geven aan hun gevoelens over wat er over de grens gebeurde. En daardoor werd dat zo'n grootse hulde, veel grootser nog dan in normale tijden het geval zou zijn geweest.

De mensen die weggingen, werd dat toen hoogst kwalijk genomen. Er werd op z'n best gezegd: 'Als we het begrijpen, dan is het tot dáár aan toe, maar als ze dan maar nooit meer terugkomen!'

Colijn heeft nog aan de Haagse opperrabbijn gevraagd of hij er niets tegen kon doen, dat de mensen weggingen, omdat het kapitaal wegvluchtte, het waren de rijke mensen die weggingen.

ARON DE PAAUW   Na 1933 was er het blaadje van Meyer Sluyser, *Vrijheid, Arbeid, Brood*, daarin werd elke week gewezen op de gevaren van het fascisme. En in *Het Volk* schreef Henri Polak elke zaterdagavond een groot artikel tegen het fascisme.

Henri Polak was een van de eersten die ze hebben opgepakt in het begin van de oorlog, maar hij heeft het ons genoeg verteld, en ook op die cursussen van de Commissie voor Maatschappelijk werk van de ANDB, die het culturele werk voor de diamantbewerkers verzorgde. En op die cursussen werd uitgelegd door Prof. W. Bonger of door Dr. P. Klinkenberg hoe voos de Blut und Bodentheorie was.

ABEL HERZBERG   Ik had een redevoering gehouden in 1933, toen Hitler aan de macht kwam, en toen heb ik tegen de mensen gezegd: 'Aan dat wat er gebeurt, kun je zien wat het betekent als een volk geen vaderland heeft.'
En toen is Henri Polak tegen mij tekeer gegaan in *Het Volk* waarin hij zei: 'Je speelt de NSB in de kaart, want die zegt ook dat de Joden geen vaderland hebben!' Dat had ik niet gezegd! Ik had gezegd dat het joodse *volk* geen vaderland had.

MARIUS GUSTAAF LEVENBACH   Mr. Gans, een advocaat hier, die een jaar ouder was dan ik, heeft in 1938 op z'n dooie gemak z'n boeltje bij elkaar gepakt, z'n vermogen bij elkaar gehaald en is geëmigreerd naar Amerika. Waarom? Angst! Krankzinnig en laf vonden wij het, zó praatten we erover. 'Wij zijn Nederlanders en we blijven bij Nederland.'
We betrokken het niet onmiddellijk op de Hollandse Joden. Wie dat wel deed in 1933, was Abel Herzberg, wiens ouders nog uit Rusland waren gekomen na een pogrom van 1903, meen ik. En zijn zwager was gemeenteraadsvoorzitter in Kiel, die is als een van de eersten door de nazi's gewoon doodgeschoten. Ze zijn z'n huis binnengekomen en hebben hem zó doodgeschoten. Dus die hele familie zei: 'Das ist pogrom! Ik ruik de pogroms weer.' Herzberg voelde het aan.

SALOMON DIAMANT   Ik heb eens een lezing van Henri Polak gehoord over het fascisme. Hij vertelde dat Hitler, toen hij onder Severing, Noske en Scheidemann in de gevangenis zat, daar rustig *Mein Kampf* heeft kunnen zitten schrijven.

298

Polak vertelde nog een verhaal: Op een gegeven moment bestormden de nazi's een van de bestuursgebouwen van de SDAP. Toen stelde een van de Duitse sociaal-democraten voor, om de nazi's met geweld weer uit dat gebouw te jagen; toen zei Severing: 'Nee, we leven in de democratie, en binnen de democratie moeten wij met democratische middelen strijden.' Het commentaar van Polak was toen: 'Ja, dat is zo, behalve wanneer de democratie naar het leven wordt gestaan.' Hij zou het niet verkeerd gevonden hebben als er wat dictatuur door de SDAP zou zijn toegepast. Wat dat betreft was hij in zijn gedachtengang de revisionisten vooruit. Hij zag dat 'dictatuur is dictatuur' een ongenuanceerde leus is. Er is burgerlijke dictatuur en er is proletarische dictatuur.

BEN POLAK   In '32–'33 waren we met een grote groep en bloc overgegaan naar de CPN. We hadden toen een anti-fascistische groep van studenten en intellectuelen, die nationaal en internationaal zeer actief was. We woonden in Den Haag.

Wij zagen het gevaar van het Hitler-fascisme voor de hele beschaving en de arbeidersbeweging, het gevaar voor de Joden was voor ons een onderdeel daarvan. De kwestie van de vernietiging van de Joden zoals het later is gegaan was nog niet aan de orde, geen mens wist dat het op die manier zou gaan. Maar zelfs als we ons dat hadden gerealiseerd, dan had dat ons politieke standpunt niet veranderd. We vonden dat anti-fascistische strijd het antwoord moest zijn, en niet joods nationalisme.

NATHAN STODEL   Er is hier in 1934, in februari, een illegale bijeenkomst geweest waar Willy Brandt, de latere Bondskanselier van West-Duitsland aan deelnam. Dat was de Duitse sociaaldemocratische partij, die bijeenkomst was in Laren. Dat is verraden aan de vreemdelingenpolitie en de burgemeester heeft een paar mensen kunnen pakken–Willy Brandt is weten te ontvluchten –, die heeft hij toen over de grens gejaagd, naar nazi-Duitsland. Dat waren links-socialisten, communisten en sociaaldemocraten.

Zodra Hitler aan de macht was gekomen in 1933 was ik in de ban van het idee: wat moet ik eraan doen? En je deed aan alle acties ertegen mee. Er werd verschrikkelijk veel gediscussieerd, en plat Amsterdams gezegd: geluld. Er werden resoluties aangenomen bij de vleet. Er werden demonstraties gehouden, weekends, vergaderingen, discussie-avonden. Er was het opkomend fascisme, dat zelf ook demonstraties organiseerde, die gingen wij in de war sturen. Er was een éénmei-bijeenkomst in Huize Boer, dat was een soort feestzaal, en daar kwamen de 'Deutsche Mädel', de Duitse dienstboden die hier werkten, op bevel van de nationaal-socialistische partij bij elkaar.

En ik herinner me als de dag van gisteren, dat ik op een avond van één mei eerst naar een demonstratie ben gegaan van de partij van Henk Sneevliet, en dat we na afloop tegen elkaar zeiden: 'Jongens, we gaan knokken!' En toen hebben we daar de stoelen in elkaar gerammeid. Er bestonden toen wel joodse knokploegen, maar je moet dat niet overtrekken. Als je nu hoort van guerrilla's en zo, dan is dat bij wijze van spreken spelen met blokkedozen geweest, hè.

Ik heb medewerking verleend aan anti-fascistische demonstraties, geschilderd en geplakt heb ik op straat: 'fascisme is moord', maar ondanks dat bleef het voor mij maar een leus, want in 1939 ben ik rustig hier thuis gebleven. 's Avonds vóór het uitbreken van de oorlog zat ik in de Stadsschouwburg, daar heb ik de Fritz Hirsch-operette gezien!

Na de machtsovername van Hitler in 1933 kwam de eerste film uit Duitsland, die heette *Vluchtelingen* en die werd vertoond in het UFA-theater op het Rembrandtplein. En op vrijdagavond ben ik er met een groep links-socialisten naar toe gegaan en toen heb ik witte muizen losgelaten in het theater. Er was een reuze paniek. En vóóraan zaten een paar jongens met flessen inkt, die hebben dat tegen het doek gegooid. De zaal werd ontruimd door de politie.

In 1938 ging hier een toneelstuk *De beul*, daar heeft Albert van Dalsum in gespeeld, naar een boek van de Zweedse schrijver Per Lagerkwist. Die voorstelling is door de fascisten onmogelijk gemaakt, omdat daar het fascisme aan de kaak werd gesteld. Er waren verschillende mensen, Nederlandse Joden, die bang waren en die in de jaren '38, '39 zijn weggegaan. Zoals Flippie Truder, de dassenman, dat waren mensen met geld, die kochten een reis naar Amerika en gingen weg. Maar de mensen die hier bleven, voelden dat enigszins als verraad, terwijl het hier in werkelijkheid een verstandig besluit was, waar de andere Joden–en ik behoorde daar ook bij–niet toe konden komen.

JACOB SOETENDORP   In de vooroorlogse tijd heb ik eigenlijk eenvoudig niet onderkend hoezeer de opbouw van 'Eretz Israël', Palestina, ook een antwoord was op Jodennood. We spraken altijd over het 'joodse vraagstuk', maar als we aan de opbouw dachten, dachten we alleen aan het idealistische aspect, niet aan het reddende aspect ervan.

We vonden de mensen laf, die daar pas heengingen ná de machtsovername van Hitler! Daar werd de wrange witz op gemaakt: 'Was sagen Sie mir, sind Sie gekommen aus Liebe zu Israël, oder sind Sie gekommen aus Deutschland?' Want dat wás het toch eigenlijk niet!

Het nood-karakter van de opbouw van Israël heb ik indertijd eenvoudig verdrongen, want die nood lag op tweehonderdtachtig kilometer afstand, waar een aantal heren zaten te wachten om mij te liquideren. Maar op dat ogenblik zagen wij dat absoluut niet. De Duitse vluchtelingen vertelden je wat er gebeurde en je geloofde ze wel, maar je zei tegen jezelf: 'Ohohoh wat ben ik blij dat ik hier mag wonen.' En je realiseerde je helemaal niet dat dat elke seconde kon veranderen.

Pas ná de Kristallnacht in 1938, wat een schokkende ervaring was, dacht je: 'O mijn God, nou moet ik er dag en nacht over praten.' Dus toen was je bezig met alle mogelijke acties, niet alleen maar voor vluchtelingen, maar ook voor de democratie. Toen dacht je ook: 'Ik moet de andere Nederlanders wakker schudden.'

Toen hebben we met het SDAP-blaadje *Vrijheid, Arbeid, Brood* gecolporteerd. Dat was ook de tijd dat we heel duidelijk wisten dat het in Spanje ging om de democratie en dat je al véél en véél meer bewust politiek ging denken. In die tijd begon je te ervaren, dat jóuw lot en dat van de andere Nederlanders een aparte zaak was, dat je niet meer helemaal hetzelfde lot had. Ik geloof dat het dominee Buskes was, die mij een keer in een radio-uitzending heeft gevraagd: 'Hoe was jouw reactie op 10 mei 1940?' En merkwaardig genoeg was dat opluchting: 'Nu hebben we dezelfde vijand.'

En daaruit blijkt dat je in die laatste jaren vóór de oorlog jezelf toch in een aparte positie voelde, juist omdat de rest van de Nederlanders zich niet zo bedreigd voelde als wij Joden.

ABRAHAM DE LEEUW Mirjam is in 1920 naar Palestina gekomen, ik in 1924. In 1925 zijn we getrouwd en in 1927 werd Mirjam heel ernstig ziek en ze moest naar Holland terug. We dachten dat het voor twee, drie jaar zou zijn, maar na een jaar ben ik ook naar Holland gegaan en we zijn pas teruggekomen in Palestina in 1936.

In die jaren in Holland werkte ik als ingenieur voor de Rijkswaterstaat bij een van de grootste aannemers, en we hebben ook veel gewerkt voor de jonge vluchtelingen en 'chaloetsim' (Palestinapioniers) uit Oost-Europa en Duitsland. Bijna iedere week kwamen jongens en meisjes Holland binnen en die moesten worden opgevangen. Die organisatie in Holland heette de Deventer-vereniging, omdat die vlak na de eerste wereldoorlog was begonnen met de landbouw-opleiding door Ru Cohen, broer van David Cohen, die in Deventer woonde.

Aan het eind van de twintiger jaren zijn wij toen begonnen met een afdeling opleiding voor meisjes. Dat deed Mirjam, en de technische vakken voor de jongens deed ik. Dat was in je vrije tijd, alles honorair, natuurlijk. We hadden zo honderden jongens en meisjes en in '34 en '35 kregen we wel eens wat certificaten, en dan stuurden we ze na één of twee jaar opleiding naar Palestina.

Later was er ook het werkkamp Wieringen, waar jongens werden opgevangen die naar Chili, Argentinië, Australië of

Amerika wilden, maar daar hadden we weinig mee te maken. Bij ons was het helemaal gericht op Palestina.

De medewerking van de Nederlandse regering was naar mijn ervaring goed. We hadden wel eens moeilijkheden, maar als we de verklaring afgaven dat ze niet in Holland zouden blijven, dan kregen ze een tijdelijke verblijf- en werkvergunning. Maar we hadden ook altijd te weinig certificaten, dus we zochten naar andere wegen. Voor de Engelse regering was het zó, dat iemand die een 'kapitalistencertificaat' had (dat was een cheque van duizend pond sterling) mocht Palestina binnen, want dat was een kapitalist. Dus wat hadden we gedaan? We hadden een paar rijke Joden gevonden die een paar duizend pond hadden gestort op een bank in Straatsburg. Zo'n jongen van onze opleiding kreeg dan een cheque voor duizend pond mee. En als hij dan in Palestina was, werd die cheque weer teruggestuurd naar Straatsburg en zo gingen er drie, vier jongens per jaar op één bedrag van duizend pond naar Palestina. Die Hollandse beambten in Den Haag vonden het allang goed, als ze maar weg waren uit Holland. Er zijn natuurlijk ook foute burgemeesters geweest, als die uit Laren, die er vier over de grens heeft laten zetten. De Gestapo stond ze daar op te wachten en heeft ze vermoord. Daar is heel wat over te doen geweest in de Tweede Kamer.

Het moet februari 1934 zijn geweest, want Hitler was nét aan de macht gekomen. Ik was in Groningen en ik belde mijn schoonouders op om te zeggen dat ik over een half uurtje langs zou komen. Ik kom daar, het was winter, koud en guur, en we zitten om de kachel. Na een half uur wordt er gebeld en Eduard Gerzon komt binnen, die had hetzelfde idee gehad, die was toevallig ook in Groningen. En we zitten zo om de kachel en we spraken over Duitsland natuurlijk. En ik zei: 'Het wordt gevaarlijk voor de Joden, ze moeten weg, en hier ook, het loopt allemaal mis.' Opeens staat Eduard op en zegt woedend: 'Toen m'n nichtje Mirjam met een ingenieur trouwde, dacht ik dat ze met een verstandige man trouwde, maar ik heb me vergist!' Ik zei: 'Eduard, ik vergis me niet, jíj vergist je!' En haar moeder zei: 'Ssst, laten we maar geen ruzie maken, laten we over iets anders praten.'

Niet alleen de Hollandse Joden, heel Holland zag het gevaar niet. Ze zeiden: 'We hebben een verklaring van Hitler dat hij Holland niet zal binnenvallen. En we hebben de Waterlinie.' Jaja, de Waterlinie! Ik had veel collega's, niet-Joden die zeiden: 'Die oorlog komt niet, ze hebben het in '14–'18 óók klaargespeeld, en nu zal het ook wel lukken!' Zo'n mentaliteit was er, en die houding werd ook nog aangewakkerd.

Begin juli 1939 gingen we weer met vakantie naar Holland. Professor David Cohen belde me op, hij wilde me spreken. Hij zei: 'We hebben er eindelijk in toegestemd om een illegaal schip met chaloetsim naar Palestina te sturen. We hebben het hier met de Nederlandse regering en met het Loodswezen besproken. Die vonden het goed maar er mocht geen ruchtbaarheid aan worden gegeven. Het schip dat ze hadden gekocht, was bestemd voor zo ongeveer vierhonderd mensen. En wat hebben die jongens toen gedaan? Ze zijn vanuit Vlissingen eerst naar Antwerpen gegaan, hebben er daar nóg honderd bijgenomen en zijn toen 's nachts buiten het Loodswezen om de Schelde afgevaren naar zee. Dat is iets vreselijks, en dat heb ik nooit goedgekeurd,' zei Cohen tegen mij. 'Wat moeten we nu doen?' Ik zeg: 'Zo snel mogelijk er een tweede schip achteraan sturen!' Want ik bekeek dat heel anders, ik vond het juist prachtig dat ze er nog honderd mensen bijgenomen hadden, want ik kende de toestand in Palestina.

In augustus werd ik weer geroepen bij David Cohen. Hij was toen bij het vluchtelingencomité. Hij liet me een tekening zien. 'We gaan een kamp maken voor de Duitse Joden in Westerbork,' zei hij. Ik zeg: 'Een mooie tekening, wat een mooi kamp zal dat worden! Maar het ligt in een verkeerd land, je had dat in Palestina moeten bouwen en niet in Drente!'

Hij vertelde me toen ook hoe kwaad ze waren en dat ze geen tweede schip wilden sturen. Zij hadden als joods vluchtelingencomité hun fiat gegeven tegenover de Hollandse regering. En de regering zei: 'Als jullie iets willen doen, dan zullen we het niet tegenwerken.' Maar ze konden helemaal niet helpen, want ze mochten het niet eens weten! En de Nederlandse zionisten wa-

ren er óók niet voor, ze waren bang en vonden het te riskant.
Maar was het dan niet riskant om te blijven? Dat hebben ze
niet begrepen!

MIRJAM DE LEEUW-GERZON   De oorlog begon 3 september 1939 en 1 oktober 1939 zijn we uit Amsterdam vertrokken
en om een uur of tien komt Abel Herzberg ons goeiedag zeggen.
Hij was de vertegenwoordiger van de Jewish Agency en hij was
er met een vriend van mij, een ingenieur bij Philips. Toen zei ik:
'Mag ik jullie een advies geven? Stap in en ga mee! Voelen jullie
het dan niet? Wij zitten hier maar een paar maanden en de ene
dag is nog erger dan de andere. Ga hier toch weg, want er komt
ook in Holland oorlog!'
    Toen lachten ze en ze zeiden: 'Mirjam, wees niet zo overdre-
ven, er komt geen oorlog en hier zeker niet!'
    Toen we in Parijs waren, moesten we wachten want je kon
geen trein krijgen naar de Frans-Italiaanse grens. Je moest een
dag of drie, vier wachten, en militairen gingen vóór. Toen gingen wij op zoek naar het bureau van de Jewish Agency. Daar
ontmoetten we twee zionisten die lid waren geweest van het
Poolse Parlement en die door parlementsleden uit Polen naar
Frankrijk waren gesmokkeld. De Duitsers waren daar al binnen-
gevallen. Dat was begin oktober 1939. En die vertelden ons van
onvoorstelbare gruwelen, hele families, hele dorpen uitgemoord,
toen al in die eerste maand. Ik zeg: 'Maar jongens, dat moeten ze
toch weten in Holland?'
    Ik stuurde een telegram naar Van Blitz, waarin ik hem vroeg
met Sam de Wolff en Kleerekoper en nog een paar anderen bij
hem thuis 's avonds om acht uur te wachten op mijn telefoontje.
Toen heb ik ze dat alles verteld, en ik zei: 'Ik verzoek jullie dat
door te geven, want het is belangrijk. Dit is waar, de ene die me
dat verteld heeft is een ingenieur, zijn naam begint met een -R-
en eindigt met een -s- en Sam de Wolff kent hem, hij heeft hem
in de socialistische partij vaak ontmoet. En als die man dat zegt,
moeten we het wel geloven.' Toen zeiden ze: 'Wij weten hier
van niets.'

305

Na de oorlog heeft Kleerekoper me verteld dat ze geen woord van het hele verhaal hadden geloofd, hoewel ze wisten dat Sam de Wolff inderdaad die mensen kende, maar ze zeiden: 'Die mensen zijn zó van streek, ze vertellen allemaal onzin, het is Engelse gruwelpropaganda!'

1940-'45

ROSA DE BRUIJN-COHEN   De avond vóór de oorlog uitbrak was er een uitvoering in de Hollandse Schouwburg van het
joodse koor van Englander. Het was een pracht-uitvoering. Dat
was dus 9 mei.

's Avonds werd ik nog opgebeld door de familie Van Amerongen, die hadden een certificaat gekregen om naar Palestina te
gaan, en ze waren zo blij en opgewekt allemaal. Ik was ook heel
blij voor hen.

Ik wist dat er schepen illegaal naar Palestina gingen en ook dat
Premsela ervan op de hoogte was. Toen de capitulatie was gekomen dacht ik: 'Nu moet ik hier weg!' en ik ben 's morgens
heel vroeg naar het huis van de familie Premsela gegaan. Ik belde
aan, er werd opengedaan en ik liep naar boven. Er kwam
iemand tevoorschijn die me vroeg wat ik kwam doen. Ik zei:
'Ik zou graag mijnheer Premsela willen spreken.' En toen zei hij:
'Gaat u maar weg, mijnheer Premsela is er niet. En komt u nooit
meer terug.' Op dat moment begreep ik het niet goed, het
drong pas later tot me door dat de hele familie zelfmoord had
gepleegd. En toen ben ik, ik weet niet hoe lang, op die trap blijven zitten.

Hij had een heel gezin. Dat zijn nou dingen die me nog altijd
nachtmerries kunnen bezorgen. De zaterdag vóór de capitulatie
had ik nog met hem gesproken en hij was zeer optimistisch, hij
kon zich niet voorstellen dat Nederland zou capituleren.

Ik was lid van de algemene socialistische vereniging van han-
dels- en kantoorbedienden. De groep waarin ik zat waren bijna
allemaal Joden. En toen moesten wij er uit, joodse leden mochten er niet meer inblijven in de oorlog.

Toen zijn mijn man en ik samen naar de bond gegaan en we
hebben gevraagd: 'Hoe is het mogelijk dat je er zomaar uit moet
als lid, dat je niet eens op z'n minst een vergoeding krijgt? We
hebben tien jaar contributie betaald, we hebben meegeholpen

deze bond groot te maken!' Ja, het was een Duitse maatregel waar ze niet onderuit konden. Ze wilden het niet, maar ze moesten wel.

LIESBETH VAN WEEZEL   Ik was lid van de Centrale Nederlandse Ambtenarenbond. Ik zat zelfs in het bestuur van de sectie gemeente-ambtenaren. Na 10 mei 1940 kwam toen de NSB-er H. Woudenberg die het NVV overnam. Toen heb ik bedankt voor de Bond en ik werd daarvoor op het matje geroepen door een bestuurder. Hij begon me de les te lezen en zei: 'Dat hebben we nooit geleerd! Wij mogen geen vaandelvlucht plegen, u moet weer lid worden!' Ik zei: 'U kunt me nog méér vertellen, maar dit is het moment dat er vaandelvlucht gepleegd móet worden. Wie blijft zitten handelt verkeerd!' Toen zei hij: 'De Joden worden misschien wel in den brode vervolgd, maar toch niet in die mate dat het nodig is dat u vaandelvlucht pleegt?'

Dat was zó'n trouw aan de beweging, aan de bezittingen, aan de gebouwen en aan de gelden, dat diegene die principieel koos, van vaandelvlucht werd beschuldigd.

Vier maanden later mochten we niet meer op ons werk komen en na weer twee maanden werd ik ontslagen als ambtenaar. Ik zie die man nog zó voor me staan; later is hij gegijzeld en geestelijk gebroken teruggekomen.

HARTOG GOUBITZ   Hoeveel socialisten hebben er niet geheuld met de Duitsers? Dat is niet te ontkennen! Ik herinner me, dat een van mijn collega's, die ook bestuurder van de Sigarenmakersbond was, op een sigarenfabriek samenwerkte met iemand die zich gedroeg als een vurige socialist. En toen de Duitsers kwamen, ontpopte hij zich onmiddellijk als een vreselijke antisemiet. Hij ging meteen naar de patroon toe en zei: 'De Joden moeten eruit!'

Ik heb trouwens zelf in mijn buurt ook ondervonden, dat mensen die altijd vertrouwelijk omgingen met Joden, niet bestand waren tegen de Duitse anti-Jodenhetze.

ARON DE PAAUW   Je kunt ook wel begrijpen wat er is om-
gegaan in de oude diamantbewerkers toen een week ná 10 mei
1940 de hele boekerij van de ANDB werd leeggehaald en verkocht op het Waterlooplein. Dat deden de NSB-ers die het gebouw overnamen. Verschuren heette die man.
    Eén bestuurder was gebleven, Blesgraeft, dat was een niet-
Jood. Ik vermoed dat hij zich uit een zekere rancune naar de
nieuwe bezetter heeft geschikt.
    Maar al die boeken werden verkocht op het Waterlooplein en
in de Oude Manhuispoort. Het waren natuurlijk gewoon biblio-
theekboeken, geen nieuwe boeken, maar ik vond het verschrikkelijk. Het was een stuk van jezelf wat ze weghaalden. En ik heb
mezelf altijd voorgehouden dat het tienmaal zo mooi zou worden als het allemaal voorbij zou zijn, dat alles weer terug zou
komen. Maar ja, wat geweest is, is geweest.
    Toen ik bij Asscher werkte, was er bij het onderhoudsperso-
neel een hele aardige vent, niet-joods, getrouwd en een paar kinderen. En toen Hitler aan de macht kwam, bleek het meteen: hij
was een WA-man, en hij kwam in uniform in de zaak. Dat was
Willem Koot, die is doodgeslagen op het Waterlooplein. Dat
was altijd een heel aardige knaap.
    Toen de Duitsers binnenkwamen, heeft professor Bonger zich
van kant gemaakt. Hetzelfde deed Boekman, de wethouder van
Amsterdam. En De Miranda hebben ze doodgeknuppeld in
Amersfoort. De NSB haatte hem, vanwege alles wat hij voor de
arbeidersbeweging had gedaan, hè.

WILHELMINA MEIJER-BIET   We hadden op de Lijnbaansgracht het vluchtelingencomité. Dat was een enorme afdeling
waar een dossier was van iedereen. Toen de oorlog uitbrak heeft
m'n zwager me 's morgens nog naar het vluchtelingencomité
gebracht. Ik heb de nieuwsberichten van acht uur nog in zijn
auto gehoord en toen ik er aankwam, waren er al veel mensen
bezig de centrale verwarming te stoken met alle vluchtelingen-
dossiers die we hadden. Het was er ontzaglijk warm, het was niet
te harden van de hitte natuurlijk. Op het laatst moesten we de

ramen openzetten, en over de hele Lijnbaansgracht vlogen er stukjes roet van die dossiers, want die mochten nooit in handen van de Duitsers komen.

Toen ik in 1941 in de Apollohal mijn persoonsbewijs moest halen met een J erop, moesten we in rijen wachten, en één rij was speciaal voor Joden. Ze riepen je naam af als je aan de beurt was, en toen hebben ze daarvan een zeer grote demonstratie gemaakt. Er was een applaus toen ik langsliep, omdat mijn naam afgeroepen werd: Wilhelmina Beatrix. De mensen waren zó blij die koninklijke namen te horen roepen!

ISAAC KISCH   In de tweede helft van november 1940 hebben alle joodse ambtenaren, dus ook alle joodse hoogleraren, een brief gekregen dat ze zonder verwijl waren afgezet. Ze stonden al aangekleed om naar college te gaan, toen de post kwam, dat ze niet meer mochten.

Ik was in die jaren privaatdocent voor rechtsvergelijking, dus géén hoogleraar. Ze hadden wél de hoogleraren en lectoren te pakken genomen, maar de privaatdocenten vergeten omdat die strikt docent zijn, en geen ambtenaar.

Ik dacht: 'Nou ja, ze zullen dat been wel bijtrekken, over twee, drie dagen merken ze dat ze dat stelletje privaatdocenten vergeten hebben, en dan krijg ik die brief ook. Maar zolang ik het niet heb gekregen, blijf ik aan.'

Toen heb ik nog een college gegeven in Engels recht en aan het eind van dat college heb ik een toespraakje gehouden over de situatie tegen de studenten. En toen ik uit de collegezaal kwam, zat Scholten in het kamertje. Hij kende me goed en zei: 'Je hebt natuurlijk wat gezegd.' Ik zei: 'Ja.' Hij zei: 'Daar kun je moeilijkheden mee krijgen.' Ik zei: 'Dat weet ik wel, maar ik wou van mijn hart geen moordkuil maken.' Toen zei hij: 'Schrijf op wat je hebt gezegd, zodat als iemand vraagt wat je hebt gezegd, je het hem kan laten zien.' Dus die zaak is uitgetypt en ook nog verspreid.

Ik had gezegd dat er een tijd zou komen met ernstige achteruitstelling van de joodse bevolkingsgroep. Dat was nu niet zo'n moeilijke prognose! Dat ik op twee dingen wilde wijzen. Ten eerste, dat de klap daarvan minder hard zou aankomen bij mensen zoals ik, die vanouds vertrouwd zijn met de noodpositie van het joodse volk; ten tweede, dat niemand míj zal vragen om de nazi-ideeën aan te hangen, terwijl men dit verzoek wel aan de niet-joodse studenten zou gaan richten, en dat met de nodige druk, zodat ik het in dit geval makkelijker had dan de andere mensen; dat ik mijn studenten opwekte om niet onder die druk te bezwijken, zulks in het besef van de goed-Nederlandse traditie.

Ik had er inderdaad door in moeilijkheden kunnen komen, maar er waren blijkbaar geen verraders in het gezelschap en ik heb er niets meer van gehoord. Daarna gebeurde er precies wat ik had verwacht, de volgende dag had ik ook een brief.

JOËL COSMAN   Toen de Moffen hier kwamen staken de NSB-ers hun kop op. Ze molesteerden diverse malen joodse mensen in de stad, sloegen ze van een terrasje of uit een café waar ze zaten. Toen kwam Maurits Dekker op een dag bij mij, de schrijver van *De laars op de nek* en vroeg mij of het niet mogelijk was een knokploeg te vormen om eens terug te beuken.

Ik heb erover gesproken met een aantal van mijn leerlingen en ze waren het er unaniem over eens om er aan mee te gaan doen. Er kwamen ook nog een paar niet-leerlingen van mij bij. Zo werd de eerste knokploeg gevormd in Nederland door joodse boksers.

We trainden driemaal per week. Voor die jongens die nooit aan boksen hadden gedaan maakte ik het wat makkelijk, en met hen die door werk of omdat ze getrouwd waren, 's avonds niet konden komen, trainde ik op zaterdagmiddag en zondagmorgen.

Eén van ons maakte een soort overvalwagentje, een oud expeditiekarretje met een kap eroverheen en twee banken erin. En als we dus een telefoontje kregen dat er ergens een paar joodse mensen waren gemolesteerd gingen we erheen om terug te slaan. We pakten de NSB-ers in De Kroon op het Rembrandtplein.

Eén keer zijn we naar de Van Woustraat gegaan. Daar had je een ijssalon Koco; die was van een Duitser. De NSB-ers waren bezig daar de joodse mensen uit te slaan. Toen zijn we er heen gegaan en we hebben de NSB-ers toen flink afgeramd.

Op een zaterdagmiddag kwam een troep WA-lui de Jodenhoek binnenmarcheren. Er zat een oud vrouwtje met sinaasappelen, tante Golly heette ze, en ze trapten gewoon haar kar ondersteboven. Op zondagmorgen kwam diezelfde ploeg weer, ze marcheerden het Waterlooplein op en gingen toen ook in de Lange Houtstraat mensen molesteren. Ze drongen zelfs huizen binnen en gooiden radio's en zo het raam uit.

Op maandag was toen de knokploeg bij elkaar en we waren paraat. Iedereen waar we ook maar even dachten dat het een NSB-er kon zijn kreeg een pak slaag. Er was een slager uit de Linnaeusstraat, een zware NSB-er, die vluchtte het politiebureau in, en in een auto werd hij weer pijlsnel de Jodenhoek uitgereden. We begrepen dat die troep NSB-ers terug zou komen, we verzamelden ons bij café Nikkelsberg op het Waterlooplein.

We stonden opgesteld in portieken, het was erg mistig die avond. Het was ongeveer zeven uur toen we die NSB-ers hoorden aankomen over de Blauwbrug, zingend 'Juden an der Wand'. Er was op het Waterlooplein een speeltuin met een hek eromheen, en toen ze dat hek genaderd waren, vlogen al die jongens van de knokploeg uit de portieken en uit café Nikkelsberg, en toen hebben ze die NSB-ers op een verschrikkelijke manier afgetuigd. Ze vlogen naar links en naar rechts, maar er waren een paar die in die mist de verkeerde kant op gingen, juist nog dieper de Jodenhoek in, in plaats van de Amstelstraat door naar het Rembrandtplein.

De leider van die WA-ploeg was Koot, die werd opgevangen door een paar van onze jongens; die hebben ze zó verschrikkelijk afgedroogd, dat hij bewusteloos bleef liggen. Hij werd dus vermist en 's morgens gingen de NSB-ers hem zoeken. Hij werd naar het Binnengasthuis gebracht, hij kwam er ook weer uit, maar hij kon het niet meer navertellen.

Toen deed de Joodse Raad een oproep dat alle Joden naar de

diamantbeurs moesten komen, dan zouden ze ons iets meedelen, en tegelijkertijd moesten we onze wapens inleveren, dan zouden de Duitsers geen represailles uitvoeren. Nou ja, we hádden geen wapens! We hadden alles met onze handen gedaan. Misschien dat een enkele jongen een stukje ijzer had gehad, maar voor de rest deden we alles met de vuist.

En omdat er niets werd ingeleverd, werden de zaterdagmiddag daarop alle winkels leeggehaald, en ook de Tip Top. En de zondagmorgen daarop was er wéér een overval van de Duitsers en die haalden toen in de Jodenhoek alle joodse kooplui achter hun kraampjes vandaan. Dat was psychologisch natuurlijk heel stom van die Moffen, want er waren op dat moment duizenden niet-joodse mensen die op zondagmorgen naar de markt gingen in de Jodenhoek. Dus die stonden er middenin en ze kwamen in verweer, dat is de zogenaamde Februaristaking geworden.

Maar in zekere zin was die joodse knokploeg de eerste die daadwerkelijk in verzet kwam.

BAREND DE HOND   Bij Nikkelsberg was een clublokaal van de voetbalvereniging AED, dat betekende Adenoj Een Doelpunt. Op een zaterdagmiddag kwamen daar al die jongens van het voetballen heen en toen kwamen de 'Grünen'. Daar hadden we niet op gerekend, we hadden gerekend op de NSB-ers. Dat was de eerste razzia op het Meyerplein, in 1941. De tweede was op de Jodenbreestraat, toen hebben ze ook meteen de Tip Top leeggehaald.

Maar die eerste razzia was op het Waterlooplein en het Meyerplein. Ze haalden mij uit Nikkelsberg met nog veertig man, en we moesten allemaal naar de Blauwbrug lopen in looppas; daarna in rijen van vier naar het Jonas Daniël Meyerplein. Daar stonden we toen met vierhonderd jongens. Ik heb daar van half vier tot half zeven met m'n handen in de hoogte gestaan.

Ik was de enige die uit dat stelletje van vierhonderd man wist te ontsnappen. De anderen zijn allemaal omgekomen.

BAREND KROONENBERG   De eerste inval was bij ons in het

Tip Top Theater in februari 1941. Toen zijn de mensen uit het theater gehaald, waaronder mijn eigen schoonzoon en niet één is ervan teruggekomen. Ze hebben mij ook achterna gezeten in de bioscoop, maar door onze operateur Piet Wessendorp kon ik het dak over vluchten.

Ik zag de Grünen aankomen over de Blauwbrug, ik zou net ergens naar toe gaan, en ik ben gauw de bioscoop ingegaan. Toen kwamen ze binnenstormen en alle joodse mannen moesten opstaan en mee.

Ze werden naar Schoorl gebracht en daar ben ik nog geweest. Ik had in Amsterdam een paar koffers met sigaren en sigaretten voor die jongens gekregen, die daar gevangen zaten. Toen heb ik bij de burgemeester gevraagd of ik toegang kon krijgen tot dat kamp, maar hij raadde het me af, omdat hij bang was dat ik zelf ook gepakt zou worden omdat ik óók joods was.

Toen kwam ik een bakker tegen die brood in dat kamp bracht en ik vroeg hem of hij die sigaretten in het kamp mee wilde nemen. Hij zei: 'Mijnheer, al bood u me goud, ik durf het niet.' Toen ben ik er zelf naar toe gegaan. Voor de deur stonden twee wachtposten met een geweer en ik zei dat ik de commandant wilde spreken. Ze gaven me geen van beiden antwoord en lieten me maar praten. Toen vroeg ik ze in het Duits of ze doofstom waren en toen zei die éne dat hij me kapot zou schieten als ik niet wegging.

Er kwam een officier aanlopen en ik doe weer hetzelfde verhaal dat ik de commandant wil spreken omdat ik die sigaretten wil geven aan die jongens. Hij zegt: 'Mijnheer, u kunt weer gaan.' Maar ik wilde niet gaan vóór ik die sigaretten aan die jongens had gegeven. Toen kwam er wéér een hogere figuur die tegen mij zei: 'Gaat u met mij mee.' We gingen naar zijn kantoor en ik vertel hem weer het hele verhaal. Toen zei hij: 'Dat u dat doet, moet u zelf weten, maar wat u doet is levensgevaarlijk.' Hij was uiterst beleefd. 'Ik kan u zo hier in het kamp laten en dan gaat u met die jongens mee.' Ik zei: 'Nee, dat is niet de bedoeling, ik wil alleen die sigaretten afgeven.'

Toen zei hij: 'U komt op het slechtste moment. Over een half uur worden de jongens afgevoerd naar Mauthausen.' Ik wist toen niet dat dat een concentratiekamp was, maar ik was er erg van onderstebove. En terwijl ik daar nog bij die hoge was kwamen de overvalwagens voor en ik zag alle jongens aantreden. Ik stond er pal vóór en verschillende zeiden tegen mij: 'Kroonenberg, geef m'n vrouw de groeten, geef m'n moeder de groeten.' Mijn eigen schoonzoon was erbij; de tranen liepen mij over de wangen.

Toen ben ik uit dat kamp gevlucht mét m'n sigaren en sigaretten naar de burgemeester om te proberen het nog tegen te houden, maar het was niet mogelijk, ze zijn allemaal weggegaan.

ROSINE VAN PRAAG   Ik ben in de oorlog lerares geweest op een joodse school, MULO en HBS. Dat was een heel tragische ervaring. Toen die kinderen werden weggehaald was iedereen er diep van onder de indruk, maar je moest doorgaan. We hadden toen een school van vierhonderd kinderen, en binnen een jaar was er niemand meer over.

Toen werd ik ook gepakt en naar de Hollandse Schouwburg gebracht, maar omdat ik gymnastieklerares was kon ik over het dak ontsnappen met hulp van een joodse leerling die in de ondergrondse beweging zat.

DICK SCHALLIES   In 1940 merkte je hoe Christenkooplui, die altijd zó goed met de joodse kooplui waren geweest, onder invloed van de NSB plotseling veranderden als een blad aan een boom. Die gingen dan wedden op het verkeerde paard, en in 1945, toen de zaak verloren was, probeerden ze weer terug te schakelen.

Het was een verkeerde rancune, want joodse mensen hadden capaciteiten en ervaring op handelsgebied, en een heleboel Christenjongens hadden dat niet. Die waren werkeloos en dachten dat ze alleen maar hun handel hoefden uit te pakken en dat ze dan goud konden verdienen! Het werd in 1940 langzamerhand duidelijk, dat de markten onder auspiciën van de Duitsers zouden komen te staan. Ik stond eens op de Dapperstraat toen ze de markt zo ongeveer 'schoon-veegden' van de joodse kooplui. Een goede vriend van vóór de oorlog kwam naar me toe en zei: 'Zou je nu maar niet eens ver-dwijnen, jij met je joodse vrouw?' en toen dacht ik: 'Hee, nou wordt het voor mij ook een beetje gevaarlijk.'

De joodse markt hief zichzelf langzamerhand op, omdat de Joden er niet meer durfden te komen, en je kreeg ook regelmatig razzia's in de Jodenhoek.

GERRIT BRUGMANS   Ik ben bijna altijd in de Jodenhoek ge-bleven, met recht tot het bittere einde. Ik stond nog in de bakke-rij van Blok terwijl ik er in feite niet meer in mocht omdat ik niet-joods was. Maar ik ben toch gegaan; dat noemen ze chotspe. Want ik kon het niet verteren, ik was te opstandig om me dat te laten opleggen door die Moffen. Totdat de boel gesloten was had ik een sleutel van het huis en ben ik er naar binnen gegaan. En ze waren er al aan het roven geweest.

Ik heb bijna anderhalf jaar in een concentratiekamp gezeten. Ik was op het Markenpleintje; iedereen kwam naar me toe om te vragen of ik van alles voor ze wilde doen, want ze wisten dat ik een joodse vrouw had. Dan kwam ik 's avonds thuis en dan zei m'n vrouw: 'Je vergeet helemaal dat ik Jodin ben.' Dan zei ik: 'Ja, je weet hoe dat gaat, ze kennen jou, ze kennen mij, ik kan die mensen niets weigeren.'

Toen hebben ze me op een gegeven moment toch gegrepen. Gelukkig zijn m'n vrouw en kinderen er nog tamelijk goed van af gekomen. Ze hebben alles weggehaald; er was niets meer. Maar ik ben tamelijk goed teruggekomen.

CAREL REIJNDERS   Wij woonden in de jaren dertig boven de familie Velleman, die een broodjeswinkel had op het Rem-brandtplein. Die man had een zwakzinnige zoon die iedere ochtend door de knecht naar een werkplaats voor zwakbegaaf-den werd gebracht.

Toen die jongen op een dag door de Duitsers is opgehaald is

die knecht meegegaan. En de ouders zaten uit te kijken naar de dag dat zij óók zouden worden opgehaald, in de hoop dat ze met hun zoon zouden worden herenigd. Ze dachten gewoon dat ze te werk gesteld zouden worden in Duitsland, en dat ze het waarschijnlijk niet zo goed zouden hebben; maar ze verwachtten helemaal niet dat ze regelrecht naar de gaskamers zouden worden gebracht.

Toen er een telling van de Joden was in 1941 stond er, dat het om een onderzoek ging om mensen te werk te stellen in Duitsland. Er was geen sprake van concentratiekamp of zo, want dan zouden die mensen zich ook niet zo massaal hebben aangemeld. Er zijn toen méér joodse mensen geteld dan er zich ooit bij de burgerlijke stand hadden aangemeld.

Ik heb me ook nooit kunnen voorstellen dat het die omvang zou aannemen. Ik wist wel dat de nazi's antisemitisch waren en de Joden uit hun huis en hun beroep wilden zetten, maar niet dat ze hen zo grootscheeps zouden vermoorden. Er gingen geruchten in Amsterdam: 'De Joden komen niet meer terug', en er verschenen erg veel overlijdensadvertenties in de eerste maanden dat de Joden werden gearresteerd. Er was een klein deel dat zelfmoord pleegde, en er werden er in het kamp omgebracht. Er gingen verhalen dat de Joden te werk gesteld werden in zinkwit-fabrieken en andere gevaarlijke fabrieken, waar ze gauw dood gingen. Maar dat ze massaal werden vermoord was alleen bij geruchte en zó onwaarschijnlijk voor ons, dat het niet te geloven was. En ik denk óók voor de Joden zelf niet.

HUBERTUS PETRUS HAUSER   Ik meen dat de eerste prikkeldraadversperringen bij de Muiderstraat in '41-'42 zijn aangebracht, om het 'Judenviertel' af te sluiten. Dus iedere morgen als ik naar m'n werk ging moest ik door die versperring heen-ik had een pasje gekregen om er door te mogen-en daar heb ik hele nare dingen gezien.

Mijn broer heeft bij een joodse firma, Trompetter, gewerkt totdat hier de 'Vertreter' werden aangesteld over joodse zaken. Dat was een firma in leer, rubber, fournituren en dergelijke, een groothandel, op de Sarphatistraat. Die mensen zijn ook weggevoerd en daar is nooit meer iets van gehoord.

Er is enorm veel triests gebeurd, maar ik was veertien, vijftien jaar en ik kénde die mensen nauwelijks, te oppervlakkig om te zeggen dat het mijn dikke vrienden waren. Wel in de gewone omgang natuurlijk, dat was heel leuk...

LIESBETH VAN WEEZEL   Uit de Transvaalbuurt zijn verschillende verzetsmensen voortgekomen, CPN-ers, Trotzkisten, maar ook de ondergrondse pers, Jaap Nunes Vaz, die gefusilleerd is. Eli van Tijn schreef onder het pseudoniem Piet Marsman en had als hoofd van de Kraaipanschool daar een hele verzetsgroep aan het werk. Hij bracht daar allerlei kostbare boeken van mensen onder en hij had er ook een bonnen- en stamkaartencentrale. En natuurlijk kon het niet uitblijven, het gebeurde té openlijk, ze zijn verraden en Eli van Tijn en z'n hele groep is opgepakt.

Maar ook de communisten uit die buurt hebben heel bewust meegedaan met de Februaristaking. Mijn broer was de instructeur van de verzetsgroep Oost. Af en toe was hij bij mij ondergedoken. Op 7 maart werd hij thuis gepakt. Hij is in allerlei tuchthuizen en concentratiekampen geweest, tenslotte in Dachau; hij heeft het nét niet gehaald, hij is overleden op 25 april 1945.

Het verzet in Oost was van Joden en niet-Joden samen, maar toch bestond de CPN daar voor driekwart uit Joden. Gerrit Blom was ook een van de leiders.

MOZES HEIMAN GANS   Mr. Lodewijk Visser, de President van de Hoge Raad, was niet typisch een Jood, hoewel hij zich helemaal niet geneerde voor zijn Jood-zijn. Hij was een duidelijke regent. Hij heeft zich buitengewoon consequent gedragen, maar het bijzondere van Visser is natuurlijk pas in de oorlog gekomen. Hij was de man die met z'n persoonsbewijs-oproep naar de Burgerlijke Stand ging, en toen ze er daar een J op stempelden, heeft hij geweigerd het aan te nemen.

De ambtenaar zei tegen hem: 'Ik moet u waarschuwen, ik heb die opdracht gekregen, de Duitsers nemen dat niet.' Toen zei hij: 'Dan nemen ze het maar niet, maar ik neem het niet aan.'

Toen is hij ongemoeid gelaten, want de Duitsers durfden hem toen nog niet aan te pakken, en vóór ze dat wel deden, is hij gestorven. Maar hij was een figuur die in veel opzichten te vergelijken was met Léon Blum in Frankrijk.

ISAAC KISCH   Ik ben in september 1943 bij de laatste Jodenrazzia in Amsterdam weggehaald en naar Westerbork gebracht met m'n vrouw en twee kinderen. Ik ben dus gedeporteerd als Jood, niet vanwege ondeugende illegaliteiten want daar zijn ze nooit achter gekomen. Ervóór was ik min of meer beschermd geweest, maar ik hoorde tot de laatste groep Joden waar geen pardon meer voor was, die moesten weg.

In Westerbork werden we beschouwd als slaven. Ik heb dikwijls aan het begin van *Exodus* moeten denken, waar de Joden ook met stenen moesten sjouwen. We werden gebruikt voor manuele karweitjes; als er een of ander sjouwwerkie buiten Amsterdam was, werden we wel uitgestuurd om dat te klaren. Zo ben ik met nog twintig mensen–getrouwde mannen hadden ze daarop uitgezocht–naar Amsterdam gestuurd. We hadden allemaal vrouw en kinderen in Westerbork. Ik kwam dus met mijn mede-slaven in Amsterdam aan om stenen over te laden van een grote boot in een kleinere boot. Die stenen waren bestemd om nieuwe barakken te bouwen in Westerbork.

Er was ook accomodatie voor die slaven; er was een bureautje in Amsterdam dat over de beschermende belangen van de Joden ging. Je mocht logeren bij vrienden maar de keus was niet zo groot. Sinds 1942 bestond de regel dat een Jood alleen een huis mocht betreden waar ook een Jood was. Maar na de deportaties waren dat alleen nog maar gemengd gehuwden, want joodse gezinnen waren er niet meer.

ABRAHAM VAN SANTEN   In januari 1943 ben ik bij Henri Polak geweest; hij was toen net terug uit zijn arrest in Wassenaar en hij woonde weer in zijn huis. Er was toen via via een verzoek gekomen van I. G. Keesing die in Laren woonde, of hij in de Joodse Invalide zou kunnen worden opgenomen. Men dacht toen namelijk dat dat een zekere bescherming zou bieden tegen deportatie.

Ik was in die jaren een van de jongste bestuurders van de Joodse Invalide. Ik heb toestemming gevraagd aan de Joodse Raad om Keesings eventuele opname te mogen bespreken en naar Laren te reizen, want daar had je toen speciaal permissie voor nodig. Toen ben ik dus met de Gooise stoomtram van het Weesperpoortstation naar Laren gegaan met een grote ster op mijn jas, om Keesing te bezoeken, maar vooral Henri Polak en zijn vrouw die goede vrienden van mij waren.

De eerste die ik ontmoette toen ik in Laren uitstapte, was Willem Vogt die ik al twintig jaar kende en die me zei: 'Als u een van uw kinderen wilt laten onderduiken, dan wil ik hem bij mij thuis nemen.' Dat was toen ontzettend gevaarlijk. Toen ben ik naar Keesing gegaan en tenslotte naar Henri Polak en zijn vrouw. Ik had toen een kistje sigaren voor hem meegebracht en daar was hij ongelooflijk gelukkig mee. Hij zei me toen tijdens dat gesprek: 'Bram, ik ben wel gebogen maar niet gebroken.' Kort daarop stierf hij.

Deze woorden van hem zijn mij nooit uit de herinnering gegaan. In mei 1943 ben ik ondergedoken. Twee jaar lang heb ik met mijn vrouw op een zolder gewoond in een steeg bij de Oudezijds Achterburgwal en ik ben nooit buiten geweest tot april 1945. Op een gegeven moment ging ik toch even naar buiten omdat ik dacht dat het al veilig was. Ik wandelde op de Oudezijds Achterburgwal en daar zag ik een huis met grote ramen en door het glas zag ik tekeningen en beelden. Ik kreeg zo'n ontembaar verlangen naar iets moois om naar te kijken! Ik had twee jaar op een zolder gewoond met als enig uitzicht de witgeverfde ramen. Ik heb heel onvoorzichtig aangebeld en gevraagd of dat een museum was.

Daar bleek Cefas Stouthamer te wonen, de beeldhouwer en tekenaar. Zijn vrouw zei dat ik rustig mocht kijken als ik dat wilde. Ik heb me gelaafd aan zijn werk. Hij had een prachtig bronzen beeld, dat was een vrouw die voorover geknield op de grond lag. Hij noemde dat beeld 'Gebogen maar niet gebroken'. Toen zei ik: 'Dat beeld moet ik van u kopen!' en dat heb ik later ook gedaan. Nu heeft een van de kinderen het gekregen. Dat was voor die beeldhouwer zijn voorstelling van Nederland: een vrouw, die gebogen, maar niet gebroken was.

Na 1945

MAURITS ALLEGRO   Ik geloof dat ik de enige ben in de hele Rapenburgerstraat, die hier oorspronkelijk óók woonde en die terug is gekomen. Voor de rest is alles nieuw. Alle oude bewoners zijn weggevoerd en niet meer teruggekomen. Ik woon hier wéér, in dezelfde woning. Het heeft me na de oorlog wel wat moeite gekost, een paar centen en een advocaat.

Eerst werd ik door de rechtbank in het ongelijk gesteld en mijn advocaat had maar alvast vijfhonderd gulden voorschot gevraagd. Toen ben ik naar een ander gegaan. Het was toch mijn eigen woning? Toen was het binnen twee dagen voor elkaar.

LEEN RIMINI   Na de oorlog was het zo erg dat er geen Portugese Joden waren. Dan stond ik achter de toonbank van de Coöperatie in de Jodenbreestraat, en dan werd ik geroepen omdat ze geen tiende man hadden. Dan stond ik met m'n witte jasje en een regenjas er overheen in die kerk om die mensen een plezier te doen, zodat ze het gebed konden doen. Zonder overigens iets voor die godsdienst te voelen, hoor!

BAREND DE HOND   Na de oorlog zat ik op het Rembrandtplein voor de deur bij Monico; komt er een vent tegenover me in een stoel zitten en die zegt: 'Ik heb de kolere an jou.' Ik zeg: 'Nou, ik heb jou toevallig niet geroepen, man donder op.' Dat was toch beleefd van mij. Ik kon m'n handen goed gebruiken want ik was twintig jaar worstelaar geweest. Zegt die man: 'Als je het weten wil, ik heb de kolere an alle Joden.' Ik zeg: 'Vuile stinkende NSB-er, je hoort niet hier, maar in een kamp thuis.' Toen zegt-ie: 'Durf je bij mij dan effe op het stoepie?' Nou, hij kende me niet, want anders had hij dat van z'n leven niet gezegd. Ik stond op—hij zat in zo'n rieten stoel—ik pak die stoel op met hem erin, gooi hem over een auto heen van het terras, zó op de tramrails, wel acht meter verder. Toen kwam hij weer terug, ik geef hem een klap op z'n kaak en toen lag hij twee uur lang bewusteloos bij Heck voor de deur.

Toen kwamen er een stuk of vijf, zes agenten uit dat politieposthuis op de hoek van de Halvemaansteeg en die vragen mij: 'De Hond, wat is hier gebeurd?' Dus ik zeg wat er gebeurd is, zegt die agent: 'Nou, laat dat kreng maar liggen.'

Na de oorlog was er wéér antisemitisme. Ik ben geen vechtersbaas, maar na de oorlog heb ik wel zes, zeven keer voor de rechtbank moeten komen met mr. De Blécourt, voor vechten tegen antisemieten.

ISAAC LIPSCHITS   Ik ben in de oorlog ondergedoken geweest in Friesland. Na de bevrijding in 1945 ben ik, ik was toen vijftien jaar oud, naar Rotterdam gegaan, naar mijn eerste onderduikadres vóór ik naar Friesland ging. Dat was bij Piet van Maris, een groot communist die veel in de illegaliteit had gedaan. Ik kwam daar in huis, ben toen naar de HBS gegaan en onder zijn invloed ben ik een groot bewonderaar geworden van het communisme. Toen ben ik van school gegaan en gaan werken bij *De Waarheid*.

Mijn ouders waren ook ondergedoken, zij zijn opgepakt; een zuster van mij is gedeporteerd met haar man; een broer en zijn vrouw met hun baby zijn gedeporteerd; een andere broer heeft zich aangemeld voor deportatie. Hij zei: 'Het is niet zo erg, we moeten wat werken in Polen.' Een broer die ondergedoken was is opgepakt. Een broertje dat jonger was dan ik zat ondergedoken en die is de oorlog wel doorgekomen, net als ik.

Ik geloof niet dat ik lang getwijfeld heb na de oorlog of ik nog een familielid zou hebben. Ik ben al die adressen afgeweest van het Rode Kruis. Als ik er nu aan terugdenk is dat gewoon een nachtmerrie, zo'n gebouw met al die lijsten. Je was daar met een tiental mensen en het was allemaal alfabetisch opgehangen. Ja, bij de C van Cohen was natuurlijk een grote rij, dan moest je toch even op elkaar wachten; als je nagaat dat je als het ware in de rij staat om te zien of je ouders op die lijst stonden van nog levenden. En ik was tenslotte een kind nog!

Mijn communisme was vrij snel bekoeld. Ik was net bij *De Waarheid*, toen die rel uitbrak tussen Paul de Groot en hoofdredacteur Koejemans. De schellen vielen me toen van de ogen. In 1945 echter was ik wel gegrepen door dat soort streven naar één grote arbeidersorganisatie met massale éénmei-bijeenkomsten.

En toen kwam ik in aanraking met mensen van de joodse voogdijstichting Le-Ezrath Ha-Jeled (Het Kind ter Hulpe). Ik kwam daar in contact met een maatschappelijk werkster van wie ik onder de indruk kwam. Ze vertelde over het Jodendom en daar ben ik over gaan nadenken. Toen ben ik gaan logeren in het Joods Jongenshuis op de Amstel 21 bij de Blauwbrug. Dat was het vroegere Nederlands-Israëlitisch Weeshuis. Vrijwel alle bewoners waren oorlogswezen van wie de ouders gedeporteerd waren. De directeur Van Moppes was een heel bijzondere man. Ik was onder andere getroffen door die sfeer daar en ik kwam tot de overtuiging dat bij het Jodendom mijn solidariteit behoorde te liggen.

Mijn ouders waren niet orthodox. Bewust joods waren ze voorzover ze door de omgeving tot Joden werden bestempeld. Ik heb toen, na het logeren, het besluit genomen om in een joodse omgeving te gaan wonen, in Amsterdam in het Joods Jongenshuis. Dat zal geweest zijn begin 1947. Ik ben toen ook weer gewoon naar school gegaan.

Het Joods Jongenshuis, om de hoek was het Waterlooplein, stond midden tussen de ruïnes van de oude Jodenbuurt. Het was een hele trieste buurt; niet omdat er ruïnes zouden staan zoals in het weggebombardeerde Rotterdam waar ik geboren was, maar omdat er geestelijk 'gaten' zaten in de buurt.

De joodse gemeenschap was daar hulpbehoevend. Zo kwam het geregeld voor dat iemand bij het joodse weeshuis aanbelde om te vragen of er niet een jongen mee kon om 'minje' te maken. Nou moet je je voorstellen dat je midden in de Jodenbuurt daar moet gaan zoeken naar een 'tiende man'. Vóór de oorlog was dat hoogstens zoeken naar de 'duizendste' man!

Bij die sfeer van dat weeshuis hoorde ook negatiefs: het direct een uitlating tot antisemitisch bestempelen en het willen vechten met niet-Joden. Je bent vijftien, zestien, zeventien jaar, je zit in zo'n gemeenschap van joodse jongens, er waren ook jongens die niet naar school gingen, maar werkten; er kwam er wel eens een thuis met een blauw oog. Dan was hij uitgescholden voor 'Jood'. En in die sfeer waarin ik was in dat Joods Jongenshuis, werd dat niet gepikt! Nee, dan pakte je een stok of een steen en je ging er keihard tegenaan. Misschien dat de directeur Van Moppes daar ook wel medeverantwoordelijk voor is geweest. Steeds werd je opgevoed in die sfeer: 'Wij zijn Joden en we zijn er trots op.' Bij een aantal jongens en zeker ook bij mij leefde het besef, een stuk van het leven van anderen gestolen te hebben. Jij had het overleefd en de anderen niet. Je had een schuldgevoel dat je er doorheen gekomen was.

Op een gegeven moment merkte ik dat er in dat tehuis iets gebeurde wat me ontging. Het had iets geheimzinnigs, tot ik ook werd ingewijd. Dat jongensweeshuis was een centrum in Europa van illegale steun aan de nog op te richten Staat Israël. Je had toen een Engels mandaatsbestuur in Palestina dat gewoon geen wapens toeliet, voor de Joden zeker niet; en ook geen geld en geen mensen; dat was allemaal gereglementeerd. In Europa kwam er echter al spoedig een organisatie die Joden uit de DP-kampen (N.B. DP betekent: *Displaced Persons*, mensen die tijdens de oorlog gevangen of geïnterneerd waren geweest en die niet naar Oost-Europa terugwilden) illegaal naar het Midden-Oosten, naar Palestina vervoerde. Het Joods Jongenshuis was een schakel in die illegale weg en dat kon niet lang verborgen blijven voor de mensen die daar woonden. Ik vond dat geweldig! Voor mij betekende het: me afzetten tegen de overheid en zijn reglementen waar ik na de oorlog zeer wantrouwend tegenover stond. Wij zaten bovendien in het Jongenshuis allemaal al in die toch wat negatieve sfeer van je ergens tegen willen afzetten.

De leiding van die illegale route was in handen van de Jewish Brigade. Dat was een afdeling van het Engelse leger die bestond uit Joden uit Palestina. Dat waren dus de grote helden voor ons. Dan kwamen ze met vrachtwagens – die konden natuurlijk rustig bij een joods jongenshuis komen, dat was heel normaal – en dan kwamen ze wat snoep brengen of zo. Maar uit die auto kwamen ook wel altijd enkele andere mannen (weliswaar in een uniform dat ze moesten uittrekken, want die hoorden niet in dat uniform) en die kregen dan bij ons andere kleren.

Nu moet ik erbij zeggen dat wij ook wel steun kregen van niet-Joden. Er was iemand bij de vreemdelingenpolitie, een hooggeplaatst iemand, die ons waarschuwde. We hebben ook wel eens een inval gehad van de Nederlandse politie. Het ging trouwens niet alleen om mensen. Die leden van de Jewish Brigade waren soldaten, die ook wel eens hier en daar een wapen verloren.

Dat weeshuis was een centrum van alles wat het Jodendom en Palestina aanging. Dat was het werk van directeur Van Moppes. Als het NIW (*Nieuw Israëlitisch Weekblad*) kwam, griste Van Moppes dat uit de brievenbus en dan ging hij die krant zitten spellen. Dat was die man: hij kon daar een sfeer creëren! Om vier uur werd daar niet een kopje thee gedronken: Van Moppes vond: 'Allemaal melk drinken, jongens!' en dan zat daar alles wat op school ging. Dan kwam hij wild verontwaardigd binnenstormen en roepen: 'Wat heeft het *Limburgs Dagblad* nu weer geschreven!' In dat dagblad stond dan een stuk met duidelijk antisemitische strekking. Het was tekenend voor de felle opleving van het antisemitisme na de oorlog, onder andere in het katholieke zuiden. De *Leidse Courant* schreef toen: 'Geen antisemitisme en geen pogroms, maar de lieve Joodjes moeten het er ook niet naar maken!' Die tekst kwam dan via het NIW bij ons.

Wat mij verwonderde was dat er doodstil naar de nieuwsberichten werd geluisterd! Het was toch gewoon een jongenshuis, er zaten jongens van een jaar of twaalf tot een jaar of tweeëntwintig. Ik kan niet zeggen dat men bijzonder geïnteresseerd was in politiek; maar er was toen heel vaak nieuws over het Midden-Oosten en dat werd dan zwijgend aangehoord. En daar werd over gediscussieerd. Die sfeer was een combinatie van grote betrokkenheid en zucht naar avontuur. Je had toen ook die grote verhalen over de Nederlandse illegaliteit in de oorlog. Dat waren dan helden, je voelde je een beetje in die sfeer. Van

Moppes is toen van de ene dag op de andere illegaal naar Israël geëmigreerd, met vrouw en kinderen.

Mijn broertje had in Zeeland ondergedoken gezeten. In de oorlog ben ik samen met hem bij de man geweest waar hij ging onderduiken. Die man kreeg geld onder tafel. Ik heb gezien dat mijn vader hem geld gaf en dat Oom Piet van Maris tegen die man zei: 'Dan moet je daarvoor die andere jongen óók nemen.' Daar is over gesjacherd waar ik bij zat en dat is niet gegaan. Die man zei: 'Ik neem één Joodje mee en niet twee.' Dus toen ben ik weer mee teruggegaan. 'Eén Joodje', zo zei hij het!

Toen ik na de oorlog hoorde dat mijn broertje Alexander nog leefde, ben ik naar Zeeland gegaan om hem op te zoeken. Oom Piet zei tegen me: 'We hebben in de oorlog wat last gehad met die mijnheer in Zeeland! Die ging wat te veel eisen stellen voor vergoedingen; maar we vinden niet dat jij erover moet praten met die man. Hij heeft tenslotte je broertje gered.' Maar ik ging daar toch met een zeker vooroordeel heen.

Toen mijn broertje daar was gekomen in 1942 was hij twee-eneenhalf en toen ik er na de oorlog kwam was hij dus een jaar of zes. Die mensen beschouwden hem als hun kind; hij ging op dezelfde school-met-de-Bijbel als hun eigen kinderen.

Maar toen ik dan in het Joodse Jongenshuis zat, dacht ik: 'Mijn ouders zouden beslist liever gewild hebben dat Alexander ook in een joodse sfeer opgroeit dan in een orthodox-christelijk gezin!' Dus toen ben ik eens naar de commissie van Oorlogs Pleeg Kinderen (OPK) gegaan en die zeiden: 'Je moet je daar maar niet mee bemoeien, want die mensen hebben hun leven in de waagschaal gesteld voor dat jongetje en dat jongetje is daar heel gelukkig!' Ik ben eens een keer naar de maatschappelijk werkster van de OPK gegaan en die zei toen: 'Luister eens Ies, als je nu weer naar Alexander gaat, wil je er dan niet zo de nadruk op leggen dat je zijn broer bent, want je brengt dat kind zo in verwarring!' Ze heeft het me niet verboden, maar... Ik ben er toen weer een paar keer geweest en ik heb toch tegen die man gezegd dat ik Alexander, mijn broertje, bij mij in de buurt wilde hebben; dat ik woonde in het Joods Jongensweeshuis en dat hij daar ook kon komen. Maar die man zei, dat dat niet ging en dat dat niet moest.

Op een gegeven moment krijg ik van die man in Zeeland een brief waarin staat dat hij toch wel iets in mijn standpunt zag; dat hij vrachtwagenchauffeur wilde worden en een vrachtwagen kon kopen, maar dat hem tweeduizend gulden mankeerde; dat als ik ervoor zorgde dat de joodse organisatie hem die twee-duizend gulden zou uitkeren, hij bereid zou zijn mijn broertje af te staan.

Dat was voor mij een schok, maar ook een triomf. Ik ben met die brief naar Le-Ezrath Ha-Jeled gegaan, die onmiddellijk een fotokopie hebben gemaakt en die in de brandkast hebben ge-stopt. Toen ben ik ook naar die maatschappelijk werkster van OPK gegaan en die heeft het bestaan om tegen mij te zeggen: 'Je ziet het helemaal verkeerd, Ies. Die brief, dat vragen om geld, is een primitieve uitdrukking van de liefde voor het kind!' Toen is er iets in me geknapt.

Ik heb toen meteen het besluit genomen: 'Ik ga naar Israël en ik neem mijn broertje mee!' Ik ben toen een keer naar Haam-stede gegaan en ik heb gezegd: 'Ik ga met Alexander een mid-dagje naar Middelburg', en ik ben niet meer teruggekomen. Dat was in 1948; hij is door mij gekidnapt. Hij was negen jaar en toen heb ik tegen hem gezegd: 'Ik ga naar Israël toe, daar wonen allemaal Joden, en ik wil graag dat je meegaat.' Hoogst onver-antwoord, achteraf bezien, want je kunt een jongetje van negen niet zo'n beslissing laten nemen. Maar hij vond het prachtig en avontuurlijk.

Daar was dan het plaatsje Putten aan de Belgische grens, ik had zo'n vijfentwintigduizend gulden die ik moest vervoeren voor de illegale Haganah. Die route was prima uitgestippeld. Er is een joodse begraafplaats in Putten, waar de Antwerpse Joden hun doden begraven. Ik werd opgevangen door een smokkelaar aan wie een bepaald bedrag moest worden betaald; die bracht je in een tuintje, en dan liep je aan de voorkant de deur uit van een winkel, hè? En dan was je buiten! Dan een trammetje naar Antwerpen, dan naar Brussel. In Brussel was net zo'n huis als het Jongenshuis in Amsterdam, we overnachtten daar en de volgende dag gingen we met de trein naar Kortrijk, de Franse grens over (waar de Franse douane je op een bepaald sein doorliet) en dan naar Parijs. De volgende dag met de trein naar Marseille. Daar was een militair kamp van de Haganah, een zogenaamd sportkamp van Joden, maar daar werd al goed getraind.

Dan ging je met twee-, drieduizend mensen aan boord van het schip. De Staat Israël was toen net uitgeroepen, maar de Verenigde Naties oefenden controle uit. We kwamen in Haifa aan. Nu was er net bepaald dat mannen in de dienstplichtige leeftijd niet aan land mochten. Dus alle ouderen, alle vrouwen en kinderen gingen aan de voorkant van boord, en wij mannen gingen aan de achterkant met een touwladder van boord: ook mijn broertje en ik.

Als je uit Europa wegging op dienstplichtige leeftijd werd je meteen soldaat in het Israëlische leger. Dat wilde zeggen dat ik mij meteen moest melden voor het front, terwijl ik had gedacht dat ik drie weken zou krijgen om mijn broertje, waarvan de naam werd veranderd in David, te begeleiden. Maar zo raakte ik hem daar kwijt, ik heb hem overhandigd aan een maatschappelijk werkster daar en ik ging naar het front. Het heeft vijf maanden geduurd voordat ik had uitgevonden waar hij zat. Hij is ergens terechtgekomen waar ze niet wisten welke taal hij sprak, dat is een hele klap voor hem geweest. Hij is tenslotte gelukkig goed op zijn pootjes terechtgekomen. Hij is nu een zeer nationalistische Israëli. Maar voor hetzelfde geld gaat zoiets totaal mis.

In het Israëlische leger heb ik iets opgedaan waardoor ik werd afgekeurd; we hebben te lang omsingeld gezeten, waardoor ik te lang zonder water was. Ik moest een medische verzorging hebben, ik werd afgekeurd voor alle diensten en ik moest terug naar Nederland. Ik ben dus een jaar later teruggekomen in Nederland en ik ben weer naar het Joods Jongenshuis gegaan en ik ben weer naar school gegaan.

Op een dag zei de directrice: 'Er zitten twee heren op je te wachten.' Die twee heren van de politie hebben mij meegenomen want ik had me tenslotte schuldig gemaakt aan het onttrekken van een minderjarig jongetje aan het wettelijk gezag en bovendien was ik in vreemde krijgsdienst geweest.

Er is een rechtszaak gekomen in Middelburg, waarbij ik werd aangeklaagd door de OPK. Mijn advocaat, mr. Levy uit Rotterdam, zei: 'Je kunt beter bekennen!' en hij heeft voor de rechtbank de hele zaak uit de doeken gedaan, over die brief, over de tweeduizend gulden, en de reacties van de OPK. Er is een enorme discussie ontstaan tussen de verdediger, de rechter en de aanklager over hoe ze me de lichtst mogelijke straf konden geven; want straf moest ik krijgen! De rechter heeft toen zo'n tirade gehouden tegen de OPK, dat de vertegenwoordigster van de OPK zat te trillen van woede! Het was een goede rechter. Ik heb toen een maand voorwaardelijk gekregen met een proeftijd van zoveel jaar.

Dat was dan mijn terugkomst. Later ben ik nog een paar keer naar Israël gegaan voor werk en ik heb er gewoond van 1966 tot 1968 als gastdocent. Ik heb hetzelfde als Jacob Israël de Haan beschrijft: hier zijn en verlangen naar Israël en in Israël zijn en verlangen naar hier.

SALKO HERTZBERGER   Ik zou het nooit achtenvijftig jaar in Nederland hebben uitgehouden. In 1967 hebben we onze auto volgepakt met koffers en we zijn naar Marseille gereden en vandaar met de boot naar Haifa gegaan. Maar toen ik bij Zundert de grens overging, hebben de waterlanders verschrikkelijk gelopen bij mij, verschrikkelijk. Dat weet ik nog heel goed. Emigratie op zich is een ellende, maar je moet iets vinden wat je er tegenover kunt zetten, en dat hebben we hier gevonden. Met alle moeite en narigheid hebben we het hier fijn, het is iets wat je waargemaakt hebt, en dat is een hele genoegdoening. Stel je voor dat ik nu nog steeds in Nederland zat!

Een patiënt van mij zei tegen me, toen ik naar Israël ging: 'Dokter, ik begrijp u niet. Waarom gaat u niet fijn in een huisje in Nice zitten? Ik begrijp best dat u hier weggaat na alles wat u heeft meegemaakt, maar waarom laat u uw kinderen dáár niet heenkomen in plaats van naar dat gevaarlijke land te gaan waar niets dan schieten gebeurt?'

Na de ramp van Hitler zijn er twee grote groepen naar Israël gegaan. Een groep ging omdat ze de Weesperstraat niet meer konden aanzien en de andere om dat ze in Tel Aviv de Weesperstraat wilden terugvinden.

AARON VAZ DIAS   Ik liep altijd graag door de Weesperstraat en de Jodenbreestraat; ik kende bijna iedereen! Ja, dat mis ik ontzettend. Als je alleen maar op straat liep, hoorde je altijd wel een geintje en je lachte als het een goed geintje was; ja, daar hou ik ontzettend van!

Nu woon ik in Israël. Ik woon hier met allemaal Joden; ik woon met vier gezinnen in één gebouw, twee boven en twee beneden. Maar contact heb ik niet. Misschien ligt het wel aan mij, denk ik vaak; maar als ik achterom kijk naar hoe we vroeger in Holland geleefd en gewerkt hebben, en hoe nú het contact is met de mensen waarmee we omgaan en werken, dan zeg ik toch: 'Het ligt aan de mensen!'

BEN SIJES   Ik ben een hele tijd anti-zionist geweest, ik heb gedebatteerd met Jopie Melkman die nu in Israël is. Dat was voor de oorlog, ik was anti-zionist uit socialistische overwegingen. Wíj waren voor het internationalisme, het opruimen van de grenzen, het broederlijk samengaan van alle mensen. En dan ga je niet nog eens apart, op basis van een godsdienst nog wel, een Staat oprichten! Dat waren hele zakelijke, politieke redenen, waarom ik geen zionist was en waarom ik het nu nog niet ben.

Maar tijdens de oorlog werd je tot Jood gebombardeerd als je vier joodse voorouders had, of je het wilde of niet. En ik had er wel vierhónderd! In ieder geval werd ik zo met alle andere Joden op elkaar gedreven, met wie ik grondige verschillen had, zowel politiek in engere zin als wereldbeschouwelijk in het algemeen. Ik kan niet zeggen dat ik me door de oorlog meer Jood ging 'voelen'. Maar ik was me bewust tot een lotsgemeenschap te behoren, waarin de strijdbijl voorlopig begraven moest worden.

Om met Maurits Dekker te spreken: 'De wereld kent geen wachtkamer.' We kunnen niet wachten tot er een hele 'schone' wereld is gekomen waar geen vervolging meer is, er ís nood en er moet nú geholpen worden. De wereld kent geen wachtkamer waar je mensen instopt om te wachten tot die wereld helemaal goed georganiseerd is. Daarom sta ik, zoals ze dat tegenwoordig zeggen: 'achter Israël', maar dan wel met behoud van mijn politieke opvattingen.

Verklarende woordenlijst

asjkenazisch, hoogduits.
baltefille, gebedsvoorlezer.
bar-mitzwah, kerkelijke meerderjarigheid van een jongen op dertien-jarige leeftijd.
broche, zegen (spreuk).
chaloets, iemand die zich voorbereidt op emigratie naar Palestina/Israël (meervoud: chaloetsim).
Chanoekah, feest dat de opstand der Maccabeeën gedenkt.
chassidisme, stroming in het Oosteuropese Jodendom, die het accent legt op de gevoelsmatige beleving van de godsdienst.
chazan, voorzanger in de synagoge.
chazanoet, de kunst van het voorzingen.
chazones, rituele gezangen.
chewre, vereniging, gezelschap.
choepah, choppe, huwelijk.
chomets, gewoon gezuurd brood.
chotspe, brutaliteit.
dawwenen, bidden.
droosje, predikatie.
Eretz Israël, het land Israël.
goj, vreemdeling, niet-Jood.
golah, verstrooiing der Joden.
hachsjarah, voorbereiding op emigratie naar Palestina/Israël door mid-del van het aanleren van een vak.
halachische literatuur, literatuur betreffende de joods-religieuze wetten.
havdalah, uitgang van de sabbat.
hewaaf, vijf zes.
Jehoede, Jood.
jiddisjkat, joodse dingen.
Jom Kippoer, Grote Verzoendag.
jomtof, jomtef, jontof, joodse religieuze feestdag.
kabbalistisch, van Kabbala: joodse mystieke overlevering.
kasjroet, het kosjer-zijn.
kesause mangelen, Curaçaose amandelen: pinda's.
kidoesj, heiliging van de sabbat.
koefnoen, voor niks, gratis.
kosjer voedsel, voedsel overeenkomstig met de spijswetten.
lewajah, lewaje, begrafenis.

lijfgabber, boezemvriend.

mageen David, Davidsster.

Masjieach, Messias, verlosser.

matzes, ongezuurde broden.

mazzel, geluk.

mazzel en broche, geluk en zegen.

merode, armoede.

mesjogge, gek.

minje maken, het voor een godsdienstoefening vereiste tiental mannen vormen.

Misjnah, codificatie van rabbijnse uitspraken, die gedurende een aantal eeuwen mondeling waren overgeleverd.

misjpoche, familie.

misjpochologie, kennis van families (schertsend gebruikt).

moutse galletjes, kleine gallebroodjes, gebruikt voor het 'moutse maken', dat is de lofzegging voor het brood.

nasj, snoep.

nebbisj, uitroep van medelijden.

oren, bidden.

Poeriem, feest dat gedenkt dat Esther de antisemiet Haman uitschakelde.

ponum, gezicht, gelaat.

rabonim, rabbijnen.

Rasji, beroemd middeleeuws commentator.

risjes, antisemitisme.

Rosj Hasjanah, joods Nieuwjaar.

s(j)abbath, sjabbes, joodse rustdag: zaterdag.

sefardisch, spaans, iberisch.

Seideravond, begin van het joods Pasen, gevierd o.a. door voorlezing van het verhaal van de uittocht der Joden uit Egypte.

sjamasj, sjammes, koster van de synagoge.

sjikse, niet-joodse vrouw.

sjiwwe zitten, zeven dagen na het overlijden van een naaste bloedverwant op een laag stoeltje of op de grond zitten ten teken van rouw.

sjoel, synagoge.

sjmoezen, praten, babbelen.

snoge, afkorting van het portugese 'esnoga' = synagoge.

sjouchet, rituele slachter.

talles, gebedsmantel.

Talmud, rabbijnse commentaren op het Oude Testament.

Tenach, Bijbel, Oude Testament.

Thora, de vijf eerste boeken van het Oude Testament, de zogenaamde

'boeken van Mozes', bevattende de joodse wetten.
Touroh, hoogduitse spelling van Thora.
zichro (u)no livrocho, zaliger nagedachtenis.

Biografische aantekeningen

Emmanuel Aalsvel, Amsterdam 1914, zuurinlegger, thans te Israël, 30, 39, 85–86, 181–182, 191–192.

Maurits Allegro, Amsterdam 1906, zuurinlegger, overleden 1978, 39, 126, 322.

Eduard (Eddy) van Amerongen, Amsterdam 1912, journalist, oud-redacteur Ned. Isr. Weekblad, thans te Israël, 101, 134, 208, 231.

Lodewijk Asscher, Amsterdam 1914, diamantair-fabrikant, 182.

Barend Bril, Amsterdam 1900, koopman, 29, 189.

Gerrit Brugmans, Amsterdam 1884, kosjere bakker, 86, 142–143, 179, 190, 210–212, 235, 316.

Rosa de Bruijn-Cohen, Amsterdam 1916, kantooremployé, later huisvrouw, 72–73, 197, 251, 282, 286, 307–308.

Werner Cahn, Ohligs-Solingen 1903, redacteur, 259–266.

Joël Cosman, Amsterdam 1903, sportleraar, 189–190, 242–244, 311–313.

Salomon Diamant, Amsterdam 1891, diamantbewerker, kantooremployé, 144, 145, 298–299.

Barend Drukarch, Amsterdam 1917, rabbijn, 86–87, 92–93, 110–111, 255–256.

Carel Josef Edersheim, Den Haag 1893, overleden 1976, jurist, 198–199.

Max Emmerik, Amsterdam 1894, diamantbewerker, 50, 77–78, 151–152, 174, 201.

Joop Emmerik, Amsterdam 1909, handelaar tweedehands kleren, 30, 39, 85, 129–130, 190–191, 235.

Simon Emmering, Amsterdam 1914, antiquaar, 38, 209–210.

Suze Frank, Amsterdam 1907, diamantbewerkster, 53–56.

Arthur Frankfurther, Breslau 1894, bankier, 64–65, 200, 269–270.

Mozes Heiman Gans, Amsterdam 1917, antiquair, hoogleraar joodse geschiedenis te Leiden, 117–119, 201–202, 258, 269, 270–271, 297, 318–319.

Simon Gosselaar, Amsterdam 1908, onderwijzer, 76–77, 101, 162–163, 172–174, 190, 216.

Toos Gosselaar-La Grouw, Amsterdam 1912, verkoopster, later huisvrouw, 216–217.

Hartog Goubitz, Amsterdam 1889, sigarenmaker, vakbondsbestuurder, 48, 126–127, 141–142, 152, 165–166, 176, 189, 229, 308.

Alexandre Joseph (Lex) Goudsmit, Amsterdam 1913, oud-diamantbewerker, acteur-zanger, 127–128, 174–175.